ESPAÑA

ESPAÑA

LEWIS SPENCE

EDIMAT LIBROS

Ediciones y Distribuciones Mateos

Calle Primavera, 35
Polígono Industrial El Malvar
28500 Arganda del Rey
MADRID - ESPAÑA

ISBN: 84-8403-480-1
Depósito legal: M-2516-2000

Título original: *SPAIN*
Autor: *LEWIS SPENCE*
Primera edición: *GEORGE G. HARRAP & COMPANY LTD.*
Traducción: *PALOMA TAUSENT*
Diseño de cubierta: *equipo editorial EDIMAT*
Impreso en GRÁFICAS COFÁS, S.A. Móstoles (Madrid)

EDMMITESP
ESPAÑA

IMPRESO EN ESPAÑA- PRINTED IN SPAIN

PREFACIO

L A literatura romántica española no ha recibido, desde los tiempos de Southey, la atención por parte de los escritores y críticos ingleses que, sin duda, merece. En ningún país europeo prendió tan fácilmente la semilla del romance, ni floreció tan rápidamente como en España, que dejó la impronta de su carácter nacional de manera más profunda que en Francia o Inglaterra. Cuando pensamos en la caballería nos viene inmediatamente a la mente España: su larga guerra contra los invasores paganos; su sensibilidad frente a todo lo concerniente al honor personal y nacional; los nombres de El Cid Campeador, Gaiferos y Gonzalo de Córdoba, gigantescas sombras armadas y panteón de héroes, cuyas marciales leyendas pocos países pueden sobrepasar o, incluso, igualar. La epopeya del rey Arturo de Inglaterra y los cantares de gesta franceses proceden más del folclore que de la imaginación de los cantores, que fueron los que les dieron una forma literaria. Sin embargo, en los romances españoles podemos encontrar que el folclore desempeña un papel nimio y sus ficciones caballerescas descienden de hechos históricos o de la resplandeciente imaginación que ilumina toda la literatura peninsular.

Me he extendido más que mis predecesores, que escribieron sobre la literatura romántica castellana, en demostrar las relaciones entre los *cantares de gesta* españoles y las *chansons de gestes* francesas. De hecho creo que ningún escritor inglés ha tratado este

5

tema, salvo Fitzmaurice Kelly, cuyo admirable trabajo en el campo de las letras españolas es una feliz excepción a la desidia británica respecto a esta gran literatura. Mi opinión en relación a la ausencia, casi total, de influencias moras en los *romanceros* españoles coincide con la de críticos mejor cualificados que yo para juzgar este asunto. Pero a nadie debo la clasificación de las baladas y, quizá, mi larga devoción por las mismas me capacite para ello.

He hecho un serio esfuerzo para propocionar al lector una visión general de la literatura romántica española, tal y como se expresa en los *cantares de gesta,* las novelas de caballerías, los *romanceros* y las baladas. El lector encontrará los resúmenes de las obras más importantes en cada uno de los capítulos, muchas de las cuales no se habían descrito nunca antes en inglés.

Si la lectura de este libro anima a los lectores familiarizados con la noble y útil lengua castellana a profundizar en su estudio, mis esfuerzos están justificados. La auténtica brillantez y belleza de estos cuentos se oculta tras los velos de una lengua desconocida para muchos británicos y sólo podrá desvelarse mediante su estudio. Este libro refleja la magia de unas maravillas escondidas y ocultas.

L. S.

Edimburgo, junio de 1920.

ÍNDICE

Capítulo Primero

LAS FUENTES DEL ROMANCE ESPAÑOL

¡Romance, romance, canciones de Francia,
Gestas de la noble Bretaña,
Leyendas de espada y de lanza
Que crecieron en Alemania
Y tuvieron esplendor en la vieja España!

Anon

SI un extranjero, amante de los viajes, llega a sentarse en alguno de los jardines de la vieja ciudad de Granada, y, sentado bajo una bóveda de limoneros y moreras, permite que sus oídos se abran a la melodía de las aguas de la ciudad de los granados y que su espíritu se entregue al embrujo de su atmósfera, creerá que, en los días en que sus colores eran menos dulces y su delicioso aire menos tranquilizador, las arpas de los poetas fueron el telar en el que se tejió la trama del romance. Casi instintivamente, tendrá la impresión de que el español, habiendo recuperado el paraíso tras siglos de exilio y mecido por lo ecos encantados de la música árabe, que todavía permanecen, fue arrastrado a una canción apasionada en alabanza a los héroes de su raza, que tanto se sacrificaron por redimirlo. Pero si llega a escalar la sierra del Sol y a atravesar la cámaras encantadas de la Alhambra, como un niño pasa a través de las salas de los sueños,

9

se dirá que el hombre que construyó aquellas habitaciones con el arco iris y que pintó los muros con la paleta del atardecer, levantó también el palacio invisible, pero no menos fastuoso, del romance español.

O bien, si uno, al pasear entre las sombras esculpidas de Córdoba, piensa en la mezquita Maqsura, cuyas puertas de latón andaluz se abrieron a poetas y astrólogos, o en el palacio de Medina Azahara, construido con los mármoles rosados y azules que fueron saqueados de la iglesia bizantina de Ifrikia, ¿creerá que en esa ciudad de esplendor en decadencia y de cadencias irrecuperables estalló la pasión del romance?

Pero no podemos entonar las primeras notas de la música olvidada, ni unir los mosaicos de las armonías rotas en las cálidas y sonoras ciudades de los sarracenos, ni en la vieja Granada, mina de seda y plata, ni entre los recuerdos marmóreos de Córdoba, cuyo mercado estaba saturado de pergaminos que contenían la música y la ciencia de los árabes. Debemos volver la espalda a la tierra escarlata del Sur y subir a las desnudas alturas de Castilla y de Asturias, en las que los cristianos españoles, aprisionados en una meseta árida y dura durante siglos y forzados a la pasión del sacrificio y el patriotismo, hicieron estallar la gloria de la canción guerrera, cuyos ecos resuenan en sus montañas como fanfarrias fantasmales en un viejo campo de batalla.

El aislamiento y la devoción por la causa nacional son incentivos más poderosos para el romance que toda la lujuriosa atmósfera oriental. El aliento de las austeras tierras dio una leche más dulce que los vinos de Almohadén, y en Burgos y Carrión nacieron canciones más conmovedoras, aunque menos imaginativas, que cualquiera de las inspiradas por las guitarras de Granada. Pero el inacabable conflicto entre árabes y españoles conllevó constantes intercambios entre el espíritu sensual del Sur y la curtida virilidad del Norte, de modo que, finalmente, los sarracenos adamascaron de oro el acero del cancionero español y las redes de la fantasía oriental se entretejieron con el alma española. Más tarde, la creciente admiración por el arte y la cultura árabes hicieron olvidar el antiguo odio y el caballero musulmán imitó la caballerosidad del castellano, aunque no sus versos [1].

La corona del cancionero español

La patria de la tradición española fue un caldo de cultivo muy adecuado para una raza que, durante siglos, combatió por cada acre de tierra de la Península contra el enemigo, mucho más avezado en el arte de guerrear, aunque inferior en lo que respecta al espíritu de unidad y a la resolución. Entre los estériles yermos del Norte de España, que hoy en día se recuerdan como tierras ricas en recursos minerales, se sitúan, a intervalos, fértiles y lujuriantes valles, hundidos entre las escarpadas paredes volcánicas de las sierras, cuyas laderas inferiores están cubiertas de tupidos bosques de robles, nogales y pinos. Estas depresiones protegidas por el viento de los Pirineos, afilado como un cuchillo, es, en alguna medida, una reproducción del tranquilo paisaje del Sur. A pesar de que las distancias entre los valles tendían a provocar aislamiento, fue allí donde la España cristiana tuvo el respiro que le permitió reunir fuerzas y que educó su espíritu para la gran guerra contra los sarracenos.

Fue un sutil sentido nacionalista y el deseo de imponer un lenguaje común, que se había demostrado como la salvación de muchos pueblos no menos desesperados, lo que, indudablemente, abocó a los cristianos españoles a tan largo enfrentamiento. Quizá su decisión de redimir el edén perdido del Sur es la mejor base en la que se asienta la teoría de que, antes de la era de la conquista de los sarracenos, la lengua castellana fue una mera jerga que combinaba elementos de la *lingua rustica* romana y del áspero godo, y conforme a las aseveraciones de autoridades en la materia, carecía de composición gramatical y de carácter de idioma perma-

---

[1] El *moro latinado,* o moro castellano parlante, es una figura relevante en la posterior literatura romántica española.

nente [2]. Tenemos la certeza de que las últimas fases de la evolución del castellano se desarrollaron después de la invasión árabe, pero el imputar a la lengua castellana antes de dicha época el carácter de un indisciplinado *patois* no deja de ser una deformación de las escasas fuentes de evidencia que poseemos.

Romanos y visigodos

Cuando, a comienzos del siglo v, los visigodos invadieron la España romanizada, siguiendo la estela de los pueblos vándalos, no se dedicaron a construir sobre las ruinas de la anterior civilización, aunque conservaron los hábitos de sus tierras nórdicas y, durante generaciones, parecieron poco impresionados por la cultura romana. Tampoco encontró, en principio, eco entre ellos el latín, la lengua hablada por el pueblo conquistado, aunque al haber habitado las tierras limítrofes del Imperio Romano seguro que no eran ajenos a dicha lengua. Se encontraron con que los pueblos de la Península eran reacios a abandonar la lengua con la que sus compatriotas, Marcial, Séneca y Lucano, contribuyeron al esplendor de las letras. Por lo general, una autocracia militar no tiene éxito a la hora de imponer su lengua a los pueblos sometidos, a no ser que combine la doble ventaja del dominio de las armas y la aptitud para la literatura, y los visigodos, incapaces de competir en este último aspecto con la gran civilización de los anteriores colonizadores de Hispania, acabaron, con el paso de las generaciones, aceptando fácilmente la lengua romana. Sin embargo, su analfabetismo no fue la única razón de la parcial derrota lingüística de los nuevos invasores, ya que además de destacados militares eran unos aventajados conocedores de los números. Los invasores trajeron pocas

---

[2] El testamento del obispo Odoor (747) muestra la ruptura del latín hispánico y Charles de Bald alude, en un edicto del 844, a un *usitato vocabulo* de los españoles, su «lenguaje usual». Ver el cuarto volumen de los Cahier de Père Jules Tailham y el *Nouveaux Mélanges d'Archéologie, d'Histoire, et de Littérature sur le Moyen Age* (1877), de Martin, para el período godo.

mujeres consigo, lo que les obligó a casarse con mujeres nativas que educaron a sus hijos en la lengua romana. Las relaciones entre conquistadores y conquistados se cristalizaron en una especie de latín adulterado que, en gran medida, afectó al romano clásico como las lenguas comerciales del Pacífico lo hicieron al inglés [3]. El uso del latín como lengua literaria en la España castellanoparlante retrasó considerablemente su evolución de *patois* a lengua correcta. Sin embargo, el avance fue continuo. Los procesos por los que esto se desarrolló de este modo son oscuros, pero su estabilidad literaria a principios del siglo XI es una prueba de que debió de alcanzar la perfección coloquial incluso antes de la era de la invasión árabe. La conquista de los sarracenos arrinconó a la lengua en el lejano Noroeste, perjudicándola muy poco, ya que tuvo que competir con otros dialectos romanos que enriquecieron su vocabulario, obteniendo, finalmente, una primacía casi completa sobre ellos como lengua literaria.

Las lenguas romance de España

En el territorio español que permaneció en manos cristianas se hablaban tres lenguas romance o romanas: en Cataluña y Aragón, el provenzal, catalán o limousin; en Asturias, Castilla la Vieja y León, el castellano, y en Galicia, el gallego, del que procede el portugués. El catalán era prácticamente igual al provenzal, o *lengua de oc,* del sur de Francia, y la subida al trono de Provenza del conde de Barcelona en 1092 unió a las gentes de Cataluña y de Provenza bajo una legislación común. El provenzal, la lengua de los trovadores, era de origen francés y denota su evolución a partir del latín de las provincias galas. Parece haber sido introducido en Cataluña por los hispanos que huyeron de los moros hacia la Provenza para tornar luego gradualmente al Sur, conforme las zonas situadas al

---

[3] Esta jerga tenía más de *lingua rustica* que de godo, que influyó más significativamente en la pronunciación y la sintaxis del español que en su vocabulario.

norte de España iban siendo liberadas del dominio árabe. La conexión política de Cataluña con la Provenza conllevó de forma natural una similitud idiomática y de costumbres, y, de hecho, encontramos gente de las costas catalanas y de la región de Aragón profundamente imbuida del espíritu caballeresco y galante de las tierras ubicadas más al norte: la patria de *Gai Saber*.

En todo el territorio catalo-provenzal[4] existían románticas amatorias en las que la sutileza erótica de las canciones de hombres y mujeres se debatía con una seriedad que nos demuestra que el arte de amar había entrado en competición con las leyes y la religión, y que se había convertido, incluso, en un auténtico comercio con las clases altas de la región. Dejando a un lado la sacralización de las relaciones entre los sexos, pero en clara conexión con este fenómeno, nació la ciencia de la caballería, con espíritu y códigos no menos puntillosos y extravagantes. El espíritu de la caballería provenzal fue abriéndose camino paulatinamente en Castilla, elevando y agudizando la imaginación de sus gentes, y preparó a la mentalidad española para aceptar y apreciar la literatura romántica. Pero la fantasía castellana no fue en ningún momento una receptora pasiva. Sometía toda influencia literaria invasora a tal suerte de poderosa alquimia de transmutación que todos los elementos extranjeros perdían su carácter extraño y volvían a emerger del crisol de un pensamiento casi totalmente castellano.

Los poetas y trovadores de la Provenza y Cataluña dominaban a la perfección la rima de los versos y abrieron la vía de una lírica que, si bien nunca fue de altos vuelos, ni de gran originalidad, ha sido raras veces sobrepasada en melodía y elegancia. Hay que destacar que todo este vasto compendio de versos, a excepción de la sátira política, tiene una temática constante: la exaltación del amor. La lectura de la plácida poesía provenzal halaga el oído y apela al sentido musical. La melodía es perfecta y tiene la majestuosidad

---

[4] El catalán difiere ligeramente del provenzal en su sentido dialéctico. Está dividido en *plá catalá* y en *lemosé,* la lengua popular y la literaria.

constante de la pavana, que quizá proviene más del genio del lenguaje que de las excelencias métricas de sus cantores. La repetición monótona de los sentimientos amatorios, para cuya expresión se repiten los mismos conceptos e, incluso, las mismas frases una y otra vez hasta la saciedad, junto con la artificiosidad que inspiran esas cadencias uniformes y la ausencia de un auténtico calor humano, llegan pronto a aburrir y disgustar al lector, que delegará todo el reino poético de la Provenza en los especialistas en métrica o en los anticuarios de libros y lo permutará por la belleza, menos formal, de una música más adecuada a las necesidades humanas y, obviamente, menos diseñada para una casta literaria. El poeta provenzal nos recuerda a esos tapices en los que el esquema es puramente decorativo y donde tiesas flores de brocado se intercalan, a intervalos regulares, en el conjunto, dando como resultado una monótona similitud de colores. Ningún episodio de caza o pastoril llega a encandilarnos por su viveza o realismo, ni encontramos tampoco tonos sedosos esparcidos de forma natural y agradable [5].

Los trovadores provenzales y catalanes tuvieron una cierta influencia en la poesía y el romance castellanos, existiendo múltiples pruebas de la interrelación con Castilla. El *Libro de Apolonio* del siglo XIII, un poema anónimo, está repleto de provenzalismos, al igual que la *Historia de las Cruzadas,* bastante posterior. Muchos provenzales huyeron a España a causa de las persecuciones sufridas durante las guerras contra los albigenses, y allí encontraron un refugio frente a su intolerante enemigo. Así, Aimeric de Bellinai huyó a la corte de Alfonso IX y permaneció luego en la corte de Alfonso X, al igual que Montagnagunt, Folquet de Lunel, Raimond de Tours y Bertrand Carbunel, que, junto con Riquier, dedicó todas sus obras al monarca y compuso una elegía a su muer-

---

[5] El profesor Saintsbury afirma: «Vista en su totalidad, su facilidad, su conclusión y, dentro de ciertos límites, su variedad son más importantes que la intensidad o el volumen de su pasión o su mensaje» (*Flourishing of Romance and Rise of Allegory,* págs. 368-369). Continúa destacando que la lírica provenzal «es una "poesía menor" algo infantil y agradable que raras veces excede de una minoría».

te. El propio rey Alfonso compuso versos de decidido corte provenzal y en 1433 el marqués de Villena, pariente del famoso marqués de Santillana, al que haremos referencia más tarde, escribió un tratado sobre el arte de trovar[6], donde, mostrando su talante pedante, afirmaba que su deseo era verlo resucitado en Castilla[7]. El gallego, una lengua romance que nació de la misma raíz que el portugués, está íntimamente conectado al castellano. Pero no es tan rica en sonidos guturales, de lo que debemos deducir que tiene menos componentes teutónicos que su lengua hermana. Como el portugués, posee gran abundancia de sonidos siseantes y una pronunciación nasal, cercana al francés, que, con toda probabilidad, fue introducida por la temprana subida al trono de una dinastía borgoñona. La influencia gallega en la literatura castellana cesó rápidamente, aunque a la inversa el caso fue muy distinto.

El triunfo del castellano

La evolución del castellano, a partir del latín original hablado por los colonizadores romanos de España, fue complicada por varias circunstancias. Al contraer los vocablos romanos no se omitían las mismas sílabas que en Italia, ni tampoco se abreviaban tanto como en Provenza o en Galicia. Quizá porque la mezcla de sangre goda fue mayor entre aquéllos que hablaban castellano, su lengua es más rica en letras aspiradas y su dicción es más dura que cualquier otra lengua romance. Por ejemplo, la letra *f* se convierte a menudo en castellano en *h,* de este modo de *fabulari* resulta *hablar.* La letra *j,* que es fuertemente aspirada, se sustituye con frecuencia por la *l* líquida y de *filius* resulta *hijo.* La *ll* líquida sustituye a la latina *pl* y nos encontramos con que los castellanos deno-

---

[6] Se titula *El Arte de Trobar,* del que Mayan hizo un mal resumen en su obra *Orígenes de la Lengua Española,* Madrid 1737.

[7] Para analizar la influencia provenzal en la literatura castellana ver *Trovadores de España,* Barcelona 1887, de Manuel Milá y Fontanal, y, en menor escala, *Espagne et Provence,* 1857, de Baret.

minan *llano* al vocablo latino *planus*. La *ch* española ocupa el puesto de la *ci* latina, de éste modo *facto* es igual a *hecho, dictu* a *dicho*, etc...

Pero hay otras muchas muestras de asociaciones teutónicas. La *g* antes de la *c* y la *i*, que es una gutural en las lenguas goda y germánica, tiene el mismo carácter en Castilla. La conversión española de la *o* en *ue* recuerda también un cambio similar en el idioma alemán, si, por ejemplo, comparamos las palabras castellanas *cuerpo* y *pueblo* con las alemanas *Körper* y *Pöbel*.

Extensión del castellano hacia el Sur

El triunfo del castellano como lengua coloquial y literaria se alcanzó tras una lucha incesante de la fuerte raza que hablaba dicha lengua contra los sarracenos, ocupantes de su país natal. Dado que los guerreros castellanos reconquistaron gradualmente ciudad por ciudad y aldea por aldea, más que provincia por provincia, su lenguaje fue invadiendo poco a poco el área de sus enemigos árabes [8], hasta caer el último bastión moro, perdiendo todos sus territorios en la Península. «Fue, sin duda, un duro aprendizaje el que nuestros antepasados, poderosos y fuertes, tuvieron que soportar como preludio de tantas glorias que les llevaron a conquistar el mundo», dice Martínez en su novela *Isabel de Solís* [9]. «Bajo el peso de la armadura y espada en mano, no durmieron tranquilos ni una sola noche durante ocho siglos.»

Desde la derrota de Rodrigo, el último rey visigodo, en la batalla de Jerez de la Frontera en el 711, hasta la caída de Granada en 1492, España fue un campo de batalla. Casi inmediatamente después de la primera derrota, a manos de los árabes, los ejércitos visigodos fueron perseguidos hasta los límites noroccidentales de la Península, donde encontraron un punto de reunión en las montañas

---

[8] Encontraron a muchos hispano-parlantes en esas zonas y, finalmente, fue el romance el lenguaje que prevaleció en España.

[9] Madrid, 1839.

de Vizcaya y Asturias. Allí, como los galeses tras la invasión de Gran Bretaña por los sajones, deberían haberse conformado con esa porción de territorio, comparativamente más pequeña, que se les dejaba, pero su encarcelamiento sólo sirvió para unirlos más estrechamente en un espíritu nacionalista común y en la decisión de recuperar sus anteriores posesiones.

Durante generaciones sus esfuerzos se limitaron a los ataques fronterizos y a la lucha de guerrillas, que no tuvieron en ningún caso un éxito constante, ya que el fiero valor sarraceno no les permitió más que una mera política defensiva. Además, prácticamente cada batalla de la que los castellanos pudieron jactarse tuvo como contrapartida reveses y pérdidas que difícilmente podían soportar, dado que eran inferiores en número. Pero poco a poco su valerosa obstinación fue siendo recompensada, y antes de un siglo habían reconquistado la mayor parte de Castilla la Vieja. El nombre de esta región, que significa Tierra de Castillos, denota que, aunque reconquistaran tierras, sólo podían mantenerlas fortificando las cimas de cada loma con plazas fuertes, de modo que al final este territorio acastillado le dio nombre a la raza que lo mantuvo tan tenazmente. Antes de que pasaran otros veinte años, los guerreros castellanos asentaron su pie en Castilla la Nueva, y a partir de ese momento parecieron haberse asegurado ya el éxito final.

La caída de Toledo en 1085, tras tres siglos y medio de ocupación sarracena, marca un hito en el avance castellano hacia el Sur y, con la toma de Zaragoza, en 1118, cambian las tornas para los árabes que, acosados, se ven confinados en la zona Sur y Sudeste. Sin embargo, esta circunstancia, lejos de minar su resistencia, parece consolidarla y, a partir de este momento, los árabes cuentan con casi cuatro siglos de dominio, antes de que Boabdil, también llamado Abu Abdallah, entregue, a la caída de Granada, sus llaves a Fernando de Castilla y torne, por última vez, la mirada hacia la ciudad, para cruzar luego hasta Africa, donde consumiría su vida en inútiles batallas.

La literatura romántica española nace en este panorama de constante contienda y desasosiego. Resulta muy significativo que

18

su desarrollo coincida con el enfrentamiento armado. El eco de las trompetas resuena siempre en ella. Al expresar el espíritu de una raza marcial, los caballeros castellanos encuentran en las canciones y fábulas que hablan de héroes poderosos un nuevo coraje y experimentan un optimismo que les anima el día de la batalla. El caballero errante de Castilla debió de cantar como el de la siguiente vieja balada:

> La armadura es mi única vestimenta,
> La batalla es mi juego,
> Mi jergón es el suelo desnudo,
> Mi luz los rayos del sol [10].

Las guerras fronterizas, con sus cambios de escena frecuentes y la alarma permanente que conllevaban, eran la introducción adecuada a la vida errante.

La evolución literaria de Castilla

Los castellanos desarrollaron una forma literaria particular y propia, aunque se vio afectada por más de una influencia externa, que encuentra su máxima expresión en la poesía, como se podrá comprobar cuando estudiemos por separado sus diferentes formas románticas. Esta poesía no le debe nada a la literatura provenzal o catalana, sino más bien a su espíritu y a sus modales externos. Cuando la poesía cortesana, y un tanto pedante, se topa con los graves y vigorosos castellanos, no puede mantener una resistencia prolongada. Dado que el encuentro se acelera por motivos políticos, se acelera también la victoria de los castellanos. El reino de Aragón estuvo conectado desde sus inicios con el de Castilla, y Fernando el Justo, que subió al trono de Aragón en 1412, fue un príncipe castellano. Las Cortes de Valencia y Burgos estuvieron abiertas prácticamente a las mismas influencias políticas. Si nues-

---

[10] *Cancionero de Romances,* Amberes 1555.

tras conclusiones son correctas, fue durante el reinado de Fernando el Justo y Alfonso V (1412-1458) cuando la influencia del castellano invadió por primera vez la esfera del catalán. Con ocasión del concurso de canciones en honor de la Virgen, que tuvo lugar en Valencia en 1474, nos encontramos ya con el castellano como lengua poética reconocida; los cuarenta poemas que se cantaron fueron posteriormente recopilados en el primer libro impreso en España. Cuatro de ellos están escritos en castellano, cuya literatura es considerada ya lo suficientemente desarrollada como para estar representada en semejante acto. De hecho Valencia, que en principio fue totalmente catalana tanto por su lengua como por su arte, parece haber contado con una escuela de poetas castellanos entre 1470 y 1550, que favoreció la adopción de su lengua. Pero los catalanes no se resignaron a que su lengua perdiese la hegemonía literaria de España tan fácilmente, e hicieron todo lo posible para mantenerla, instituyendo colegios de trovadores profesionales y haciendo gala de su belleza frente al gran público en los concursos de canciones. Fue en vano. Se habían encontrado con una lengua más vigorosa, de vocabulario más amplio, más rica en cuanto a su construcción idiomática y sostenida por un poder político superior al suyo.

La corte poética de Castilla

La evolución del castellano como lengua literaria fue fomentada por el carácter erudito de muchos de los gobernantes de Castilla. Alfonso el Sabio fue poeta y cultivó su lengua nativa con esmero y buen juicio, logrando una gran pureza y precisión de expresión. Las Sagradas Escrituras se tradujeron al castellano bajo su supervisión y, también a instancia suya, se escribió la historia de las Cruzadas y una *Crónica General de España*. Hizo del castellano la lengua de los tribunales de justicia e intentó infundir en sus versos un espíritu más exacto y una fraseología poética, a imitación del modelo provenzal.

Alfonso XI compuso una *Crónica General,* utilizando las redondillas, rimas simples y frescas, en lugar del verso alejandrino, rígido y monacal, tan corriente en los círculos literarios de la época, y favoreció la redacción de libros en prosa castellana sobre el arte de la caza y la genealogía de la nobleza [11]. Su pariente Don Juan Manuel ayudó a disciplinar la imaginación española y dio relieve a su prosa en su libro *El Conde Lucanor,* un volumen sobre máximas éticas y políticas, cuya moraleja se transmite a través de cuentos y fábulas extraídos de la literatura clásica. Juan II [12], a pesar de ser un rey débil y ocioso, fue un gran patrono de las letras que compuso versos, en colaboración con poetas, y generó, en 1449, la más extensa colección de los mejores versos de España. Pero dicha corte tenía un espíritu pedante, seguía los modelos italianos y el propio rey llegó a adoptar costumbres provenzales. Sin embargo, a pesar de estas barreras artificiales, la lengua castellana continuó avanzando en su camino de conquista. Se convirtió, definitivamente, en la lengua del romance, y el romance, a su vez, fue la fuerza literaria más poderosa de la Península.

El triunfo del romance

El desarrollo del romance en España, su evolución y las fases por las que pasó, no tuvo el concienzudo tratamiento por parte de los escritores ingleses estudiosos de la literatura española que hubiera cabido esperar hoy en día, en que los especialistas en literatura tienen que rebuscar diligentemente en los rincones más remotos de la tierra, si buscan nuevos tesoros que sacar a la luz. Se alude a sus diversas fases y luego se las olvida, no tanto por lo pobre o dudoso del material, como por la laxitud y el deseo de exhaustividad que caracteriza a los británicos a la hora de determinar las épocas o de dilucidar las conexiones entre las sucesivas fases literarias. Tengo pocas esperanzas de tener éxito en una tarea que han

---

[11] Ver el artículo sobre Alfonso XI en N. Antonio, *Bibliotheca Hispana Vetus.*

[12] Reinó entre 1407-1454.

dejado de lado otros, mejor equipados que yo. Pero prefiero fallar en el intento de reducir los detalles de la evolución del romancero español a una secuencia ordenada, que presentar al lector una serie de hechos inconexos y muestras aisladas de evidencia que, aun siendo interesantes, no presenten una imagen definitiva, ni permitan una deducción razonable, y que se apoyan, generalmente, en teorías obtenidas a través de métodos dudosos.

Si recordamos el mapa literario de Europa entre los siglos XI y XIII, vemos brillar la luz en dos puntos: la España judeo-árabe y Francia. La primera no nos interesa de momento; su literatura fue extraña y opuesta a la de la España cristiana que, como observaremos más tarde, no contempló lo sarraceno con complacencia hasta que su espada dejó de cruzarse con la cimitarra. Pero Castilla tenía en Francia un ilustre modelo, cuyas enseñanzas reconstruyó a su manera particular: una forma dictada por el orgullo nacional y la necesidad política.

Ya hemos hablado aquí de la influencia del Sur de Francia. En la época a la que ya hemos aludido, el Norte de Francia, el país de la *lengua de oc,* aún perturbada en cierta medida por el desasosiego, estaba en mejor situación para crear buena literatura que Castilla, a la que su constante venganza contra el islam sólo le dejó un escaso margen para el ocio y la creatividad puramente literaria, margen que, a pesar de ello, aprovechó al máximo. La aparición de una casta de poetas itinerantes en Francia colmó las necesidades del pueblo de escuchar historias y los *trouvères* del siglo XII se dieron cuenta de que la época de Carlomagno era una fuente abundante y apropiada de ficción heroica, muy del gusto de la audiencia medieval. La poesía, o más bien la épica, que ellos basaron en la época carlovingia se conoció como *chansons de gestes,* los cantares de gesta del gran emperador franco y sus paladines o de los propios trovadores, que ellos consideraban *matière de France,* al igual que los cuentos del rey Arturo se designaban como *matière de Bretagne,* o aquéllas otras de *matière de Rome,* basadas en la historia clásica.

Hasta hace relativamente poco tiempo estas inmensas obras,

muchas de las cuales comprendían más de seis o siete mil versos, eran desconocidas incluso para la generalidad de las autoridades literarias [13]. Tal y como han llegado hasta nosotros en la actualidad son comparativamente tardíos en cuanto a la forma y han sufrido muchas revisiones, probablemente para mal. Pero son los ejemplares más antiguos de versos elaborados en un idioma moderno que tenemos, con la excepción del inglés y del noruego, y tiene, indudablemente, una relación ancestral con toda la literatura moderna.

Las *chansons* fueron compuestas para ser cantadas en los duelos entre los trovadores itinerantes de la época feudal, que bien las componían o se las iban pasando de unos a otros. Su temática gira más en torno a los enfrentamientos armados que a las emociones humanas, aunque éstas se describían a intervalos con gran maestría. Los ejemplos más antiguos que tenemos están escritos en grupos de versos, variando de una a varias veintenas, procediendo la unidad de cada una de ellas de la rima asonante de una vocal, y conocidos como *laisses* o *tirades.* Sin embargo, más tarde la rima se va introduciendo en las *chansons,* acabando cada grupo de versos en una sola rima.

La oposición castellana a los cantares de gesta

Carlomagno era representado en estos poemas, que se originaron con toda probabilidad en el Norte de Francia para ir luego extendiéndose hacia el Sur, como el gran baluarte de la cristiandad frente a los sarracenos españoles. Rodeado de sus pares, Roland, Oliver, Naymes, Ogier y Guillermo de Orange, luchó continuamente contra los moros y sarracenos (paganos) de Sajonia. Gautier

---

[13] Gaston París, *La Littèrature Française au Moyen Age*, París 1888, y Léon Gautier, *Les Épopées Française,* París 1878-1892, son las principales autoridades en los *cantares de gesta.* Se puede encontrar información de los mismos en inglés en *Popular Epics of the Middle Ages* de Ludlow, 1865, y en el *Dictionary of Medieval Romance,* 1913.

ha publicado una lista de ciento diez de estos poemas, la mitad de los cuales datan del siglo XII. Una cierta cantidad de las últimas *chansons* están escritas en provenzal, pero todo intento de relacionar el ciclo completo en su estado original con la literatura ha resultado fallido.

Tenemos la absoluta certeza de que todo este inmenso conjunto de material romántico encontró una vía de penetración en Castilla. Lo que no está claro es que lo hiciera a través de la Provenza y de Cataluña, aunque el caso sea plausible. Es muy posible que la España cristiana se entregase agradecida, atormentada por la agonía de su continua lucha contra los moros, a una literatura que hace una constante referencia a la confusión de sus eternos enemigos. En principio aceptó, sin lugar a dudas, la forma de la *chanson,* pero surgieron dos obstáculos que impidieron una apreciación sin divisiones. En primer lugar, los castellanos del siglo XII se dieron cuenta de que cuando Carlomagno invadió España no sólo se encontró a los árabes, sino también a los españoles. Tal y como aseveran ciertas autoridades en la materia, esto se confirma en una pieza de la poesía popular vasca, conocida con el *Cantar de Altobiskar,* que asegura tácitamente que la retaguardia de Carlomagno fue derrotada en Roncesvalles por los vascos y no por los sarracenos. La pieza completa es una efusión de actos heroicos, escrita en vasco por un estudiante vasco llamado Duhalde, quien la tradujo del autor francés François Garay de Montglave (1833)[14]. La segunda batalla de Roncesvalles tuvo lugar bajo el reinado de Luis el Piadoso en el 824, cuando dos condes francos, que retornaban de España, fueron nuevamente sorprendidos y derrotados por los montañeses de los Pirineos. Pero parece que hubo una batalla anterior entre francos y vascos en los Pirineos durante el reinado de Dagoberto I (631-638). La memoria popular parece guardar vivo el recuerdo de estas confrontaciones, por lo que, de alguna manera, el español considera

---

[14] Ver W. Wentworth Webster en el *Boletín* de la Academia de la Historia, 1883.

al franco como su enemigo tradicional. El arzobispo Rodrigo de Toledo condena a los juglares españoles que cantaron las batallas de Carlomagno y Alfonso el Sabio minimiza los míticos éxitos del emperador franco.

Pero esto no fue todo. La idea de que Carlomagno hubiese entrado en España como conquistador era una ofensa para el gran orgullo y el patriotismo de los castellanos, que decidieron interpretar el espíritu de los cantares de gesta a su manera, componiendo un canto opuesto en su contra, en lugar de copiarlo servilmente. Erigieron como héroe nacional del período carlovingio a un caballero legendario, Bernardo del Carpio, que fue aclamado como campeón de Castilla, inventando canciones de su propia cosecha en las que se habla de un Roland, moribundo y derrotado, en Roncesvalles, a la cabeza de un ejército victorioso compuesto de castellanos, y no de árabes o vascos.

Los cantares de gesta

Pero aunque los castellanos no aceptaran los cantares de gesta en cuanto a su temática, si adoptaron su forma. Su rebelión literaria contra el espíritu extraño y la política de las *chansons de gestes* parece haber tenido lugar inmediatamente después de que se difundieran por toda España. Un sacerdote español de comienzos del siglo XII escribió la fabulosa crónica del arzobispo Turpin de Reims, que pretendía ser la obra de dicho clérigo guerrero, pero que, en realidad, intentaba popularizar el peregrinaje a Compostela al que hacía referencia. Muchos francos viajaron a Compostela, y entre ellos los *trouvères,* que con toda probabilidad traspasaron a los cantores castellanos el espíritu y el sistema métrico de sus *chansons,* de modo que posteriormente oímos hablar de los cantares de gesta españoles, de los que, sin embargo, a diferencia de los franceses, no queda ejemplar alguno. El famoso *Poema del Cid,* que trata sobre las proezas de un gran héroe castellano, es todo un cantar de gesta, tanto en su forma como en su espíritu, y tenemos la certeza de que muchos de los romanceros o baladas posteriores referentes a héroes como Bernardo del Carpio, Gonzalo de Córdoba y Gaiferos son meros cantares antiguos retocados.

En España, al igual que en Francia, los cantares de gesta degeneraron. Con el transcurso del tiempo acabaron en la plaza del mercado. Muchos de ellos se convirtieron en material de crónicas e historias posteriores, pero los juglares que los cantaban los modificaban cuando estaban ya pasados de moda, corrompiéndolos, o los reconvertían en baladas más afines con los gustos populares de su audiencia [15].

Las crónicas

Pero aunque la mayoría de los cantares de gesta son irrecuperables en su forma original, encontramos, sin embargo, fragmentos de los mismos en las antiguas crónicas de España. Así la *Crónica General de España* (c. 1252) que, conforme a las investigaciones más recientes, ha sufrido como mínimo tres alteraciones de su texto, nos cuenta las historias de Bernardo del Carpio, Fernán González y los Siete Infantes de Lara, proporcionándonos esbozos de Carlomagno, mientras que su última parte nos cuenta la historia del Cid, haciendo referencia de cuando en cuando a los cantares en algunos episodios. Muchos de los pasajes de las crónicas han sido obviamente copiados en su totalidad de algunos cantares. Mantienen con tanta fuerza la composición asonante de los versos, típica de los cantares, que parece que muchos de los cantantes de baladas de tiempos posteriores los han refundido de nuevo, especialmente aquellos de Bernardo del Carpio y los infantes de Lara, volviendo a aparecer en los cancioneros y en las colecciones de canciones folclóricas con esta nueva apariencia.

---

[15] Ver Manuel Milá y Fontanal, *Poesía heroico-popular castellana*, Barcelona 1874.

Las baladas

Las inmortales baladas de España han sido objeto de la más agria controversia y su importancia como material romántico merece un tratamiento especial en un capítulo aparte. Trataremos el tema brevemente en este apartado, haciendo referencia al período al que pertenecen y su relación con el resto de la poesía narrativa y con las crónicas. Algunos expertos las adscriben a una época temprana e insisten en su anterioridad a otros poemas, como el *Poema del Cid* o de crónicas como la de Alfonso el Sabio, mientras que otros aseguran, con igual certeza, que la mayoría pertenecen a una época tardía. Me parece que la verdad reside en ambas hipótesis y que en este caso, como ocurre frecuentemente en la navegación literaria, lo sabio es mantener el timón al centro. En mi opinión las baladas españolas pertenecen a cuatro tipos diferentes: aquellas que surgieron espontáneamente en el Norte de España inmediatamente después de que se consolidase la lengua castellana, las cuales, suponiendo que nos quede algún resto de ellas, probablemente han llegado a nuestras manos en una versión irreconocible para aquellos que las cantaron en un principio; las baladas basadas en los cantares de gesta o las crónicas; las baladas populares de una época posterior, más o menos alteradas, y, finalmente, las más modernas.

También creo que las baladas o romanceros pertenecen a su vez a dos amplias clases: aquellas de un origen popular espontáneo que no proceden de fuentes literarias, y los cantares de gesta y los pasajes de las crónicas en un estado lírico de agotamiento. Junto con la mayoría de los expertos en literatura española antigua, creo que los cantares o crónicas no influyen en nada en las baladas de ninguna época, que tienen un origen exclusivamente popular. Evidentemente, las dos clases de baladas a las que acabo de hacer referencia no incluyen las más poéticas y sofisticadas, escritas después de que la balada llegase a ser una forma aceptada de experimentación en la versificación, y resulta claro que dichos esfuerzos no pertenecen a ninguna de las dos categorías.

No existe prueba alguna del grado de sofisticación y alteración que sufrieron las baladas antes de su última compilación y publicación. Sin embargo, sería extraño que no hubiera llegado hasta nosotros alguna de las baladas de un período relativamente temprano, aunque fuese alterada, y me parece una mera afectación crítica el negar la antigüedad de una canción, simplemente porque fue impresa con posterioridad o porque no se encuentra en los antiguos manuscritos, como lo sería el hecho de dudar de la antigüedad de una leyenda o una costumbre popular en nuestros días, a no ser que existieran pruebas claras de que habían sido fabricadas recientemente. Al mismo tiempo, pocas de ellas me parecen llevar un sello de antigüedad anterior, por ejemplo, a las de Escocia o Dinamarca.

Pocas de las baladas europeas merecen ser estudiadas tanto como las españolas. Pero en este caso lo estamos considerando exclusivamente desde el punto de vista de sus relaciones con el romance. Es evidente que tiene una estrecha afinidad con la literatura romántica de la Península, dado que los españoles denominaron a dichos poemas *romanceros* [16]. Muchas de ellas son romances o cantares de gesta en pequeño y, de hecho, tratan de todos los grandes temas cantados en los *cantares* o narrados en las crónicas, como la del Cid, Bernardo del Carpio, el conde Alarcos, etc... Pero parecen tener poco en común con romances posteriores como *Amadís, Palmerín* o *Felixmarte,* ya que en la época en que éstos estaban de moda la balada era de la exclusiva propiedad del pueblo llano. Como pone de relieve el marqués de Santillana (1398-1458), un notable poeta, en una famosa carta en la que vierte una luz sobre la literatura española de su época: «Hay poetas que, sin orden, regla o ritmo, componen aquellas canciones y romances con las que se deleitan el pueblo llano y la servidumbre.»

---

[16] El término, empleado por primera vez por el conde Guillermo de Poitiers, el primer trovador, afectó, en un principio, a cualquier obra escrita en una lengua vernácula romance. Más tarde se usó en España como equivalente de cantar y, finalmente, se refirió a un poema lírico-narrativo octosílabo.

Lovelace o Drummond de Hawthornden podrían haber escrito lo mismo sobre las baladas inglesas.

Las baladas quedaron, por tanto, relegadas a los campesinos y a las clases inferiores, mientras que las clases altas, que tenían tiempo para leer, siguieron con la lectura de los escasos cantares de gesta y crónicas que se habían escrito. Pero con la destrucción de los Estados árabes en España, el aumento de riqueza y ocio entre las clases altas y la introducción de la imprenta conllevaron una gran demanda de libros que proporcionasen entretenimiento. En el extranjero había un gran espíritu de inventiva. En primer lugar se resucitó el material romántico sepultado y casi fosilizado en las crónicas. De hecho no es más que un paso hacia los auténticos romances. Pero España clamaba hambrienta de novedades y los ojos de los autores de los romances se volvieron una vez más hacia Francia, cuyo poder de ficción empezó a ser explotado por los escritores españoles a comienzos del siglo XV.

El apogeo del romance

Quizá la primer noticia literaria que tenemos de un auténtico romance en España es la de Ayala, canciller de Castilla (1407), quien deplora en su *Rimado de Palacio* el tiempo que ha perdido leyendo mentiras como las del *Amadís de Gaula*. Sin duda debió de ocupar mal su tiempo pero, sea como sea, en su obra no encontramos prácticamente ninguna referencia al modo en que ese especial tipo de romance arraigó con tal fuerza en la imaginación castellana que, en lugar de limitarse simplemente a copiar el modelo francés, dotó a la literatura de un espíritu y un genio peculiarmente españoles. Quizá en ningún otro país europeo encontró la semilla del romance un suelo tan apropiado para su germinación y su florecimiento y, con toda certeza, en ninguna otra parte brotó y retoñó con tal lujuria tropical de frutos y flores.

Como consecuencia de *Amadís* surgió una larga serie de libros similares, todos los cuales podrá encontrar el lector en este libro más adelante. La generalidad de los críticos afirma que de Cervantes en adelante surge el mejor y más destacado romance español, traducido al francés, al italiano e, incluso, a otras lenguas europeas [17]. Se dice que, incluso, se realizó una traducción especial para los lectores judíos. De un solo golpe el romanticismo peninsular barrió la ficción francesa de caballerías en su propio campo. Pero *Amadís* no fue, como Cervantes parece creer, el primer libro de caballerías impreso en España; esta distinción pertenece a *Tirante el Blanco* (1490) que, según Southey, carece de todo espíritu de caballerías [18]. Entre otras figuras introduce la de Warwick, el hacedor de reyes, que resiste con éxito la invasión de Inglaterra por el rey de las islas Canarias y, finalmente, acaba con el invasor con una sola mano y derrota a su ejército. Pero aunque Cervantes yerre en su bibliografía, el resumen que su barbero efectúa de *Amadís,* como «el mejor libro de los de su género jamás escrito», no se aleja mucho de la realidad [19]. Tasso la calificó como «la más bella, y quizá la más provechosa, historia de entre las de su género que puede leerse». ¿Se limita a seguir la opinión del crítico barberil, como podemos llegar a pensar por el lenguaje que emplea?

A continuación de *Amadís* nacieron innumerables imitaciones. Su enorme éxito, desde un punto de vista popular, llegó a generar toda una literatura de igual sello e intención, aunque no de igual calidad. La primera de ellas, en cuanto a los resultados aunque no cronológicamente, es *Palmerín de Oliva,* editada en Sevilla en 1525, y, al igual que *Amadís,* seguida de otras imitaciones como *Primaleón, Platir* y *Palmerín de Inglaterra,* quizá la mejor de toda la serie [20]. En relación al origen portugués que se atribuye a *Amadís* y *Palmerín* debo apuntar que no existe manuscrito ni texto im-

---

[17] En Alemania se conocía ya en 1583 y en Inglaterra en 1619. La traducción de Southey, Londres 1803, es, afortunadamente, un resumen y ha sido reeditado en la Librery of Old Authors, 1872. Proporcionaré todos los detalles bibliográficos al tratar el romance en mayor profundidad.

[18] *Omniana*, t. II, pág. 219, Londres 1812.

[19] *Don Quijote*, Parte I, capítulo VI.

[20] Traducción inglesa de Southey, volumen 4, Londres 1807.

preso original en portugués, aunque dicho origen parezca indudable. Pero estos romances se hicieron tan castellanos como los del rey Arturo se hicieron ingleses, a pesar del origen bretón o similar de los últimos, mientras que los españoles perduraron en la memoria de toda Europa, tanto popular como crítica.

La serie de *Palmerín* no hizo más que alimentar y aumentar la pasión por la ficción romántica; España estaba tan hambrienta de una dieta romántica, tan natural y aceptable para su apetito, que aquellos que intentaron proporcionarle una lectura romántica apenas pudieron saciar su apetito. Como consecuencia de ello se produjo el resultado lógico. El público recibió un torrente de ficción de calidad inferior, escrita velozmente. La inventiva, en un principio osada, se transformó en descarada y se alcanzó la máxima extravagancia romántica con libros como *Belianis de Grecia, Olivante de Laura* y *Felixmarte de Hyrcania,* una sarta de absurdos procedentes de una imaginación distorsionada. Pero por muy ridículos e insultantes que fueran para la inteligencia humana, lo cierto es que contaron con miles de lectores y esto es una evidencia de lo extremadamente lucrativa que debía ser su publicación en España en los siglos XVI y XVII. Estos cuentos ridículos y quiméricos, carentes de la belleza, la simplicidad y la calidad imaginativa de los antiguos romances, estuvieron relacionados a ellos en la misma proporción que lo estuvieron infinidad de novelas, publicadas a comienzos del siglo XIX, a las novelas de Scott. Mejía, el sarcástico historiador de Carlos V, escribió un romance en 1545 en el que deploraba la credulidad pública que se cebaba en semejante inmundicia. «Aunque la mayor parte de las cosas eran absurdas en sí mismas», dijo, «había gente que pensaba que pasaron en la realidad tal y como se escribieron». De igual modo el crítico de nuestros días puede disertar sobre la predilección popular por la novela barata o el desierto forraje de sensaciones que vierte la máquina, demasiado rápida, del monopolio de la ficción.

Todavía surgió una manifestación, más extravagante y desagradable, de la locura popular por el romance que desembocó en ciertos cuentos religiosos como *La Caballería Celestial, El Caba-*

llero de la Estrella Brillante y otros de menor entidad, en los que se dota a los personajes bíblicos de atributos caballerescos. El período de tiempo en que apareció este tipo variado de novelas y la evolución final del romance español fue sorprendentemente breve. Transcurrió medio siglo entre la publicación de *Amadís* y la más exagerada de sus imitaciones. Pero no resulta difícil explicarnos la rápida publicación y diseminación de este tipo de literatura de masas, mala y buena, si recordamos que España fue, durante siglos, un país de caballería activa, que su imaginación se forjó en el fervor de su larga contienda contra los enemigos paganos, y que en los cuentos de caballería, que ahora leemos con tanta admiración, veía reflejado su propio espíritu, heroico y cortesano, por otra parte, el más sensible y fantásticamente caballeresco de Europa.

La posible influencia mora en el romance español

Existe la evidencia —que se ha querido ocultar y olvidar— de que el largo combate a muerte con los sarracenos afectó poderosamente la ficción romántica española. ¿Pero esta influencia fue directa, nacida de la vecindad y de la lectura constante de las novelas de ficción de los moros, o procedía de esa atmósfera de encantamiento que los sarracenos dejaron tras de sí en España, poderosamente apoyada por las maravillas de su arquitectura y su arte? Apenas se encuentra un romance español que no contenga referencias a los moros, a los que, generalmente, se alude como caballeros y enemigos a tener en cuenta. ¿Pero es el moro real el que nos encontramos en estos vastos folios, el que aparece como una poderosa fuerza naval surcando los mares, o es el sarraceno del romance, un oriental de ficción? El tema de la influencia de la literatura mora en el romance español ha estado plagado de muchos desafortunados conceptos erróneos de carácter popular. Vamos a examinar brevemente la inventiva de la literatura árabe y en qué medida fue capaz de influenciar el arte castellano.

La historia del desarrollo de la lengua árabe a partir de los dialectos de los pueblos nómadas del desierto hasta llegar a ser una lengua cuyas posibilidades poéticas y usos coloquiales no tienen posiblemente rival, basta para llenar todo un volumen de episodios románticos. La forma en que se introdujo en España, a comienzos del siglo VIII, levanta la admiración de los amantes de la perfección literaria. Como medio literario su desarrollo fue rápido y efectivo. Es como si los tonos de las estridentes trompetas hubieran ido combinándose con los de los plateados clarines, cuyas notas resuenan cada vez con más claridad, hasta que con el tiempo su penetración es tan intensa que llega a convertirse en casi intolerable. La mayoría de los europeos desconocen este elocuente lenguaje, la auténtica lengua de la aristocracia literaria, dado que su adquisición ha sido muy difícil, y la desconcertante naturaleza de sus personajes continúa permaneciendo oculta, ya que el proceso de traducción no ha sido el adecuado para reflejar sus finas tonalidades y sus sutiles intimidades. Incluso la gran mayoría de los árabes de España desconocen los elaborados versos que componen su literatura. ¿Hasta qué punto tenían influencia castellana o catalana?

La poesía árabe

La vida de los árabes en el desierto, cuando todavía eran un pueblo inculto, aunque no permitió el desarrollo de grandes logros literarios, favoreció el desarrollo de un espíritu de observación tan agudo que tuvo como resultado la creación de todo un mundo de sinónimos, gracias a los cuales se enriqueció mucho la lengua. Los sinónimos y el descubrimiento de bellas e impactantes comparaciones son los auténticos pilares de su poesía y durante un siglo, en la era de la extensión de lo musulmanes hacia el Oeste, nos encontramos con la brillante dinastía de los abasidas (750 d.C.), los generosos patronos de la literatura poética que su lenguaje estaba tan admirablemente preparado para expresar. Contar historias ha sido una de las diversiones favoritas de los árabes del desierto y de pronto se dieron cuenta de que el ejercicio espontáneo de sus facultades imaginativas les resultaba muy provechoso. La rapidez del progreso de la literatura árabe en este período transcurre con dificultad. La poesía, que actualmente sabemos que no tiene «valor de mercado» era un arte de primordial importancia para las clases altas, verdaderamente ilustradas, de este pueblo, que lo consideraba más precioso que las sedas de Damasco, las gemas de Samarcanda o los perfumes de Siria, cuyas alusiones se incrustan en todas sus leyendas, al igual que las joyas en los muros de la caverna de Ala-ed-din. Las palabras eran joyas para los árabes. Cuando Al-Mamoun, el hijo de Haroun-al-Raschid, entabló negociaciones de paz con el emperador griego Miguel el Tartamudo, exigió como tributo al enemigo conquistado una colección de manuscritos de los autores griegos más famosos. Una indemnización muy acorde al príncipe de una nación de poetas.

La España conquistada fue sobre todo el centro de la erudición y la literatura árabes. Córdoba, Granada, Sevilla y, de hecho, toda las ciudades de la Península ocupadas por los sarracenos rivalizaron entre sí por conseguir la máxima celebridad por sus escuelas y colegios, sus bibliotecas y otros lugares frecuentados por hombres de letras. Las setenta bibliotecas de la España árabe, que florecieron durante el siglo XII, avergonzaron la oscura ignorancia de Europa, que más tarde recuperó su erudición, más de los árabes que de los antiguos romanos. El árabe no sólo fue la lengua literaria, sino también la coloquial, de miles de españoles que vivieron en el Sur bajo la legislación de los moros. Incluso los cánones de la Iglesia se tradujeron al árabe a mediados del siglo VIII para su utilización por parte de numerosos cristianos que no conocían otra lengua. Los colegios y universidades fundados por Abderramán y sus sucesores eran frecuentados por multitudes de estudiantes europeos. De este modo la filosofía y la erudición árabes, aunque no la poesía, dejaron su profunda huella en el arte europeo. Aunque si investigamos más profundamente los orígenes de esta sorprendente erudición, veremos que era más un patrimonio de los judíos de España que de los moros.

La etapa de la cultura árabe con la que más familiarizados estamos es la referente a su creación poética y su influencia en la composición literaria española. La poesía de este pueblo tan dotado e imaginativo estaba, quizá, en su máximo apogeo y esplendor cuando los árabes entraron en España. Su genio cálido y lujuriante era totalmente antagónico al verso de Grecia y Roma, más contenido y disciplinado, que se consideraba frío, formal y no merecedor de ser traducido. Su vigor, la extravagancia de sus hipérboles, la fantasía de su imaginación y su fuerza emotiva eran muy superiores. El poeta árabe hilaba metáfora con metáfora. Era incapaz de ver que aquello que era intrínsecamente bello en sí mismo pudiese aparecer como superfluo o de mal gusto al combinarse con elementos discordantes, pero de igual gracia. Muchos críticos se apresuran a alentarnos respecto de su buen juicio y su buen gusto. Pero, incluso, un somero conocimiento de la literatura árabe nos demostrará que ellos sacrificaron estas cualidades en aras de la temática sobre la que escribían. En el jardín del poeta árabe cada flor es una joya, cada solar una alfombra de seda, tejida con la intrincada trama de los tejedores persas, y cada mujer es una hurí, convirtiéndose cada uno de sus atributos físicos, por turnos, en inspiración de un resplandeciente cuarteto. El empleo constante del sinónimo y del superlativo, la extravagancia de sus emociones amorosas y la frecuente ausencia de mensaje alguno, forma en que los poetas orientales mostraron a generaciones cuál podía ser la mejor manera de vencer un problema del alma o la mente, fue el punto débil de los cantores árabes. Hicieron del apotegma un sustituto del mensaje. No se dieron cuenta de que la poesía no es sólo un palacio destinado al placer, sino la gran escuela del alma.

El auténtico amor a la naturaleza parece brillar más por su ausencia en los árabes que en los griegos o romanos. Los primeros esmaltan sus poesías con el meticuloso cuidado de un joyero. No contentos con pintar el color lila, lo bruñen hasta que parece la obra de un artesano orfebre. Para ellos la naturaleza era algo a mejorar pero no a sobrepasar, una mina de gemas en bruto a pulir pacientemente.

Pero resultaría erróneo negarle a la imaginativa literatura árabe el gran lugar que le corresponde dentro de las grandes obras de éste mundo, y tenemos que lamentar que, por razones a las que aquí no podemos dedicar más tiempo, no se le otorgasen mayores oportunidades de desarrollo. Al leer la historia de los árabes, con su civilización altamente desarrollada, sus atestadas academias y sus extensos dominios, que se extendían desde el Asia Central hasta las puertas orientales del Mediterráneo, y volver luego los ojos a la situación actual de los escenarios donde floreció tanta grandeza, tendríamos que ser muy poco imaginativos para no quedar impresionados por la ruina a la que dichas regiones se han visto expuestas. La gran raza que las conquistó y gobernó, dominó el mundo, y las rudas gentes de Europa se reunieron a sus pies para escuchar sus mágicos cuentos y la reveladora ciencia que manaba de sus labios. Vinieron del desierto y allí retornaron.

La «moda» mora en el romance español

En la literatura española encontramos escasos vestigios de la grandeza de pensamiento y de la lujuria de sus emociones, al menos hasta comienzos del siglo XV. Sus características son netamente, casi agresivamente, *europeas,* hecho comprensible dadas las circunstancias de su origen[21]. Pero parecería que, con la ocupación castellana de las zonas árabes de España, la atmósfera que dejaron tras de sí los sarracenos influyó en el español, que parece arrojar un halo de romance sobre el carácter de su antiguo enemigo, no pudiendo por menos que quedar impresionado por su civilización, una de cuyas máximas manifestaciones externas fue la arquitectura. Si nuestras conclusiones son correctas, parece ser que en la época a la que acabamos de aludir, nace una moda mora en España, similar a la locura oriental que surgió en la Inglaterra de Byron y Moore, que arrastró a los ingleses a viajar a los países del Levante. Pero esta moda fue, en gran medida, seudosarracena, sin verse afectada por el arte literario, y procedía, indirectamente, más bien de la atmósfera y el arte, antes que directamente de los hombres o los libros. Sin embargo, mucho antes del siglo XV, con su artificiosa manía por

---

[21] En el capítulo titulado «Romances Moros de España» el lector encontrará una muestra de la ficción romántica de estas gentes, en la que podrá comprobar por sí mismo la afinidad o no con los romances españoles.

todo lo morisco, el espíritu árabe se cuela en la literatura española, aunque de forma débil e inconsciente. Las formas literarias españolas, tanto en prosa como en verso, permanecen intactas, y especialmente este es el caso en lo referente a la asonancia que caracteriza a la poesía castellana, una prosodia que se encuentra en todos los versos de las lenguas romance de ese período temprano. Sin embargo, los moros parecen haber sofisticado las baladas de las fronteras hispanoárabes, especialmente aquellas que hacen referencia a la pérdida de Alhama. En cualquier caso éstas se basan en leyendas moras. Algunos pedantes, obsesionados por la métrica, como el marqués de Santillana, jugaron con los versos árabes, como Swinburne lo hizo con el rondó francés, Dobson con la balada, o los más aburridos de las universidades inglesas con los hexámetros griegos, olvidando las infinitas posibilidades de su lengua madre. Estos preciosismos, a los que muchos hombres de letras han sido adictos en cualquier época, no tuvieron mayor efecto sobre la corriente principal de la literatura castellana que el de cualquier otro intento similar en la producción literaria de un país. A pesar de ello, algunas de las populares coplas o coplillas parecen ser una traducción literal del árabe, lo que no es de sorprender, si consideramos el gran número de personas medio árabes, medio cristianas, que encontramos en la Península hasta mediados del siglo XVII. Tampoco hay duda alguna de que el árabe fue la lengua hablada por miles de cristianos en el Sur de España. Pero cada vez se esclarece más que tuvo un fuerte oponente en el español nativo: un oponente tan despiadado como el hombre español resultó ser para el moro [22].

Quizá la mejor muestra del declive del árabe como lengua hablada en España es el hecho de que los autores de muchos romances los reconocen como meras traducciones del árabe: por lo

---

[22] Ver Dozy, *History of the Moors in Spain* y *Recherches sur l'Histoire politique et littéraire de l'Espagne;* F. J. Simonet, Introducción al *Glosario de Voces iberas y latinas usadas entre los Mozárabes,* 1888; Renan, *Averroes et Averroisme,* 1866. El *Mohammedan Dynasties in Spain,* Londres 1843, de Gayangos, está algo obsoleto, al igual que *Dominación de los árabes,* de Conde.

general de escritos de magos y astrólogos moros. La evidencia interna refuta fácilmente estas pretensiones. Observando el tema ampliamente, la literatura española no podía permanecer menos afectada por la influencia árabe que la música, la arquitectura o la artesanía españolas. Pero todas estas influencias fueron indudablemente tardías, y en lo que respecta a los romances fue más espiritual que material. La España cristiana soportó a los sarracenos durante ochocientos años y cuando, finalmente, consintió en apurar la copa sarracena, la rellenó con su propio vino. Pero el extraño licor que rebosó anteriormente en ella, dejó, débilmente, sus misteriosos aromas y esencias de Oriente.

El estilo del romance español

El estilo del romance español alcanzó su máxima expresión cuando el prodigio se mezcla con el espíritu de la caballería. La vieja España con sus ideas gloriosas y su honor, su elevado sentido de la caballerosidad y su imaginación, proporciona un crisol casi natural para la mezcla de los elementos del romance. Cada circunstancia ambiental apoya y alienta las ilusiones que abundan en las historias españolas, y por encima de todo en España hay un mayor interés por la vida de caballerías que en cualquier otro país europeo. El español portó el estandarte de la caballería con más galanura que el francés y el inglés. Era su atavío natural que le aportó una dignidad y una gravedad insuperables. Si degeneró en *El Quijote* fue a causa de la profunda seriedad con que el español abrazó la vida caballeresca. Y fue el primero en reírse cuando se dio cuenta de que sus maneras y su cota de malla estaban trasnochadas. Pero incluso el sonido de estas carcajadas era caballeroso y el libro que las suscitó conquistó, con certeza, al menos tantos corazones románticos como los que desilusionó.

La historia de España es una crónica de campeones, de guerreros de ambición y resistencia sobrehumana, poderosos escultores de reinos, grandes remodeladores de los mapas del mundo que, respaldados por manojos de lanzas, sobrepasaron las fabulosas hazañas de Amadís o Palmerín en Valencia, Méjico, Italia o Perú. En una época posterior la férrea tierra castellana arrojó hombres de hierro, pendones en mano, a través de los océanos, hasta los confines de la Tierra. ¿Qué es lo que les animaba a vivir o morir con las botas puestas, rodeados de peligros más formidables que los encantamientos de malévolos brujos, o en una pelea con un caballero errante en busca de un castillo misterioso? ¿Qué les animaba a una existencia de lucha constante, privación y amenaza? ¿Tenemos alguna duda de que los cuentos de héroes de su tierra natal les movían e inspiraban mágicamente o que cuando se lanzaban a la batalla resonaban en sus oídos las gestas de los héroes de los romances como las fanfarrias de los heraldos en un torneo?

> Cuando nos encaminábamos a la lucha
> Nuestras armas y corazones parecían ligeros,
> Pensando en el gozo de la batalla,
> En la destreza del fiero Orlando,
> En la caballerosidad de Felixmarte
> Y en la muerte de Olivier [23].

---

[23] Antiguo poema español.

Capítulo II

LOS CANTARES DE GESTA
Y EL POEMA DEL CID

YA hemos hecho alusión al origen francés de los cantares de gesta. Incluso su nombre denota su origen galo. Pero para hacer justicia al genio nacional español, confiamos en que haya quedado lo suficientemente claro que los cantares se despojan rápidamente de sus modos extranjeros para envolverse en vestiduras castellanas. Hay países que tienen una individualidad tan poderosa y una capacidad de absorción y transmutación tan excepcionales que todo aquello, tanto físico como espiritual, que invade sus fronteras se transfigura y sufre una metamorfosis hasta adaptarse a su nuevo medio. España, junto con América y Egipto, parecen conocer el secreto de esta mágica transformación. Pero, aunque transfiguren las *chansons* francesas, el molde del que proceden es evidente para todo aquel que conozca su estilo y su construcción. El carácter de sus compositores y profesores no pudo tampoco ser alterado sustancialmente, de modo que no nos puede sorprender el encontrar en España los *trouvères* y *jongleurs* franceses bajo el nombre de trovadores y juglares. El trovador era el poeta y autor, el juglar era simplemente el cantor, aunque no había una línea clara que los separara. Algunos juglares distinguidos eran también los autores de los cantares que cantaban, mientras que un trovador de poco éxito podía verse forzado a cantar los versos de otro. Los instrumentalistas o acompañantes eran conocidos como *juglares de*

41

péñola en contraposición a los que recitaban o cantaban, denomi-
nados *juglares de boca.*

Los cantores de la vieja España

Con los juglares se abandona la forma final del *cantar,* ya que
lo remodelan y lo recortan, añadiendo y suprimiendo páginas para
acoplarlo a lo que, instintivamente, suponían que era el gusto de la
audiencia. En ocasiones, vertían el vino del *cantar* en la botella del
aire popular, y si se derramaba y se perdía, peor para el *cantar.* A
veces, se acompañaba no sólo de un instrumentalista, sino también
de un *remendador,* que ilustraba el cuento con una representación
muda de mimo. Los hijos de esta ciencia no cuidaron sus medios
de supervivencia y vivieron una vida precaria. Cuando escaseaba
el dinero, les bastaba un mendrugo de pan y una copa de vino. Sin
dejarse vencer por la codicia, viajaron de corte en corte y de castillo en castillo, sin pensar más que en su misión: aliviar las asperes-
zas de una época bárbara.

Pero esto no duró mucho tiempo. Al crecer la afición por los
cantares, los trovadores y sus satélites, detrás de su aspecto huma-
nitario, desarrollaron un clamoroso deseo por los placeres de la
vida, bajo el pretexto de que la insignia externa de la belleza era su
patrimonio, olvidando que puede ser fatal.

> Manchado por la riqueza y el poder
> El espíritu libre y celestial del poeta.

Estos hombres «más allá de la luna» no «rehusaron los favores». Los reyes, los infantes y los nobles compensaron al *trovador*
con bolsas llenas de monedas, le complacieron imitando su arte y
su forma de vida e, incluso, confraternizaron con él. Pocos hombres de genio han sido capaces de controlar a la par la naturalidad
y la superioridad. En esos días la arrogancia poética parece haber
sido tan desenfrenada como la jactancia militar, y los *trovadores,*
mimados y agasajados por los príncipes y nobles, llegan a ser de

una insolencia y rapacidad insufribles. El país estaba infestado de cantores, auténticos e impostores, cuyas vidas degeneraron en el escándalo, incluso en una época en que el escándalo era de mal gusto. El público se cansó de la repetición de los cantares y de oír tocar una sola cuerda de las arpas. Se puso de moda leer los romances en vez de escucharlos y, al final, vemos a los juglares vagando por los caminos de España y declamando en las esquinas en un estado de mendicidad, más lastimoso que su antigua indigencia, más digna.

Pocos son los antiguos cantares españoles que han sobrevivido, en contraposición a las más de cien *chansons* francesas. Pero lo que queda de ellos basta para revelar su estilo con suficiente claridad. Como ya hemos indicado, debemos el conocimiento de más de uno al hecho de que fueron recopilados en las viejas crónicas de España. Una excelente ilustración de este proceso de embalsamamiento literario nos la proporciona la manera en que el *cantar* de Bernardo del Carpio está encastrado en la aburrida *Crónica General Española,* compilada por el rey Alfonso el Sabio (1260), que aparece en los capítulos VII y XII de la tercera parte. El rey-poeta afirmó haber encontrado la historia de Bernardo entre viejas trovas, y podemos observar la influencia del *cantar,* tanto en el espíritu como en la forma.

La historia de Bernardo del Carpio

Cuando el joven Bernardo del Carpio llegó a la adolescencia desconocía, como cualquier otro héroe del romance, su parentesco ilustre, ya que su madre era hermana de don Alfonso de Castilla, y se casó en secreto con el noble y bravo conde de Sandias, de Saldaña. El rey Alfonso, gravemente ofendido porque su hermana había tomado como marido a un hombre de inferior rango, encerró al conde en prisión y a la princesa en un convento. Sin embargo, cuidó de Bernardo con esmero. Siendo todavía joven, Bernardo prestó a su tío importantes servicios, pero cuando se enteró de que su padre languidecía en la cárcel le invadió una gran melancolía y dejó de preocuparse por aquellas cosas que le habían deleitado. En lugar de participar en los bailes, se vistió de luto riguroso, presentándose finalmente ante el rey Alfonso para suplicarle que pusiese en libertad a su padre.

Alfonso quedó muy preocupado cuando se enteró de que Bernardo conocía su linaje y el encarcelamiento de su padre, pero su odio hacia el hombre que había conquistado a su hermana era superior al amor que sentía por su sobrino. Al principio no respondió y permaneció sentado mesándose la barba, tan desconcertado estaba. Pero los reyes no se quedan perplejos con frecuencia, y Alfonso, con la intención de zanjar la cuestión con bruscas palabras, frunció el ceño y dijo con acritud: «Bernardo, si me quieres, no hables más de este asunto. Te juro que tu padre no abandonará la prisión mientras yo viva.»

«Señor», replicó Bernardo, «vos sois mi rey y lo seguiréis siendo, sea lo que sea lo que consideréis bueno, pero rezo a Dios para que Él os haga cambiar de opinión a este respecto.»

El rey Alfonso no tenía hijos y en cierto momento propuso a Carlomagno, poderoso emperador de los francos, como su sucesor. Pero los nobles se opusieron y se negaron a recibir a un franco como aspirante al trono de la España cristiana. Carlomagno, sustentándose en la propuesta de Alfonso, se preparó para invadir España, con el pretexto de expulsar a los moros, pero Alfonso, arrepentido de su intención de dejar la corona a un extranjero, reunió a su ejército y se alió con los sarracenos. Se libró una dura batalla en el paso de Roncesvalles, en la que los francos fueron claramente derrotados. Las tropas castellanas estaban bajo el mando de Bernardo, que acabó por su propia mano con el campeón Roland.

El rey Alfonso procuró recompensar estos y otros servicios de Bernardo. Pero no hubo regalo que quisiera aceptar el joven de sus manos, salvo la liberación de su padre. El rey prometió satisfacer su demanda una y otra vez, pero siempre encontraba una excusa para romper su palabra, de modo que, finalmente, Bernardo, enormemente disgustado, renunció a su lealtad y le declaró la guerra a su traicionero tío. El rey, temeroso de la popularidad de su sobrino y de su habilidad guerrera, recurrió a una estratagema de la peor especie. Le aseguró a Bernardo que liberaría a su padre si aceptaba la rendición del gran castillo de Carpio. El joven campeón entregó inmediatamente las llaves en persona y pidió ansiosamente que se le devolviese a su padre en el acto. Alfonso, en respuesta, hizo una seña a un grupo de soldados a caballo que se aproximaron al galope.

«Ahí tienes a tu padre, Bernardo», dijo con sorna, «ve y abrázalo.» Según la crónica, Bernardo se dirigió a él y le besó la mano. Pero cuando la notó fría y percibió que estaba ennegrecida, se percató de que estaba muerto. Bernardo comenzó a llorar y a gemir, clamando: «Conde Sandias, en mala hora nací, nunca un hombre estuvo más alejado de ti que yo; dado que tú estás muerto y ya no tengo castillo, no puedo esperar consuelo alguno.» Algunos aseguran en sus *cantares de gesta* que el rey exclamó: «Bernardo, no queda tiempo para parloteos, te exijo que salgas de mis tierras.»

Con el corazón destrozado y profundamente conmocionado al ver todas sus esperanzas disipadas, Bernardo se dio la vuelta y se alejó. Desde ese momento nadie vio su estandarte en la España cristiana, ni escuchó los ecos de su corneta entre las colinas. Desesperado, se enroló al servicio de los moros, pero su nombre pervivió en los romances y baladas de su país natal, como el de un campeón engañado traicioneramente por un rey injusto y vengativo.

Aunque las crónicas recogen también los *cantares* de Fernán González y de los Infantes de Lara, he preferido tratar de ellos en el capítulo dedicado a las baladas, por ser, sin duda alguna, la forma bajo la que resultan más conocidos.

El *Poema del Cid*

Con mucho, el *cantar de gesta* más conocido y característico es el célebre *Poema del Cid,* nombre que se le ha dado al desconocerse por completo el original. Para todo el que tenga una cierta familiaridad con las *chansons de gestes* de Francia, es evidente que se trata de un *cantar.* Al igual que muchos de los héroes de las *chansons,* el Cid experimenta la ingratitud real, para recuperar más tarde su favor. También se encuentran constantemente frases típicas de las *chansons* en este poema, y la atmósfera de jactancioso heroísmo que se eleva de sus páginas, refuerza la semejanza. También existe una prueba muy clara de que el autor del *Poema* había leído u oído la *Chanson de Roland.* Esto no significa que practicase el arte vil de la adaptación, o todavía más vil de la paráfrasis, o que, de algún modo, falsificase el gran poema épico de Roncesvalles. Pero aparecen ligeras pruebas de que tomó algunas cosas prestadas, lo que, sin embargo, queda ampliamente redimido por su inspiración y la originalidad de su tratamiento. El pensamiento y la expresión son profundamente naturales; el lenguaje no denota influencia francesa alguna, salvo, como ya hemos dicho, algunas expresiones manidas que son clichés de la épica medieval.

Su único manuscrito

Sólo se conoce un manuscrito del *Poema del Cid,* obra de un tal Per o abad Pedro. Alrededor de la segunda mitad del siglo XVIII, Sánchez, el bibliotecario real, dedujo de algunas referencias bibliográficas que el manuscrito podía estar en las cercanías de Vivar, pueblo natal del héroe del poema, y consiguió desenterrarlo en dicho lugar. Se le otorga como fecha de finalización el Mille CCXLV, pero los especialistas no se ponen de acuerdo sobre su significado; algunos, asegurando que el espacio vacante que hay detrás de la segunda C ha sido borrado intencionadamente, afirman que hay que leer 1245. Otros piensan que la fecha real es el 1307. Sea como sea, el poema hace referencia a un período no anterior a la mitad del siglo XII ni posterior a la mitad del siglo XIII.

Tal y como ha llegado a nuestras manos, el manuscrito está bastante mutilado y dañado. El título y el comienzo se han perdido, falta una página en el centro, y el final ha sido, desgraciadamente, remendado por una mano poco hábil. Sánchez afirma en su *Poesías Castellanas anteriores al Siglo XV* (1779-1790) que vio una copia de 1596 que demostraba que el manuscrito tenía las mismas deficiencias que el actual.

Autoría desconocida

Probablemente la personalidad del autor del *Poema del Cid* sea siempre un misterio. Puede haber sido un clérigo, como sugiere Ormsby, pero yo me inclino a pensar que fue un trovador profesional. En Francia fueron los *trouvères,* más que los clérigos, los responsables de este tipo de obras, y ¿por qué no pensar lo mismo de los *trovadores* españoles? [24].

Lo que está claro es que el escritor vivió cerca del lugar en el que se celebraron los hechos, probablemente medio siglo después de que El Cid enfundase su famosa espada Colada, por última vez. Dadas ciertas alusiones locales del poema, el autor ha sido declarado nativo del valle de Arbujuelo y monje del monasterio de Cardeña, en Burgos. Pero estas premisas vienen avaladas, únicamente, por referencias textuales y tienen, poco más o menos, la misma probabilidad de ser ciertas que la de asegurar que era asturiano por-

---

[24] Ormsby, cuya obra *The Poem of the Cid,* datada en 1879, parece haber tenido una noción muy elemental de lo que era un cantar, escribió que el *Poema* «fue casi contemporáneo de las primeras *chansons de gestes*». Pero se equivoca en su cálculo en un siglo por lo menos, ya que la primera *chanson* data de mediados del siglo XI. Es evidente no había oído nunca hablar de juglares y trovadores. Aunque no pase de ser superficial, su libro es lo mejor que hay en lengua inglesa sobre el *Poema.* Desafortunadamente, tal y como indica Saintsbury, ni Ticknor ni Southey, que escribieron tan extensamente sobre la antigua literatura española, conocían las *chansons de gestes.* Todavía más desgraciada es la traducción del español de Longfellow, que, sorprendentemente, expurgó y mutiló muchas bellas baladas. Posiblemente ningún poeta estaba tan cualificado como él para traducir una balada manifestando toda su esencia y virilidad. Sin embargo, aun siendo malas sus traducciones del español, en comparación todavía fueron mucho peores las del italiano.

que no empleaba el diptongo *ue*. A pesar de todo, tenemos buenas razones para afirmar que, al menos, era castellano, dado su fiero ánimo político contra el reino de León y todo lo que perteneciese al él. El mal manejo del manuscrito por parte del abad Pedro nos revela su categoría de copista. Aunque debemos agradecerle la conservación del *Poema,* la irritación por el modo en que nos ha legado el manuscrito empaña nuestra gratitud, ya que la copia está repleta de vanas repeticiones, se salta líneas, o junta dos líneas en una, en su afán de librarse cuanto antes de la tarea.

Otros cantares del Cid

Gracias a las investigaciones de don Ramón Menéndez Pidal, sabemos que existen otros *cantares* relacionados con El Cid, y ha demostrado que uno de ellos se recogió, en su versión más antigua, en la *Crónica General,* de la cual han existido tres refundiciones en períodos diferentes. Ahora sabemos con exactitud que el pasaje en cuestión no procede del *Poema* tal y como lo tenemos, como pensábamos antes [25]. Los pasajes sobre El Cid en la segunda versión de la *Crónica* derivan también de otro cantar sobre el popular héroe, conocido como la *Crónica Rimada* [26] o *Cantar de Rodrigo,* evidentemente la obra de un juglar de Palencia, que parece ser una mezcla de diversos cantares perdidos, relacionados todos ellos con El Cid, y de otras tradiciones españolas. Esta versión, sin embargo, es muy posterior a la del *Poema* y resulta muy interesante, encerrando muchas tradiciones referentes al Cid y a los antiguos cuentos populares españoles.

La métrica del *Poema del Cid*

El *Poema* parece haber sido especialmente escrito para ser recitado en público, como todos los cantares. La expresión «Oh

---

[25] Ver su *Poema del Cid,* 1898.
[26] Ver Manuel Rivadeneyra, *Biblioteca de Autores españoles,* vol. XVI, 1846-1880.

señores» tenía la intención de llamar la atención o avivar el interés de la audiencia medieval. Los metros en que está escrito el poema son casi tan desiguales como su calidad poética. El verso que prevalece es el alejandrino, de catorce sílabas, pero hay versos que sobrepasan con mucho esta medida, mientras que otros están bárbaramente segados, probablemente a causa de la poca atención o a las prisas del copista [27]. Me da la sensación de que el *Poema,* aunque goza de pasajes excelentes, ha recibido los encomios más extravagantes y sospecho que muchos de los críticos ingleses que se deshacen en elogios no lo han leído nunca íntegramente. Algunos de sus pasajes son de lo más pedestres, y en algún punto desciende al verso ramplón que recuerda las barbaridades métricas de la pantomima. Pero el sonido de la trompeta de la guerra estimula al cantor, lo mismo que a Scott —el paralelismo es adecuado y casi exacto—, y estalla en nuestros oídos una poderosa orquesta. Los versos van creciendo en una tempestad homérica de sonidos y, al llegar a la confrontación de castellanos y moros, tendemos a recordar los versos sonoros del comienzo del *Erechtheus* de Swinburne:

Con el pisoteo de cascos rojos y empapados y el retumbar de hombres
    que se reúnen,
La violenta guerra echa mano a la guadaña y los surcos desprenden
    fuego bajo sus pies.

---

[27] La métrica del *Poema* ha suscitado gran cantidad de controversias. El profesor Cornu de Praga (ver M. Gaston París en *Romania,* XXII, págs. 153, 531) ha afirmado que se trata de los octosílabos de las baladas, recompuestos en hemistiquios más largos, pero esta teoría implicaría que el copista del manuscrito original tiene que haber olvidado una medida tan simple, lo que es poco creíble. El profesor Saintsbury (*Flourishing of Romance,* pág. 403) opina que «en la métrica generalizada nadie ha sido capaz de ir más allá del metro normal de ocho más seis, o mejor de siete más siete, con una cadencia trocaica, pero admitiendo la contracción y extensión con una liberalidad sin parangón». No aparece ningún sistema de asonancia o rima y nos vemos forzados a concluir que la ausencia de las mismas se debe, en cierta medida, a los oficios del abad Pedro.

Pero la música del cantor del *Poema* no sólo depende de su reverberación. Suya es la auténtica música de la batalla que quema la sangre con un fuego abrasador y no necesita descansar únicamente en el galope de la caballería métrica para suscitar nuestra admiración, como hacen los poetas ingleses.

El comienzo del *Poema*

El comienzo del *Poema del Cid,* tal y como nos ha llegado, es suficientemente impactante y dramático como para consolarnos de la pérdida del comienzo original. El gran comandante, desterrado (1088) de la casa de su padre por orden real a causa de la traición del partido leonés de la corte del rey Alfonso, cabalgó desconsolado, dejando atrás las puertas destruidas de su castillo. A continuación reproducimos un bello pasaje:

> Mío Cid Rodrigo Díaz en Burgos, la villa, entró;
> hasta sesenta pendones llevaba el Campeador;
> salían a verle todos, la mujer como el varón;
> a las ventanas la gente burgalesa se asomó
> con lágrimas en los ojos, ¡que tal era su dolor!
> Todas las bocas honradas decían esta razón:
> «¡Oh Dios y qué buen vasallo, si tuviese buen señor!»
> De grado le albergarían, mas ninguno se arriesgaba:
> que el rey don Alfonso al Cid le tenía grande saña.
> La noche anterior, a Burgos la real carta llegaba
> con severas prevenciones y fuertemente sellada;
> que a mío Cid Ruy Díaz nadie le diese posada,
> y si alguno se la diese supiera qué le esperaba;
> que perdería sus bienes y los ojos de la cara,
> y que además perdería salvación de cuerpo y alma.
> Gran dolor tenían todas aquellas gentes cristianas;
> se escondían de mío Cid, no osaban decirle nada.
> El Campeador, entonces, se dirigió a su posada;
> así que llegó a la puerta, encontrósela cerrada;
> por temor al rey Alfonso acordaron el cerrarla,

tal que si no la rompiesen, no se abriría por nada.
Los que van con mío Cid con grandes voces llamaban,
más los que dentro vivían no respondían palabra.
Aguijó, entonces, mío Cid, hasta la puerta llegaba;
sacó el pie de la estribera y en la puerta golpeaba,
mas no se abría la puerta, que estaba muy bien cerrada.
Una niña de nueve años frente a mío Cid se para:
«Cid Campeador, que en buena hora ceñisteis la espada,
sabed que el rey lo ha vedado, anoche llegó su carta
con severas prevenciones y fuertemente sellada.
No nos atrevemos a daros asilo por nada,
porque si no, perderíamos nuestras haciendas y casas,
y hasta podría costarnos los ojos de nuestras caras.
¡Oh buen Cid!, en nuestro mal no habíais de ganar nada;
que el Creador os proteja, Cid, con sus virtudes santas.»

Al no encontrar un lugar en la ciudad en el que descansar, el Cid, rodeado de sus hombres, cabalgó desconsoladamente hasta la llanura de Glera, al este de Burgos, plantando su tienda a la orilla del río Arlanzón. Martín Antolínez, uno de sus vasallos, se acercó hasta él para intentar consolarlo y hacer llegar vino y comida a la comitiva. El Cid no tenía un maravedí y no sabía cómo conseguir armas y comida para sus hombres. Pero entre Antolínez y él desarrollaron un plan con el que esperaban conseguir los pertrechos necesarios para la guerra. Cogieron dos grandes cofres, los cubrieron de cuero rojo y los remacharon con clavos dorados, dándoles una llamativa apariencia. Después los llenaron de arena del río y los cerraron con llave.

Préstamo de dinero en el siglo XI

«Martín Antolínez», dijo el Cid, «eres un hombre leal y un buen vasallo. Dirígete a los judíos Raquel y Vidas y diles que tengo un gran tesoro que deseo dejarles, ya que es demasiado pesado para cargar con él. Déjales los cofres en garantía a cambio de una cantidad que sea razonable. Tomo a Dios y a los santos por testigos de que hago esto por extrema necesidad y por el bien de aquellos que dependen de mí.» Antolínez, bastante intimidado con su misión, buscó a los judíos Raquel y Vidas y les dijo que El Cid había recaudado tantos tributos que no podía cargar con ellos y desearía dejarlos como prenda a cambio de que le concedieran en préstamo una cantidad razonable. Pero exigía que juraran solemnemente no abrir los cofres antes de un año. Los judíos se retiraron a deliberar y, finalmente, consintieron en guardar los cofres y no ver su contenido como mínimo en un año.

«Pero dinos», preguntaron, «¿qué suma precisa El Cid y qué intereses va a pagarnos por un año?»

«Las gentes necesitadas vienen de todas partes a arremolinarse alrededor de mi señor El Cid», contestó Antolínez, «por lo que necesitará al menos seiscientos doblones.»

«Cederemos encantados dicha suma», afirmaron Raquel y Vidas, «ya que el tesoro de un señor tan grande como El Cid debe ser inmenso.»

«Daos prisa entonces», dijo Antolínez, «la noche se acerca y mi señor El Cid ha sido desterrado y debe abandonar Castilla inmediatamente.»

Los judíos respondieron: «Los negocios no se hacen de esta manera, hay que recibir antes de dar.» Después ordenaron ser conducidos al campamento del Cid y, tras haberle saludado, pagaron la cantidad convenida. Quedaron sorprendidos y encantados con el peso de los cofres y se marcharon satisfechos, dándole a Antolínez una comisión de treinta doblones de oro como regalo por los servicios prestados.

Doña Jimena

Después de que se alejaran, El Cid levantó el campamento y galopó a través de la noche hasta el monasterio de San Pedro de Cardeña, donde se encontraban su esposa, doña Jimena, y sus dos hijas. Las encontró embebidas en sendas plegarias por su bienestar y lo recibieron con una sentida alegría. Llevándose al abad a un lado, le explicó que estaba a punto de lanzarse a una aventura en tierras moras y le extendió una suma de dinero para la manutención de doña Jimena y sus hijas hasta su regreso, además de una buena cantidad para el convento.

A esas alturas ya se había extendido la noticia del destierro del Cid por todo el territorio y, tan grande era la fama de su valor, que empezaron a llover caballeros de tierras cercanas y lejanas para luchar bajo su bandera. Cuando puso el pie en el estribo en el puente del río Arlanza, unos ciento cincuenta hombres se encontraban allí reunidos para unir sus destinos al Cid. La separación de su mujer y de sus hijas nos muestra un retrato conmovedor de la partida:

> El Cid a doña Jimena un abrazo le fue a dar
> y doña Jimena al Cid la mano le va a besar,
> con lágrimas en los ojos, que sólo saben llorar.
> Y él a las niñas, con pena, tornábalas a mirar:
> «Ay, Señor, os encomiendo al Padre espiritual;
> nos separamos, ¡quién sabe si nos podremos juntar!»
> Lloraban todos los ojos, nunca se vio llanto igual;
> como la uña de la carne separándose así van.
> Mío Cid con sus vasallos se dispuso a cabalgar;
> cuando a caminar comienza, la cabeza vuelve atrás.
> A esta sazón, Minaya Alvar Fáñez quiso hablar:
> «Cid, en buena hora nacido, ¿vuestro arrojo dónde está?
> Pensemos en nuestra marcha, esto dejémoslo estar.
> Que todos los duelos de hoy en gozos se tornarán;
> y Dios, que nos dio las almas, su remedio nos dará.»

Dando rienda suelta a sus corceles, galoparon más allá de las fronteras de la España cristiana, cruzando el río Duero en balsa y pisando el suelo moro. Hacia el Oeste pudieron ver los minaretes de la ciudad sarracena de Ayllón, lanzando destellos al sol del mediodía como emblema de los ricos tesoros que habían logrado ganar. En Higueruela otras muchas lanzas se unieron a la bandera del Cid, hombres de la frontera para los que las incursiones eran una fiesta y el cruce de las lanzas la música más dulce. Esa noche El Cid soñó que el arcángel Gabriel se le aparecía y le decía: «Monta, oh Cid Campeador, monta y cabalga. Tu causa es justa. Cuanto más vivas, más prosperarás.»

Con trescientas lanzas tras de sí, el Cid se adentró en tierras moras. Preparó una emboscada, mientras que Alvar Fáñez y otros caballeros realizaban una incursión en Alcalá. En su ausencia, El Cid observó que los hombres de Castejón, una ciudad mora, abandonaban el lugar para trabajar los campos, dejando las puertas abiertas. El Cid se precipitó, junto con sus hombres, hacia las puertas y tomó la ciudad con facilidad. Sus hombres se mostraron muy contentos con el oro y la plata que encontraron en las singulares casas árabes. Pero tuvieron piedad de los habitantes a los que hicieron servidores, más que esclavos.

La toma de Alcocer

Después de haber descansado en Castejón, El Cid y su séquito bajaron por el valle del Henares, pasando de largo Alhama, hasta Bubierca y Ateca; al llegar a un territorio desconocido, rodeado de enemigos, tomaron posiciones en una colina redonda, cerca de la fuerte ciudad sarracena de Alcocer, a la que pusieron sitio. Pero la plaza estaba bien guardada y El Cid se dio cuenta de que, si quería destruir sus defensas, debería de recurrir a una estratagema, además de a la lucha. Un día, tras haber asediado Alcocer durante quince semanas, llamó, con disgusto, a sus hombres a retirada, dejando un puesto tras de sí. Cuando los moros se percataron de su retirada, se dirigieron, exultantes, a la tienda solitaria para ver qué botín podían obtener, dejando las puertas de la ciudad abiertas y desguarnecidas. Cuando El Cid comprobó que había una buena distancia entre los moros y la puertas de Alcocer, ordenó a sus hombres retornar y caer sobre la excitada masa de sarracenos. Abriéndose paso entre la densa multitud con las lanzas en alto, los caballeros de Castilla eran una imagen aterradora. Los desgraciados moros, tomados por completo de improviso, huyeron en todas las direcciones y, poco después, el campo estaba plagado de cadáveres. Mientras tanto, el propio Cid, acompañado de algunos hombres de confianza, galopó hasta las puertas y las aseguró, entrando triunfante en Alcocer. Al igual que antes, El Cid fue piadoso con los moros que se rindieron, diciendo: «No podemos venderlos y no ganaremos nada cortándoles la cabeza. Dejemos que nos sirvan.»

Los sarracenos de las ciudades vecinas de Ateca y Zerrel estaban pasmados del modo en que había sido tomada Alcocer y le enviaron un mensaje al rey moro de Valencia, diciendo que un tal Rodrigo Díaz de Vivar, un proscrito castellano, había entrado en sus tierras para saquearlas y había tomado la poderosa ciudad de Alcocer. Cuando el rey Tamin de Valencia se enteró de estas hazañas se enfureció y envió un ejército de tres mil hombres contra el Campeador. Iracundo, le ordenó a su capitán que trajese al renegado español vivo para hacer justicia con él. El Cid desconocía la llegada de las tropas enemigas, y una mañana sus centinelas, que vigilaban las murallas de Alcocer, se sorprendieron al ver que todo el terreno circundante estaba plagado de moros, agitando sus cimitarras amenazadoramente. Sus propios correos le informaron al poco tiempo que estaba rodeado, y sus hombres de armas clamaban por lanzarse a la batalla contra los infieles. Pero El Cid era un viejo conocedor del arte marcial de los moros y se negó de momento. Durante días el enemigo se detuvo frente a los muros de Alcocer, pero el Cid, consciente de la locura de atacar con trescientos hombres a tres mil, se tomó su tiempo.

El combate con el rey moro

Al final los moros lograron cortar el suministro de agua de Alcocer. Las provisiones escaseaban y El Cid se percató de que tan desesperada situación requería una solución desesperada. Alvar Fáñez, siempre listo para la guerra como un caballo de batalla al oír las trompetas, le urgió a una salida inmediata para luchar, y El Cid, conocedor del alto espíritu de ese hombre, consintió. En primer lugar envió a todos los moros fuera de la ciudad y observó sus defensas. Después, dejando sólo dos hombres guardando la puerta, formó a sus guerreros y salió de Alcocer en apretadas filas y en estricto orden de batalla. Y aquí la prosa deja, una vez más, lugar al verso [28].

Los de Alcocer a mío Cid ya le pagaban las parias
y los de Ateca y Terrer al igual se las pagaban;
a los de Calatayud, sabed que esto les pesaba.
Allí estuvo mío Cid cumplidas quince semanas.
Cuando vio el Campeador que Alcocer no se entregaba,
intentó un ardid de guerra que practicó sin tardanza;
dejó una tienda tan sólo, mandó las otras quitarlas
y se fue Jalón abajo con la enseña desplegada,
con la lorigas vestidas y ceñidas las espadas,
para con esa cautela prepararles la celada.
Viéndolo los de Alcocer, ¡Dios, y cómo se alababan!
«A las tropas de mío Cid falta el pan y la cebada.
Todas las tiendas se llevan, una sola queda alzada.
Cual si huyese a la derrota, el Cid a escape se marcha;
si le asaltamos ahora, haremos grande ganancia,
antes que los de Terrer pudieran reconquistarla,
y si ellos antes la toman, no habría de darnos nada;
las parias que él ha cobrado, nos devolverá dobladas.»
Saliéronse de Alcocer con precipitada marcha.

---

[28] El pasaje del *Poema del Cid,* que habla del combate que sigue, tiene quizás más derecho que cualquier otro a obtener el título de homérico dentro de la épica. La traducción puede no ser tan exacta como las de Frere u Ormsby. Pero a pesar de ser consciente de sus deficiencias, no puedo hacer uso de la pedestre precisión de uno o la loable versión del otro, ya que ambos, en mi opinión, fallan a la hora de expresar el magnífico espíritu caballeresco del original. Todo lo que puedo alegar en favor de mi traducción es que no falla tan totalmente como las otras en este sentido. En algunos párrafos he intentado restaurar ciertos versos que parecían haber sido omitidos o mezclados con otros y tengo que admitir que la reproducción de este gran pasaje es más conscientemente artificial que el de las otras traducciones; un error que no he sido capaz de rectificar. Pero hay que hacer concesiones con la interpretación de este pasaje, debiendo aceptar el lector su totalidad a falta de algo mejor.

El Cid, cuando los vio fuera, salió como a desbandada.
Y por el Jalón abajo con los suyos cabalgaba.
Decían los de Alcocer: «¡Ya se nos va la ganancia!»
Y los grandes y los chicos a salir se apresuraban,
y tan gran codicia tienen que otra cosa no pensaban
dejando abiertas las puertas, por ninguno custodiadas.
El buen Cid Campeador hacia atrás volvió la cara;
vio que entre ellos y el castillo quedaba mucha distancia,
manda volver la bandera y aguijar también les manda:
«¡Heridlos, mis caballeros, sin temor con vuestras lanzas,
que, con la merced de Dios, nuestra será la ganancia!»
Revueltos andan con ellos por toda aquella llanada.
¡Dios, y qué grande fue el gozo de todos esa mañana!
Mío Cid y Alvar Fáñez delante de todos marchan;
tienen muy buenos caballos, y a su antojo galopaban,
entre ellos y el castillo acortando la distancia.
Y los del Cid, sin piedad, a los moros atacaban,
y en un reducido espacio a trescientos moros matan.
Dando grandes alaridos los que había en la celada,
hacia delante salían, hacia el castillo tornaban
y con las armas desnudas a la puerta se paraban.
Pronto llegaron los suyos y se ganó la batalla.
El Cid conquistó el castillo de Alcocer por esta maña.

La persecución fue fiera y sanguinaria. La derrota mora fue total, mientras que las reducidas tropas castellanas sólo perdieron quince hombres. Quinientos caballos árabes, bien engualdrapados, conteniendo cada uno de ellos una espléndida espada en la mochila de la silla, cayeron en manos del Cid, que se guardó una quinta parte para sí, como era usual entre los comandantes de este tipo de batallones libres. Pero sin cejar en su deseo de hacer las paces con el rey Alfonso de Castilla, envió al fiable Alvar Fáñez a la corte con treinta corceles con bridas y sillas al estilo árabe.

Pero el Cid sabía que los moros, aún con el polvo de la derrota todavía en la boca, no pensaban dejarle campar libre por sus fronteras, y, viendo que no iban a ser capaces de mantener Alcocer con sus propias fuerzas, pactó con los sarracenos de las ciudades vecinas. Ellas aceptaron contentas, a cambio de tres mil doblones de oro y plata, y El Cid pudo abandonar la ciudad en dirección al Sur y tomar posesión de una colina en la zona de Montereal. Sometió a todas las ciudades de las cercanías a tributo, permaneciendo en su nuevo campamento quince semanas.

Entre tanto, Alvar Fáñez viajó hasta la corte y se presentó ante el rey con los treinta magníficos caballos capturados en la batalla. «Es todavía muy pronto para devolver el favor al Cid», dijo Alfonso, «pero, dado que estos caballos proceden de los infieles, no tengo escrúpulos en aceptarlos. Te perdono, Alvar Fáñez, y retiro tu destierro. En lo referente al Cid sólo puedo decir que cualquier experta lanza que quiera unírsele, puede hacerlo sin que yo me oponga.»

La guerra con Ramón Berenguer

El conde de Barcelona, Ramón Berenguer, un arrogante señor, consideró que El Cid estaba tan cerca de sus dominios que resultaba un insulto y reunió a todas sus fuerzas, tanto moras como cristianas, para mantener al Cid alejado de las tierras bajo su tributo. El Campeador, habiéndose enterado del avance del ejército, envió un cortés mensaje a Ramón Berenguer, asegurándole que sus intenciones para con él eran pacíficas. Pero el conde consideraba que su dignidad personal había sido ofendida y se negó a recibir al mensajero.

Cuando El Cid contempló la armada de Ramón marchando hacia sus posiciones en las colinas de Montereal, supo que sus intentos de paz habían sido en vano, y, tras preparar a sus hombres para el duro combate que sabía se iba a librar, tomó la posición adecuada para la caballería en la llanura. Los hombres de Berenguer y la caballería árabe, con armas ligeras, se precipitaron al ataque, pero fueron fácilmente rechazados por los caballeros castellanos. Los guerreros francos del conde, una banda de hábiles mercenarios, se lanzaron colina abajo contra las lanzas del Cid. El choque fue terrorífico pero el combate fue breve, ya que los castellanos, endurecidos en batallas constantes, derribaron rápidamente a los caballeros francos. El propio Cid atacó al conde Berenguer, haciéndole prisionero, y le forzó a entregar su famosa espada Colada, que tan destacado papel desarrolla en las hazañas que siguen. Este famoso acero, la Excalibur española, se puede ver en la Armería de Madrid y todos los devotos amantes de la caballería creerán que esta espada es la que el Campeador tomó del arrogante Berenguer, aunque los profanos señalan que su filo pertenece, obviamente, al siglo xv.

Fue grande la alegría de las tropas del Cid, tanto por la victoria como por el botín, y luego se preparó una fiesta digna de príncipes para celebrar la ocasión.

Por cortesía, el Cid invitó a la fiesta al derrotado conde Ramón, pero éste rehusó la invitación con orgullo, alegando que su captura a manos de un proscrito le había quitado el apetito. Irritado por su grosería, El Cid le dijo que no volvería a ver su reino a no ser que compartiese su pan y su vino. El conde se negó durante tres días a tocar la comida; al tercer día El Cid le prometió la libertad si rompía su ayuno. Esto fue demasiado para el orgulloso conde Berenguer, cuyo hambre superaba sus escrúpulos. «Fuerzas del cielo», exclama el poeta, «con qué ansia comió. Sus manos se movían con tanta celeridad que Mío Cid no alcanzaba a ver sus movimientos» [29]. El Cid le concede la libertad al conde que al partir queda en términos amistosos con el Campeador.

«Ya os vais, conde don Ramón, como sois, pues os vais franco
y yo os quedo agradecido por cuanto me habéis dejado.
Si os pasare por las mientes, conde, algún día vengarlo,
si es que venís a buscarme, antes mandadme recado;
me dejaréis de lo vuestro o de mí os llevaréis algo.»
«Estad tranquilo, mío Cid, que de esto estáis a salvo,
que con cuanto os dejo, queda pagado todo este año;
y de venir a buscaros ni siquiera lo he pensado.»

---

[29] A lo largo de todo el *Poema* se alude constantemente al Cid como «Mío Cid».

El conde aguijó el caballo disponiéndose a marchar,
volviendo ya la cabeza para mirar hacia atrás.
Miedo tienen porque cree que El Cid se arrepentirá,
lo que no haría el caudillo por cuanto en el mundo hay,
que deslealtad así no habría de hacer jamás.

El Cid lucha en dirección al mar

De regreso de Huesca y Montalbán, El Cid inicia una guerra en dirección al mar. Su marcha hacia el Este paraliza de terror los corazones de los moros de Valencia. Se reúnen a deliberar y deciden enviar un ejército tan numeroso contra él que no lo pueda rechazar. Pero son derrotados y la carnicería es de tal magnitud que no vuelven a osar enfrentarse a él. El Cid pelea durante tres años en dicho territorio, dejando tras de sí muchas conquistas que narrar. Sus hombres y él se asientan en la zona como si fueran reyes, robándoles el grano y comiendo de su pan. El hambre se cernió sobre los moros y muchos perecieron.

El Cid envió mensajeros a Castilla y Aragón para comunicar que todo cristiano que quisiese luchar junto a él tendría grandes beneficios. Al oír esto, miles de hombres se unieron a su bandera y los refuerzos fueron tan grandes que, de pronto, fue capaz de marchar contra Valencia, la capital del reino árabe. Se asentó con todo su ejército ante la ciudad, asediándola. La rodearon durante nueve meses y al décimo los moros abrieron sus puertas y se rindieron. El botín en oro, plata y materiales preciosos fue tan grande que sólo El Cid recibió, como parte de su botín, treinta mil doblones, creciendo su grandeza hasta tal punto que, no sólo sus seguidores, sino también los árabes de la España oriental empezaron a considerarle su señor de pleno derecho.

En vista de su poder, el rey moro de Sevilla empezó a asustarse y decidió reunir todas las fuerzas de su reino contra él. Juntó un ejército de treinta mil hombres y marchó hacia Valencia. Pero El Cid le hizo frente a orillas del río Huerta y la victoria fue tan completa que el rey moro no volvió a hacerle frente.

El Cid comenzó a concebir esperanzas de que su rey le recibiera amistosamente y volviera a confiar en él. Prometió, bajo solemne juramento, que por amor a Alfonso no volvería a cortarse la barba. «De este modo», dijo, «mi barba será famosa entre moros y cristianos.» Envió una vez más a Alvar Fáñez a la corte, con cien espléndidos caballos de pura raza árabe, con el ruego de que le permitiese llevarse a su esposa, doña Jimena, y a sus hijas consigo a las posesiones que había adquirido gracias a su espada.

Mientras tanto llegó a Valencia desde el Este un hombre religioso, el obispo don Jerónimo, que había oído hablar del valor del Cid y deseaba cruzar su espada con el infiel. El Cid le aceptó encantado y fundó el arzobispado de Valencia para el valiente cristiano, cuyo único pensamiento era extender la palabra de Dios entre los sarracenos.

Cuando Alvar Fáñez llegó a la corte, pidió audiencia con el rey Alfonso, que quedó impresionado al escuchar las proezas del Cid Campeador: cómo había derrotado a los moros en cinco batallas campales, había sometido dichas tierras a la corona de Castilla y erigido un arzobispado en el corazón del reino árabe. Por ello, consintió en permitir que doña Jimena y sus hijas, Elvira y Sol, fuesen a Valencia. Al enterarse de la noticia, el conde García Ordóñez, del bando leonés, que se había asegurado de que se mantuviera el destierro del Cid, al que odiaba con toda el alma, se sintió profundamente vejado. Los dos infantes de Carrión, en León, viendo que el poder y la importancia del Cid crecían de día en día, decidieron pedir al rey a las hijas del Campeador en matrimonio.

Había pasado mucho tiempo desde el día en que El Cid debería haber cancelado su deuda con los judíos Raquel y Vidas, los cuales, enterados de que Alvar Fáñez estaba en la corte, se dirigieron allí para solicitarle el pago. Fáñez les aseguró que El Cid estaba decidido a cumplir su promesa y que sólo la tensión de la continua guerra le había impedido cumplir con su obligación. Los judíos quedaron satisfechos con la respuesta y habían confiado tan ciegamente en El Cid que nunca abrieron los arcones para examinar su contenido.

El Cid recibe a su familia

Alvar Fáñez realizó todos los preparativos para llevar a Valencia a doña Jimena y sus hijas, a las que trasladó seguras hasta su nuevo hogar. Cuando El Cid, que pocos días antes había conquistado la famosa plaza de Babieca, se entera de que ya estaban cerca, se lanzó a galope a su encuentro para darles la bienvenida a sus nuevas posesiones. Saludándolas con gran afecto, las condujo al castillo, desde cuyas torres les mostró el territorio que había conquistado para ellas. Doña Jimena y sus hijas dieron gracias a Dios por semejante regalo.

Pero los moros de África estaban muy inquietos, ya que habían oído hablar de las hazañas del Cid y consideraban una afrenta que les hubiera quitado a sus hermanos de la Península una parte tan grande de territorio. Su rey, Yussuf, reunió un poderoso ejército de cincuenta mil hombres y, surcando el mar hacia España, marchó contra Valencia, con la esperanza de reconquistarla para el imperio de la media luna. Cuando El Cid se enteró, exclamó: «Doy gracias a Dios y a su Santa Madre por tener a mi mujer y a mis hijas conmigo. Ahora verán cómo lucho contra los moros y gano nuestro pan en un territorio extranjero.» Pronto se pudo avistar el ejército de Yussuf, que le puso un cerco tan estrecho a Valencia que nadie podía entrar o salir. Cuando las damas contemplaron la magnitud del ejército enemigo, quedaron aterradas, pero El Cid les pidió que se animasen. «Tened ánimo», exclamó, «y veréis cuán grande y maravillosa es la riqueza que se nos acerca. Aquí llega la dote para el matrimonio de tus hijas» [30].

La batalla con el rey Bucar

Saltando sobre «Babieca», El Cid lanzó sus picas contra los moros de África. A continuación se libró una lucha larga y en-

---

[30] Este pasaje tiene reminiscencias de la frase del famoso proscrito Jock Elliot, cuando, junto con sus hombres, se acerca a un almiar para dar forraje a los caballos y exclama con ironía: «Eh vosotros, ¿no correríais si tuvieseis piernas?»

carnizada. Ese día se enrojecieron las lanzas españolas y El Cid blandió su espada Colada de modo tan terrible, que los sarracenos caían a sus pies como el trigo en la siega. Amagó un duro golpe contra el yelmo del rey Yussuf, pero el jefe moro lo esquivó, espoleando su caballo y huyendo al galope, seguido de todos sus hombres. El botín en oro, plata, caballos ricamente engualdrapados, petos, escudos y espadas fue incontable. Demasiado ocupado con la matanza como para ir en su persecución, El Cid, con la espada goteando en la mano, retornó con su esposa y sus hijas, que habían estado contemplando el curso de la batalla. «Os saludo, señoras», gritó: «Lo que habéis visto son los moros vencidos en el campo de batalla.» Pero no pudiendo olvidar a su rey, envió a Alvar Fáñez y a Pedro Bermúdez a la corte con la tienda del rey Yussuf y doscientos caballos engualdrapados. Alfonso se alegró y dijo: «Recibo con agradecimiento el regalo del Cid y está cercano el día de nuestra reconciliación.»

Los infantes de Carrión, viendo que la reputación del Cid crecía de día en día, decidieron definitivamente pedir al rey a las hijas del Campeador en matrimonio. Alfonso aceptó entrar en negociaciones con El Cid, no sólo para pedirle la mano de sus hijas, sino también con la idea de reconciliarse con él, ya que era consciente de todos los servicios que el Campeador le había prestado. Por ello envió a Alvar Fáñez y a Pedro Bermúdez con la orden de comunicarle la oferta de los Infantes y de transmitirle su real estima.

Los mensajeros se marcharon hacia Valencia y le dieron al Cid el mensaje de gracia del rey, pidiéndole, a su vez, la mano de sus hijas para los infantes de Carrión. El Cid se alegró al conocer la noticia. «Los deseos del rey son los míos», afirmó, «aunque los infantes de Carrión son arrogantes y malos vasallos del trono. Pero es la voluntad de Dios y del rey.»

El Cid hizo grandes preparativos para ir a la corte y, cuando el rey se enteró de que se aproximaba, salió a su encuentro. El Cid cayó de rodillas ante el rey y mordió la hierba del suelo en señal de humildad ante su señor. Pero Alfonso le levantó y le aseguró su gracia y su afecto, ante las que El Cid quedó conmovido y agradecido. El rey organizó una gran fiesta en honor del Cid, pidiendo la mano de sus hijas para los infantes de Carrión al finalizar el banquete. El Cid respondió que tanto él como sus hijas estaban en manos del rey y que él mismo podía ofrecer a las damas en matrimonio.

La boda de las hijas del Cid

Tras varios días de fiesta y regocijo, El Cid retornó a Valencia con los dos infantes de Carrión. Les comunicó a sus hijas y a su esposa que el matrimonio era por deseo del rey y no del suyo propio, y que tenía cierto recelo en cuanto al resultado de dicha alianza. A pesar de ello hizo grandes preparativos, acordes a la importancia de tan grandes señores. Doña Elvira y doña Sol fueron desposadas con los infantes de Carrión en la iglesia de Santa María por el gran guerrero y obispo don Jerónimo. Las celebraciones de la boda duraron quince días y El Cid no tuvo motivo alguno para estar insatisfecho con sus yernos, tan galantes como buenos bailarines.

La aventura del león

Los infantes de Carrión y sus esposas llevaban tres años en Valencia, cuando sucedió un contratiempo. Un día, durante la siesta, un león que había sido traído para batirse en el ruedo, huyó de su jaula y se dirigió al palacio. El Cid estaba adormecido en un sofá, pero todos sus seguidores, impávidos, se reunieron a su alrededor para protegerle, excepto los infantes de Carrión, de los cuales uno se escondió detrás del sofá en el que El Cid dormía y el otro se apresuró de tal manera a huir del palacio que tropezó con el travesaño de una prensa de vino y se rasgó los ropajes. El clamor despertó al Cid que se levantó, se acercó al león y, posándole la mano sobre la erizada melena, le volvió a llevar a la jaula. El león no opuso resistencia, ya que, evidentemente, conocía al amo.

Cuando los infantes de Carrión se enteraron de que había pasado todo el peligro, salieron de su escondite, tan pálidos y aterrorizados que los duros soldados del Cid no pudieron contener la risa. Los arrogantes nobles se sintieron profundamente insultados y un gran sentimiento de venganza nació en sus corazones.

Días después del incidente arribaron noticias a Valencia de que Abu Bekr, capitán de los ejércitos del rey de Valencia, se había puesto en marcha para tomar la ciudad. El Cid y sus capitanes se regocijaron con la noticia, no así los infantes de Carrión, que se retiraron a planear cómo evitar la lucha y regresar a sus territorios.

Aquí hay una interrupción en la narración y en un pasaje posterior queda claro que los versos que faltan relatan que uno de los infantes, para probar su coraje, tras haber sido llamado cobarde, coge las armas y se enfrenta a los moros para, sin embargo, huir más tarde. Pero Pedro Bermúdez, para no herir los sentimientos del Cid, mata al sarraceno y le hace creer a su señor que ha sido el infante el que lo ha hecho.

La historia del «servicio secreto» del Cid

El siguiente pasaje contiene uno de los cuentos más románticos:

«May the time come when I deserve as much of both of you.»

El verso parece ser el último de una conversación entre Pedro Bermúdez y el infante don Fernando, que, probablemente, le expresaba su gratitud. El primer autor inglés que se atrevió a realizar una traducción del *Poema del Cid* fue el padre John Hookham, el autor de las obras de Aristófanes, que fue durante algunos años el embajador británico en Madrid. Hizo una conjetura sobre el verso arriba indicado, que comunicó al marqués de la Romana. Algunos años después, en 1808, cuando el marqués estaba en Dinamarca, al mando de las tropas francesas, el padre Hookham pudo enviarle un mensajero confidencial, asegurándose el capitán español de que el mensajero era auténtico, gracias a la mención del citado verso, cuya corrección sólo conocían el padre y el marqués. Esta circunstancia desembocó en uno de los más importantes movimientos en la guerra contra Napoleón.

El obispo guerrero

A la primera oportunidad que tuvieron, los infantes de Carrión, que no se acostumbraron a la idea de estar en lucha permanente con los moros, decidieron retirarse a la seguridad de sus dominios. Para avergonzarles, el obispo Jerónimo se presentó ante El Cid, armado de pies a cabeza, solicitándole su permiso para tomar parte en la batalla. El Cid asintió sonriendo y, nada más hacerlo, el obispo montó un gran caballo de guerra y cruzó las puertas, galopando hacia los sarracenos. En el primer encuentro mató a dos enemigos, pero tuvo la mala suerte de que se le rompiera su lanza. Nada podía, sin embargo, apagar la ardiente disciplina de este militante de la Iglesia, que tomó su espada y, blandiéndola sobre su cabeza como si fuese un avezado hombre de armas, se dirigió de nuevo hacia las tropas moras con todo el ímpetu de su corcel. Rodeado a derecha e izquierda, hería o mataba paganos de un solo golpe. Pero el enemigo le rodeó, y la situación hubiese sido muy difícil para el obispo guerrero a no ser que El Cid, que había sido testigo de su valor con la admiración del guerrero por las proezas de otro bravo luchador, dejando su lanza y espoleando su caballo, no se hubiese adentrado en el fragor del combate. Ante semejante ataque los moros abrieron paso aterrados. El Cid, dando la vuelta, se lanzó hacia ellos y, chocando contra sus filas como una tempestad, causó muerte y destrucción por doquiera que pasó. Los moros vacilaron y huyeron. Toda la armada del Cid, caballos y hombres, les persiguió, irrumpiendo en su campamento, rompiendo las tiendas y los llamativos pabellones orientales en los que se habían alojado.

Los arrojan de sus tiendas y ya alcanzándolos van;
tantos brazos con loriga vierais cómo caen ya,

tantas cabezas con yelmo por todo el campo rodar,
caballos sin caballero ir por aquí y por allá.
Siete millas bien cumplidas se prolongó el pelear.
Mío Cid Campeador a Bucar llegó a alcanzar:
«Volveos acá, rey Bucar, que venís de allende el mar,
a habéroslas con el Cid de luenga barba, llegad,
que hemos de besarnos ambos para pactar amistad.»
Repuso Bucar al Cid: «Tu amistad confunda Alá.
Espada tienes en mano y yo te veo aguijar;
lo que me hace suponer que en mí quiéresla probar.
Mas si este caballo mío no me llega a derribar,
conmigo no has de juntarte hasta dentro de la mar.»
Aqui le repuso el Cid: «Eso no será verdá.»
Buen caballo lleva Bucar y muy grandes saltos da,
pero «Babieca», el del Cid, alcanzándole va ya.
Mio Cid alcanzó a Bucar a tres brazas de la mar,
alzó en alto su Colada y tan gran golpe le da
que los carbunclos del yelmo todos se los fue a arrancar;
cortóle el yelmo y con él la cabeza por mitad,
hasta la misma cintura la espada logró llegar.
Así mató el Cid a Bucar, aquel rey de allende el mar,
por lo que ganó a Tizón, que mil marcos bien valdrá.
Venció así la gran batalla maravillosa y campal,
honrándose así mío Cid a cuantos con él están.

De vuelta de la escaramuza, El Cid divisó a los infantes y les saludó. «Aquéllos que son valientes, deben ser saludados por los valientes», le comentó tristemente a Alvar Fáñez. Los frívolos y orgullosos príncipes se sintieron airados cuando escucharon estas palabras y la sombra de la venganza volvió a posarse sobre sus cabezas. «Separémonos del Cid y tornemos a Carrión», dijeron, «hemos sido insultados en este lugar por estos bandidos y sus líderes. De camino a casa sabremos cómo vengarnos en sus hijas.» Con este cobarde propósito le pidieron, sonrientes, al Campeador que les permitiera marchar. Él asintió entristecido, les cargó de regalos y les cedió las famosas espadas Colada y Tizona, que había blandido personalmente contra los moros. Después le pidió a su sobrino Félix Muñoz que acompañara a sus hijas y a los infantes de Carrión.

La venganza de los infantes

Llenos de aflicción, y no sin cierto resquemor, vieron partir a sus hijas El Cid y doña Jimena. Le encomendaron a Félix Muñoz el encargo de vigilarlas bien, cosa que él prometió. Tras varios días de viaje, la comitiva hubo de atravesar el gran bosque de Corpes, donde pasaron la noche, montando las tiendas en un claro. A la mañana siguiente los infantes ordenaron adelantarse a la comitiva y, tomando los correajes de los caballos, golpearon a sus desafortunadas esposas cruelmente. Las damas pidieron la muerte antes de tener que sufrir semejante desgracia, pero los cobardes infantes, riendo desdeñosamente, se burlaron de ellas y las abandonaron, dándolas por muertas. «Ya hemos vengado el deshonor del contratiempo con el león», exclamaron, partiendo a lomo de sus caballos.

Mientras las deshonradas y abandonadas esposas yacían ensangrentadas sobre la hierba, Félix Muñoz, su primo, que había acampado en otra parte del bosque durante la noche, montó su caballo y, viendo las lamentables condiciones en que se encontraban, corrió a socorrerlas. Tras curar sus heridas lo mejor que supo, corrió a la ciudad más cercana a comprar caballos y ropas adecuadas para la ocasión. Cuando llegaron estas noticias a Valencia, el corazón del Cid estalló de ira. No se desahogó, a pesar de ello, y se sentó malhumorado para reflexionar a cerca de la deshonra inflingida a sus hijas. Finalmente, tras varias horas, habló: «Por mis barbas», gritó, «que los infantes de Carrión se acordarán de esto.» Sol y Elvira llegaron pronto a Valencia y El Cid las recibió con cariño, aunque sin mantener una actitud compasiva. «Bienvenidas hijas mías», les saludó, «que Dios os libre de todo mal. Acepté este matrimonio porque no me atreví a oponerme. Dios quiera que os vea mejor casadas en el futuro y que yo pueda vengarme de mis yernos de Carrión.»

La corte, en Toledo

Después de ello El Cid envió mensajeros al rey Alfonso para relatarle el mal inferido a sus hijas por los infantes y rogándole justicia. El rey quedó perplejo con la noticia y ordenó que la corte se trasladase a Toledo, donde ordenó comparecer a los infantes para responder de su crimen. Éstos pidieron que se excusara su asistencia pero el rey, autoritario, rechazó cualquier excusa o subterfugio y exigió que obedecieran de inmediato a su llamamiento. Viajaron a Toledo con gran recelo, acompañados del conde don García, Asur González, Gonzalo Ansúrez y un gran número de súbditos, con la intención de intimidar al Cid. El Campeador llegó también a la corte con un grupo de veteranos de su confianza, armados hasta los dientes. Llevaba un rico manto rojo de piel bordado en oro y se había atado la barba con un cordón. Cuando entró en la corte junto con sus hombres, todos se levantaron para saludarle, salvo los infantes de Carrión y sus seguidores, ya que parecía un gran señor y no se atrevieron a mirarle de lo avergonzados que estaban.

«Príncipes, barones e hidalgos», dijo el rey, «os he convocado hoy aquí para hacer justicia al Cid Campeador. Como bien sabéis, sus hijas han sufrido una gran daño. He designado unos jueces para que moderen este asunto y para que intenten averiguar la verdad, ya que yo no quiero injusticias en la España cristiana. Y juro por los huesos de San Isidro que aquel que perturbe mi corte deberá abandonarla y perderá mi favor, mientras que aquel que pruebe la justicia de su demanda, estará a mi lado. Ahora, dejemos que El Cid exponga sus quejas y escuchemos lo que tienen que alegar los infantes.»

El Cid se levantó y entre todos aquellos barones y señores no había una figura más noble. «Mi señor», exclamó, «no sólo yo he sido deshonrado por los infantes de Carrión, también lo habéis sido vos, que ofrecisteis a mis hijas en matrimonio. Permitid, lo primero de todo, que devuelvan las espadas Colada y Tizona, porque ya no son mis yernos.»

Los infantes, oyendo las palabras del Cid, pensaron que no

habría más cargos contra ellos si devolvían las espadas, y se las entregaron al rey. Pero la intención del Campeador era la de castigarlos por cualquier medio a su alcance. Una vez que las tuvo en sus manos se las entregó a Félix Muñoz y a Martín Antolínez, demostrando con ello que no las quería para sí mismo. Después de esto, se tornó de nuevo hacia el rey:

«Mi señor», dijo, «cuando los infantes dejaron Valencia recibieron como regalo tres mil doblones de oro y plata. Permitid que los recupere, ya que ya no son mis yernos.»

Los infantes se negaron, alegando que los habían gastado en sus tierras de Carrión, pero los jueces les exigieron el pago de la suma ante la corte sin demora. Los infantes se percataron de que no tenían más remedio que aceptar y mandaron traer un corcel y varios palafreneros con su ajuar y les pidieron dinero prestado a los miembros de su séquito, asumiendo unas obligaciones que tardarían tiempo en pagar.

Exigencia de un combate como satisfacción

Tras haberse cumplido esta demanda, El Cid elevó su principal cargo contra los infantes y exigió que el gran mal infligido a sus hijas se satisficiera mediante un combate. El conde García, interlocutor de los infantes, se levantó para defenderlos. Alegó que eran príncipes y ya sólo por esa razón se justificaba el abandono de las hijas del Cid. Entonces, Fernán González, el mayor de los infantes, se levantó para aprobar el discurso de su vasallo, desdeñando la alianza que había contraído y justificando su cobarde acción por considerarla natural y apropiada a su rango. Entonces Pedro Bermúdez dejó escapar toda su ira contra los infantes, largamente contenida, echándoles en cara su cobardía en el asunto del león.

Entra Asur González

La discusión crecía, cuando apareció en la sala Asur González, un arrogante vasallo de los infantes.

De estos ambos que contienden la disputa ha terminado.
Asur González entonces entraba en el palacio,
llevando el manto de armiño y su brial arrastrando;
colorado llega porque había mucho almorzado.
En aquello que dijera tuvo muy poco cuidado.
«¡Oh señores, ¿quién vio nunca en la corte cosa tal?
¿Quién dijera que nobleza nos diera el Cid de Vivar?
¡Váyase ya al río Ubierna sus molinos a picar
y a cobrar maquilas vaya, como suele acostumbrar!
¿Quién le diera a sus hijas con los de Carrión casar?»
Entonces, Muño Gustioz en pie se puso y habló:
«¡Calla, le dijo, alevoso, calla malvado y traidor!
Antes te vas a almorzar que acudes a la oración;
aquellos a los que besas los espantas con tu olor.
No dices verdad alguna ni al amigo ni al señor:
eres falso para todos y más falso para Dios.
En tu amistad yo no quiero tener participación.
Te he obligado a decir que eres tal cual digo yo.»
Dijo el rey Alfonso, entonces: «Termine ya esta cuestión.
Aquellos que se han retado, lidiarán, quiéralo Dios.»

El tumulto, que el rey se había esforzado en suavizar, se había apenas mitigado, cuando aparecieron dos caballeros en la corte. Eran los embajadores de los infantes de Navarra y de Aragón, que venían a pedir al rey la mano de las hijas del Cid. El rey se volvió hacia El Cid y solicitó su permiso para aprobar el matrimonio. Cuando El Cid dio humildemente su consentimiento, el rey comentó a todos los nobles allí congregados que los esponsales tendrían lugar puntualmente y que el combate entre los litigantes se libraría al día siguiente.

Era una triste noticia para los infantes de Carrión, que, atemorizados, solicitaron al rey que les diera un plazo para procurarse caballos y armas, de modo que, finalmente el rey, despectivamente, fijó que el combate se celebraría a las tres semanas en Carrión, para que los infantes no tuvieran motivos para excusar su ausencia o para alegar que El Cid era favorecido con alguna ventaja.

El Cid pidió permiso al rey para marcharse, instándole a recibir a su corcel «Babieca» como regalo. Pero Alfonso lo rechazó, diciendo cortésmente que, si lo aceptaba, «Babieca» no tendría un amo tan bueno. Volviéndose hacia los que le habían apoyado, el Campeador les brindó un afectuoso saludo y marchó para Valencia, mientras que el rey lo hizo hacia Carrión para comprobar que se hacía justicia.

El combate

Cuando pasó la tregua, las partes contendientes ocuparon sus puestos. Los hombres del Cid no tardaron en armarse, pero los traicioneros infantes de Carrión trajeron consigo a un gran número de sus vasallos, con la esperanza de que pudiesen asesinar a los defensores del Cid por la noche, cogiéndoles desprevenidos. Pero Antolínez y sus camaradas estuvieron al acecho y frustraron sus planes. Viendo que no tenían escapatoria y que estaban obligados a enfrentarse a sus retadores, le rogaron al rey que los hombres del Cid no pudieran usar sus famosas espadas Colada y Tizona, ya que temían, supersticiosamente, a tan maravillosas armas, que se habían arrepentido de devolver. Sin embargo, Alfonso se negó a escuchar su ruego.

«Tenéis también vuestras propias espadas», dijo con brusquedad, «que son suficientes para vosotros y procurad empuñarlas como hombres, porque, creedme, El Cid no fallará.»

Sonaron las trompetas y los tres campeones del Cid montaron sobre sus impacientes caballos, haciendo previamente la señal de la cruz sobre la silla. También montaron los infantes de Carrión con el rostro descompuesto. Los alguaciles o heraldos, que debían decidir las reglas del combate y juzgar en caso de desacuerdo, ocuparon sus puestos. Entonces dijo el rey Alfonso: «Escuchad mis palabras, infantes de Carrión, este combate debería de haberse librado en Toledo, pero vosotros os habríais zafado, por eso he traído a estos tres caballeros a las tierras de Carrión. Cumplid con vuestro deber o pagaréis las consecuencias.»

La descripción de la escena que viene a continuación ha sido comparada más de una vez con el combate entre Palamón y Arcite que describe Chaucer en su obra *El Cuento del Rey,* y, de hecho, existe un parecido [31].

> Pero Bermúdez, aquel que antes su reto lanzó,
> con don Fernando González cara a cara se juntó,
> golpeándose en los escudos sin reposo ni pavor.
> Por fin, Fernando González el escudo atravesó
> de Pero, mas dio en vacío y en carne no le tocó,
> y por dos sitios distintos el astil se le quebró.
> Firme está Pero Bermúdez por eso no se torció;
> y si un golpe recibiera, él otro más fuerte dio:
> partió el forro del escudo, y fuera de sí lo echó,
> y atravesándolo todo, así nada le sirvió.
> Le hundió la lanza en el pecho muy cerca del corazón;
> mas tres dobles de loriga a Fernando le salvó,
> dos de ellos se desmallaron y el tercero resistió;
> el bélmez con la camisa y a más con la guarnición,
> dentro de la carne más de una mano le metió;
> y de la boca hacia fuera mucha sangre le salió.
> Partiéndosele las cinchas, que ninguna le valió,
> por la cola del caballo el jinete resbaló.
> Por muerto le da la gente al mirar al de Carrión,
> pero, dejando la lanza, mano a la espada metió,
> cuando Fernando González a Tizona reconoció,
> antes de esperar el golpe, dijo así: «¡Vencido soy!»
> Así asintieron los jueces y Bermúdez lo dejó.

Mientras se celebraba este combate, se enfrentaron Antolínez y el otro infante. Sus lanzas chocaron con la armadura del otro y se astillaron. Entonces, empuñando la espada, se abalanzaron fieramente el uno contra el otro. Antolínez, blandiendo la Colada, le

---

[31] La balanza se inclina en favor de Chaucer, cuyos versos derrotan el poema original español, a pesar del absurdo comentario de Swinburne, que afirma que juntando a Chaucer y a Spencer no llegamos a obtener un buen poeta.

asestó un golpe tan fuerte a Diego que la hoja entró limpiamente a través del casco de acero, cortando parte del cabello de Diego. El príncipe, aterrado, dio la vuelta a su caballo y huyó, pero Antolínez le persiguió burlona y furiosamente y le atravesó la espalda con su espada. De este modo, el canalla tuvo el castigo propio de los cobardes. Cuando Diego notó la espada cruzándole el pecho, chilló con fuerza y, espoleando a su caballo, traspasó los límites establecidos, lo que, de acuerdo a las reglas del combate, equivalía a admitirse vencido.

Cuando sonaron las trompetas del siguiente encuentro, Muño Gustioz y Asur González se abalanzaron el uno contra el otro con fiereza. La punta de la lanza de Asur rozó la armadura de Muño, pero la del defensor del Cid perforó el peto de su oponente transpasándole el pecho. El arrogante Asur cayó pesadamente al suelo, pero aún le quedó vida suficiente para pedir clemencia.

El rey Alfonso acreditó la victoria del Cid, que sin pérdida de tiempo retornó a Valencia para difundir la buena noticia de que su honor había sido vengado.

Poco tiempo después se celebraron con pompa los esponsales de sus hijas con los infantes de Aragón y de Navarra. Luego termina el *Poema* tan bruscamente como empezó:

> Ya comenzaron los tratos con Navarra y Aragón,
> y celebraron su junta con Alfonso el de León.
> Hicieron sus casamientos doña Elvira y doña Sol;
> si los de antes buenos fueron, éstos aún son mejor;
> con mayor honra las casa que otro tiempo las casó.
> Ved cómo aumenta la honra del que en buena hora nació,
> al ser señoras sus hijas de Navarra y de Aragón.
> Ahora los reyes de España todos sus parientes son,
> que a todos alcanza honra por el que en buena nació.
> Dejó este siglo mío Cid, que fue en Valencia señor,
> día de Pentecostés. ¡De Cristo alcance el perdón!
> ¡Así hagamos nosotros, el justo y el pecador!
> Éstas fueron las hazañas de mío Cid Campeador;
> en llegando a este lugar se termina esta canción.

El Cid real

Quizá el mejor resumen que tenemos del *Poema del Cid* es el de Cervantes. El Cid existió sin duda; la pregunta es si las hazañas que se le atribuyen ocurrieron o no. El Cid del romance es una persona bien distinta del Cid histórico que, sin duda, fue un líder de masas pero también fue astuto, cruel y sin escrúpulos. El *Poema* es claramente un romance y como el libro trata del romance y no de la historia, no hay necesidad de ofrecer al lector una crónica de las actividades mercenarias del auténtico Rodrigo de Vivar.

«Mío Cid», el título bajo el que más frecuentemente se le conoce, es medio árabe y medio español, y procede de la palabra árabe Sid-y, «Mi señor», nombre que posiblemente le otorgaran sus vasallos moros en Valencia, siendo poco probable que en España se le diese dicho nombre mientras vivió. Pero incluso en nuestros días es un nombre evocador en la Península. Al igual que los corazones británicos laten más fuertemente al oír el nombre de Arturo, y el de los franceses al oír el nombre de Roland, los españoles no dejan de reverenciar la romántica sombra del dios de la guerra, El Cid Campeador, que aparece en la historia antigua de su país.

Capítulo III

«AMADÍS DE GAULA»

Hay un castillo en una mágica montaña
Cuyos hechizos abren caminos que puedes ascender,
Si amas la noble caballería sublime.
Ven, sus torres encantadas se alzan ante tus ojos,
Como hace tiempo ante los de las damas y caballeros,
Amantes de las viejas rimas,
Y en los pasillos esculpidos el tiempo
Despliega ante nosotros trofeos de delicias muertas:

El adamasquinado de las armaduras en el crepúsculo,
Las sombras de los estandartes de los infieles,
Fragmentos de una gloria ya olvidada,
Con la fragancia tenue e imperecedera del almizcle
De la fantasía mora. ¡Disuelve tu hechizo!
¡Abre los portones de la leyenda castellana!

L. S.

MUCHAS ventanas del castillo del romance español se abren a paisajes de amores fantásticos de melancólica grandeza, pero ninguna es tan brillante, tan infinitamente variada o tan rica de fantásticos colores, como el alféizar desde el que se contempla la región de los prodigios y la gran caballería, en la que se representa la galante y gloriosa historia de Amadís de Gaula. La ventana de la que hablo se encuentra en el torreón de una venerable fortaleza, desde la que se observa el paisaje que era tan querido a los tejedores de viejos tapices o a los pintores, amantes de leyendas, de la vieja Florencia. A sus pies se extienden los principescos dominios de nobles praderas, surcadas por estrechos ríos, plateados y serpenteantes, y colinas almenadas que se elevan hacia el Norte. Más allá se divisan los azules y puntiagudos picos de las montañas donde los dragones tienen su remota guarida, y que parecen pertenecer más al cielo que a la Tierra. Esta escena de belleza casi sobrenatural presenta, a primera vista, una gran riqueza de colores y resplandor. Las praderas están llenas de doseles y el aire está pintado de banderolas y dorado de estandartes blasonados. El resplandor de las armaduras hiela la sangre como el reto de la música marcial. Extraños palacios de mármol, blancos como si estuviesen esculpidos en hielo, se elevan en los márgenes de mágicos bosques y brillan en las laderas de los promontorios; sus jardines y terrazas descienden silenciosamente hasta playas abandonadas. La escena es tan bella como un pedazo del Paraíso.

Así es el libro de *Amadís* cuando echamos un primer vistazo a sus páginas coloreadas como el arco iris. Pero cuando tenemos una impresión más detallada, con ayuda de la magia del romance, encontramos que la radiante escena está profundamente sombreada en algunas zonas.

Gargantas profundas como la noche, en las que pululan y se reproducen todo tipo de seres nocivos, se abren junto a las colinas fortificadas. Las fortalezas principescas y los palacios son, con frecuencia, guarida de proscritos desesperados y de malignos brujos. Horribles gigantes habitan las montañas o las oscuras islas que emergen del pálido mar, y los dragones tienen su guarida en el páramo y en los bosques. Pero aunque engendre lo luminoso y lo lóbrego, la atmósfera de *Amadís* está bañada de tal encanto, que llegamos a amar sus partes más oscuras; sentimos que el horror que nos muestra no es más que el vino más fuerte del romance, una cosecha que nos intoxica.

Y si permanecemos en nuestro puesto de vigilancia hasta el caer de la noche y observamos la iluminación de esta maravillosa región a la luz de la Luna, se nos concederá el más inspirador trago del extraño cáliz del romance. Bajo la misteriosa luz de la Luna, la plateada armadura se convierte en un testigo sobrenatural de las luces, rojas como la sangre, que relampaguean en los torreones de los magos y de las brujas, con forma de sílfide, que vuelan del mar al bosque como vivos haces de Luna. Desde los desiertos, que se extienden entre las colinas y las distantes montañas, nos llegan los gritos de monstruos, y en todo el fantástico mundo de las hadas bulle la vida.

¿Qué maravillas no desvelaría esta incomparable imagen a los ojos de una nación de caballeros, despertando un fervor, aplauso y beneplácito que pocas obras en la historia de la literatura han sido capaces de lograr? El autor de *Amadís* presentó ante la caballería española el mundo en el que siempre había soñado. Cada caballero se sentía un posible Amadís y cada dama una Oriana. La filosofía y el ambiente de este libro tomaron plena posesión del alma española, haciendo surgir más altos ideales e introduciendo un nuevo código de modales y sentimientos. Tanto la trama principal como los múltiples incidentes del libro fueron desarrollados de forma coherente y precisa y no surgieron de inconexos y aislados combates o de tediosas descripciones de atavíos, compromisos o edificios, entremezclados con rudos paladines o vociferantes reyes, como en todos los cantares de gesta. Es más, el libro está impregnado en su totalidad de la filosofía amatoria de la caballería, según la cual la mujer, en lugar de ser un objeto o un juguete para el hombre, es exaltada a unos niveles de veneración y de omnipotencia desconocidos para los rudos cantores de los cantares.

El origen del romance de *Amadís*

La primera versión peninsular de *Amadís* aparece en portugués y fue obra del caballero lusitano Juan de Lobeira (1261-1325), que nació en Oporto, luchó en Aljubarrota bajo la bandera del rey Juan, de feliz memoria, y murió en Elvas. Sin embargo, Southey afirma que todo apunta a que la patria original de este romance fue Francia, existiendo, incluso, una referencia en la literatura portuguesa a que un tal Pedro de Lobeira tradujo el *Amadís* del francés, por orden del infante don Pedro, hijo de Juan I. Pero el cuento original francés ha desaparecido sin dejar rastro de haber existido alguna vez, salvo en su versión peninsular, y tampoco hemos tenido mayor fortuna con la versión portuguesa. Se sabe que a finales del siglo XVI hubo una copia del manuscrito de Lobeira en los archivos del duque de Arveiro, en Lisboa, y parece que existió hasta el 1750. Sin embargo, después de este período desaparece de la vista de los bibliófilos y parece ser que se destruyó durante el terremoto de Lisboa de 1755, junto con el palacio ducal donde se albergaba.

Pero su fama y su contenido se mantuvieron vivos en la versión española y, aunque sea Portugal la cuna del *Amadís* peninsular, se le debe al genio de Castilla su conservación e, incluso, su mejora. En algún momento, entre 1492 y 1508, García Ordóñez de Montalvo, gobernador de la ciudad de Medina del Campo, acometió la tarea de su traducción y adaptación. La fecha precisa en que fue impreso por primera vez permanece oscura. Nos faltan las copias iniciales, pero sabemos que los conquistadores españoles de Méjico destacaron el parecido de dicha ciudad con los lugares encantados de los que se hablaba en *Amadís*. Tal y como apunta Southey, esto ocurrió en 1519 y no en 1549. Quizá hacían referencia a la versión portuguesa pero, en cualquier caso, se sabe que en ese año se publicó una versión de *Amadís* y otra en 1547 en Sevilla. Ya hemos hecho referencia a las numerosas traducciones del romance a distintas lenguas y de las múltiples continuaciones publicadas, pero es necesario resaltar que sólo los cuatro primeros libros de *Amadís,* es decir aquellos que componen el auténtico *Amadís,* fueron escritos por Montalvo, siendo los restantes obra de imitadores [32].

---

[32] Ver la obra de Rivadeneyra, *Biblioteca de Autores Españoles,* vol. XI, 1846-1848, que contiene un brillante y magistral prefacio de Gayangos. Sus orígenes han sido vastamente analizados por Eugène Baret, *Études sur la Redaction*

Elisena y Perión

La acción del romance comienza en un período oscuro e indefinido, descrito como casi inmediato a la muerte de nuestro Redentor. Según nos cuenta, en esa época reinaba en Bretaña un rey cristiano, llamado Garinter, que tenía dos encantadoras hijas. La mayor, conocida como la Dama de las Guirnaldas, por su afición a llevar coronas de flores, había contraído matrimonio, poco antes del comienzo del libro, con el rey Angus Languines de Escocia, y tenía dos bellos hijos, Agrayes y Mabilia. Elisena, la más joven, era famosa por su belleza en todos los territorios de la cristiandad, y, aunque había sido pedida en matrimonio por príncipes y monarcas, los había rechazado a todos para dedicarse a una vida de santidad y buenas obras. En la opinión de toda las damas y caballeros del reino de su padre, había transgredido gravemente las leyes del amor al quedarse soltera, y sucedió que los críticos de la bella y santa Elisena la llamaron la «Devota Perdida».

Si Elisena era partidaria de una vida de austeridad, su real padre lo era de los placeres de la caza, y pasaba gran parte del tiempo en los verdes bosques que, por aquel entonces, ocupaban casi todo el territorio de Gran Bretaña. En una de dichas ocasiones, cuando cabalgaba tranquilamente por los bosques, como solía acostumbrar, alcanzó a oír un choque de armas, y, cabalgando hacia el lugar de donde procedía el clamor del combate, vio a dos caballeros británicos atacando a un extranjero al que, dada su armadura y porte, supuso un hombre de rango y distinción, que, además, se defendía con tal coraje y desenvoltura que logró derribar a sus oponentes. Cuando el extraño estaba enfundando su espada vio a Garinter y se acercó a él, saludándole con cortesía. Se quejó de que un caballero errante tuviera que sufrir semejante trato de los habitantes de un país cristiano, a lo que el rey respondió que en

---

Espagnole de l'Amadis de Gaule, 1853; por T. Braga, *Historia das Novellas Portuguesas de Cavalleria,* 1873, y por L. Braunfels, *Kritischer Versuch über den Roman Amadis von Gallien,* 1876.

todos los países había gente perversa y gente buena, y que los caballeros asesinados eran traidores a su señor feudal y, por tanto, merecían su destino.

El extraño le informó de que buscaba al rey de Bretaña para darle noticias de un amigo, ante lo que Garinter le reveló su identidad. El caballero le informó que él era el rey Perión de Gaula, que siempre había querido su amistad. Garinter insistió en que le acompañara a palacio, a lo que Perión accedió, dirigiéndose ambos a la ciudad.

Al llegar al palacio, se sentaron en la mesa de banquetes, adornada por la presencia de la reina y la princesa Elisena. En cuanto Perión y Elisena se encontraron, se dieron cuenta de que entre ellos había nacido un amor más allá de la muerte. Cuando la reina y la princesa abandonaron el salón, Elisena le comentó su amor por Perión a su dama y confidente Darioleta, pidiéndole que descubriera si el rey de Gaula se había prometido en matrimonio con otra dama. Darioleta, que no se avergonzaba fácilmente, se lo preguntó directamente a Perión, que le confirmó su amor por Elisena en términos apasionados, y prometió hacerla su esposa. Le rogó a la dama que le llevase hasta Elisena para poder tener la felicidad de expresarle su amor personalmente, y ésta fue a llevarle el mensaje a la princesa. Tan impaciente estaba Elisena por oír de los labios de Perión que la amaba que, sin importarle el tiempo o el cansancio, buscó la habitación en la que él se alojaba, en la que permaneció hasta el amanecer, retenida por las palabras de amor y por su propia devoción al noble y caballeroso monarca, que le había hecho ver de pronto su vida anterior como insulsa y melancólica.

Diez días pasó Perión en la corte de Garinter, tras los cuales tuvo necesariamente que partir, pero antes de hacerlo pidió la mano de Elisena y le dio uno de los dos anillos iguales que llevaba, como señal de que mantendría su palabra. Sin embargo, no pudo encontrar su espada, teniendo, finalmente, que abandonar su búsqueda.

Nacimiento y niñez de Amadís

Tras la partida de su amante, Elisena cayó en una profunda aflicción, y todos los intentos de Darioleta por consolarla no lograron sacarla del estado de letargo y tristeza en que había caído. En el reino de su padre, al igual que en Escocia, existía una antigua ley por la que cuando dos personas se hacían solemne juramento de matrimonio no era necesaria una ceremonia posterior que legalizase el enlace, aunque era usual ratificarlo después ante la Iglesia y ante la ley. Perión y Elisena habían hecho voto de matrimonio, pero la princesa temía la ira de su padre, a quien los amantes no habían consultado, y cuando nació su hijo quedó aterrada por las posibles consecuencias, ya que sabía que su padre era tan orgulloso como impaciente y dado a actuar antes de conocer la verdad. La mundana y perspicaz Darioleta no tuvo, sin embargo, escrúpulos a la hora de resolver la situación, salvando a su señora y a sí misma de la ira del rey, y, a pesar de las protestas de Elisena, que en su estado de debilidad no fue capaz de detenerla, construyó una pequeña balsa de madera, untada con alquitrán para protegerla del agua, y, sin hacer caso de las lágrimas y lamentaciones de su señora, colocó allí al recién nacido junto con la espada de Perión, que había sustraído de su dormitorio. Después escribió en un pedazo de pergamino: «Éste es Amadís, hijo de un rey», cubriendo las palabras con cera para que no se borrasen, y asegurándolo con el anillo de compromiso que Perión le había dado a Elisena, para atarlo después al cuello del niño con un cordón de seda. Entonces con la máxima precaución, asegurándose de que nadie la observaba, transportó la pequeña balsa hasta el río que corría al pie de los jardines de palacio, lanzándola a sus profundas y veloces aguas.

La pequeña balsa desembocó rápidamente en el mar, que distaba una media legua, y apenas había emergido entre las encrespadas olas, fue avistada por los marineros de un barco escocés que transportaba a Gandales, caballero caledonio, de vuelta de Gaula a su hogar en el Norte. A órdenes suyas, los marineros lanzaron un bote al agua, llevando la pequeña embarcación hasta el barco, donde la esposa de Gandales, admirada con la belleza del pequeño, decidió adoptarlo como si fuese suyo. En pocos días el barco atracó en el puerto escocés de Antalia [33] y Gandales llevó al pequeño Amadís a su castillo, donde le educó como a su propio hijo Gandalín. Algunos años después, cuando Amadís tenía alrededor de cinco, Languines, rey de Escocia, y su reina, la Dama de las Guirnaldas y hermana de Elisena, hicieron una visita al castillo de Gandales y se sintieron tan atraídos por la gracia y la belleza del niño, que expresaron su deseo de adoptarlo como propio. Gandales les contó todo lo que sabía de la historia de Amadís, y la real pareja prometió tratarle como a su propio hijo. Amadís, debido a las circunstancias en que había sido encontrado, era conocido por todos como «El Niño del Mar» y dicho nombre, misterioso y poético, le acompañó hasta que se probó su identidad. Aunque estaba triste por dejar a sus primeros padres adoptivos, el niño no se mostró reacio a acompañar a sus nuevos protectores, pero el pequeño Gandalín no quería separarse de él de ninguna manera y rogó tanto que les permitieran compartir sus destinos que, finalmente, el rey Languines se llevó a ambos muchachos.

El sueño de Perión

Pero volvamos al rey Perión. Ocupado de nuevo con los asuntos de su reino, tenía una gran pesadumbre de espíritu a causa de un sueño que había tenido mientras estaba en la corte de Garinter. En su sueño le parecía que alguien entraba en su dormitorio y le cogía el corazón, arrojándolo al río que fluía a través de los jardines del rey Garinter. Sus gritos de angustia eran respondidos por una voz que le decía que todavía tenía otro corazón. Preocupado por el recuerdo del sueño, que no podía olvidar, reunió a todos lo sabios

---

[33] ¿Puede tratarse de Anstruther? Los españoles, posiblemente, conocieron este lugar gracias a los intercambios con los flamencos, que tenían un gran comercio con esta ciudad. Una embarcación española llegó a Anstruther durante la guerra de la Armada junto a las costas escocesas.

de su reino y les pidió que lo resolvieran. Sólo uno de ellos pudo desentrañar el misterio, diciéndole que el corazón que le habían sustraído representaba al hijo que tuvo con una noble dama, mientras que el otro corazón que le quedaba simbolizaba a otro hijo que le había sido arrebatado de algún modo, y en contra de su voluntad, a aquella que se había desprendido del primero.

Cuando el hombre sabio se marchó, el rey se encontró con una misteriosa dama que le saludó y le dijo: «Sabed, rey Perión, que cuando recuperéis lo perdido, el reino de Irlanda perderá su flor», y antes de que el rey pudiera detenerla, ella desapareció.

En el transcurso del tiempo el rey Garinter murió y Perión y Elisena contrajeron formalmente matrimonio. Cuando Perión le preguntó a su mujer si había nacido un hijo de su unión, ésta lo negó; tan profundamente avergonzada estaba por el papel que se había visto forzada a interpretar en la desaparición del niño. Más tarde, nacieron dos preciosos hijos, un niño y una niña, llamados Galaor y Melicia. Cuando Galaor tenía dos años de edad, el rey y la reina, que estaban de viaje en una ciudad llamada Banzil, situada junto al mar, iban paseando por los jardines del palacio cuando, de pronto, un gigantesco monstruo surgió de entre las olas, llevándose al pequeño Galaor, sin que nadie pudiera hacer nada por evitarlo.

El monstruo se lanzó al agua, se subió a bordo de un barco y se adentró en el mar, gritando contento: «La damisela me dijo la verdad.» Los padres quedaron muy afligidos por la pérdida de su hijo, y en su tristeza Elisena le contó a Perión que se había desembarazado de Amadís. Entonces Perión supo que lo que el sabio le había contado de la pérdida de sus dos corazones era verdad.

El gigante que había secuestrado al pequeño Galaor no era un monstruo perteneciente a una raza maligna, sino generoso y gentil. De hecho cuidó del niño como si hubiese sido suyo. Había nacido en Lyonesse, se le conocía como Gandalue, y era propietario de dos castillos en una isla. Había poblado sus islas con cristianos y entregó a Galeor a los cuidados de un santo ermitaño, con órdenes estrictas de educarlo como un bravo y leal caballero. Le confió al ermitaño que una dama —la misma que se había dirigido al rey Perión de forma tan extraña, y que era una poderosa bruja— le había asegurado que sólo un hijo de Perión podría vencer a su eterno enemigo, el gigante Albadan [34], que mató a su padre y le arrebató la roca de Galtares. De este modo Galaor quedó bajo el cuidado del ermitaño.

Oriana

Por esas fechas el rey Lisuarte de Bretaña arribó a un puerto escocés, donde fue recibido con todos los honores por el rey Languines. Junto con Lisuarte venían su esposa, Brisena, y su pequeña hija Oriana, la más hermosa criatura de la Tierra. Dado que se mareaba mucho en el mar, sus padres decidieron dejarla durante un tiempo en la corte escocesa. Amadís tenía doce años, aunque por su estatura aparentaba quince, y la reina le encomendó que cuidara de Oriana. Ésta comentó que «le agradaba la idea» y Amadís grabó dichas palabras en su corazón para que nunca se desvaneciesen de su memoria. Pero él no sabía que Oriana le amaba y sentía un gran respeto hacia la tierna y seria jovencita de diez años, por la que concibió altos y nobles sentimientos. Fue muy bello el silencioso amor que sintieron los dos niños. Pero permaneció en secreto, ya que a Amadís le asustaba resultar atrevido y Oriana era la más modesta de las damiselas.

De pronto Amadís comenzó a albergar en su corazón altos pensamientos caballerescos y le pidió al rey Languines que le concediese el favor de nombrarlo caballero. Languines quedó muy sor-

---

[34] Yo creo que el gigante Albadan es el gigante Albiona, uno de los dos monstruos, hijos de Neptuno, que, según Pomponio Mela, atacaron a Hércules en Liguria. En su día a toda Gran Bretaña se la denominó Albión, y más tarde a Escocia se la conoció como Alba y Albany, y sus habitantes se denominaron albannach. Se dice que significa «la blanca», en alusión a los acantilados de Dover. Pero es mucho más probable que signifique «el lugar o región del dios Alba, el país del dios blanco». Todos los dioses escoceses fueron gigantes como los de Irlanda.

prendido de que un simple chico quisiese portar tan pesada carga, pero satisfizo su deseo y dio la orden de que se le confeccionaran las armas. Después le comunicó a Gandales, el caballero que había encontrado a Amadís en el mar, el propósito del muchacho y Gandales envió un mensajero a la corte con la espada, el anillo y el pergamino que encontró en la balsa junto al niño [35].

Estos objetos fueron entregados a Amadís, dado que le pertenecían, y cuando se los enseñó a Oriana, ésta le pidió la cera que contenía el pergamino y él se la dio. Poco después el rey Perión fue a visitar a Languines para pedirle su ayuda frente al rey Abies de Irlanda, que había invadido Gaula con todo su ejército. Amadís, conociendo la reputación de guerrero del rey Perión, deseó ser su caballero y le pidió a la reina que intercediera en su favor, pero ella parecía triste y distraída y no le prestó atención. Le preguntó a Oriana la razón de su tristeza y ella contestó: «Niño del Mar, ésta es la primera cosa que me has pedido.»

«Ay, señora», replicó Amadís, «no soy merecedor de pediros nada más.»

«¿Cómo?», exclamó. «¿Tan débil es tu corazón?»

«Ay, señora», respondió, «lo es en todo lo relacionado con vos, salvo en serviros como alguien que no se pertenece, sino a vos.»

«¡A mí!», exclamó desconcertada Oriana. «¿Desde cuándo?»

«Desde que os agradó la idea», respondió Amadís sonriente. «¿No os acordáis de vuestras palabras cuando la reina me propuso para estar a vuestro servicio?»

«Me alegro de que haya sido así», dijo Oriana tímidamente y marchó a preguntarle a la reina la causa de su pesar.

La reina le comentó que estaba muy preocupada por su hermana Elisena, cuyo reino había sido invadido, tras lo que Oriana corrió a explicarle a Amadís por qué su majestad no había respondido a su demanda. Amadís expresó su deseo de ir a Gaula a com-

---

[35] Es extraño que la espada y el anillo sean casi siempre la prueba de identidad en este tipo de cuentos. Éste es el caso de Arturo, Teseo y otros muchos héroes. Ver al respecto Hartland, *The Legend of Perseus* (1894-1896).

batir a los invasores irlandeses y Oriana aplaudió su intención. «Debes ir a la guerra como mi caballero», dijo sencilla pero graciosamente. Amadís besó su mano y le pidió que rogase a la princesa Mabilia, la hija de Perión y hermana de Amadís, que convenciese a su padre de que le otorgase el honor de ser su caballero. La pequeña dama accedió rápidamente a hacerlo y el rey Perión aceptó con alegría el deseo del joven de abrazar la profesión de las armas. Entonces le ordenó que se arrodillara, le dio el espaldarazo, le ató las espuelas de caballero a sus talones y le ciñó la espada a un costado.

Amadís parte a la aventura

Amadís resuelve partir de inmediato para Gaula y, tras despedirse tiernamente de Oriana, sale a caballo del palacio, acompañado por su hermano adoptivo Gandalín, al caer la noche. No habían cabalgado mucho cuando se encontraron con la misteriosa bruja que, como ya hemos comprobado, tenía un gran interés en el destino del héroe, y cuyo nombre era Urganda [36].

El hada saludó a Amadís graciosamente y le dio una lanza que, según sus palabras, a los tres días protegería la casa heredada de sus padres. Con ella había otra dama que, tras partir Urganda, permaneció con ellos anunciándole a Amadís que viajaría junto a ellos durante tres días, y que no era una bruja y se había encontrado con Urganda por casualidad. No habían avanzado mucho cuando llegaron a un castillo, en el que escucharon los gritos de un escudero, lamentándose de que su señor era acosado por sus ocupantes. Amadís espoleó su caballo hasta el patio del castillo y vio cómo dos caballeros y varios hombres armados atacaban fieramente al rey Perión. Lanzando un grito de desafío, cayó sobre los atacantes,

---

[36] Urganda, tal y como destaca Southey, es un hada auténtica con atributos similares a los de Morgan le Fay, pero, tal y como afirma Scott, no tiene conexión alguna con las *nymphidæ* clásicas. ¿Pero no es esta *dea phantastica* idéntica a Morgana y su nombre una mera traducción de las hadas celtas?

dando tan terribles mandobles a derecha e izquierda que varios caballeros resultaron muertos y el resto huyó.

Perión reconoció a Amadís como el joven al que había hecho caballero no hacía mucho tiempo. Tras abandonar el castillo llegaron a una bifurcación del camino, en la que se separaron con la mutua promesa de reencontrarse en Gaula. La dama que les había acompañado hasta ese momento, le contó que era en realidad una mensajera de la princesa Oriana, con lo cual Amadís tembló de tal manera al escuchar el nombre de su amada, que, si no le sujeta Gandalín, se hubiese caído de la silla. La dama se despidió asegurándole que informaría a su señora acerca de su bienestar.

Tras múltiples aventuras, que sería tedioso contar, Amadís llegó, finalmente, junto con Gandalín a la corte del rey Perión en Gaula. Apenas habían podido descansar, cuando oyeron los clarines del rey Abies de Irlanda que precedían al ataque de la ciudad, y, montando sobre sus caballos, se lanzaron, con Agrayes y otros caballeros, a la lucha contra los irlandeses. A continuación se libró una batalla tenaz, en la que Amadís realizó auténticos prodigios de valor. Perión combatió junto a sus hombres pero se vio forzado a retirarse, ya que las fuerzas del rey Abies eran muy superiores a las suyas. Sin embargo, Amadís le recompensó, ya que cargó con tal furia contra todo ser vivo, hombre o caballo, que ninguno fue capaz de resistírsele, llegando a matar a Daugavel, un favorito de Abies. Éste, profundamente consternado, fue al encuentro de Amadís y le retó a un combate a muerte al día siguiente. El duelo fue feroz y duró varias horas, matando, finalmente, Amadís a Abies y finalizando con ello la guerra.

Entonces Melicia, la hija de Perión, perdió un anillo que le había regalado su padre, que, de hecho, era el que llevaba puesto el rey el día que vio por primera vez a Elisena y la contrapartida exacta del que le regaló a ésta, y que luego le colgaron a Amadís del cuello, cuando le metieron en la balsa. Antes de que el padre se enterase de la pérdida Amadís le dio el suyo a Melicia. Pero el rey recuperó la joya perdida y empezó a hacer indagaciones, dado el parecido de los anillos. A través de las explicaciones y tras observar la espada que Amadís llevaba consigo, Perión tuvo la certeza de que Amadís no podía ser otro que su hijo, perdido tanto tiempo, y cuando el joven caballero le contó la historia de cómo había sido encontrado en el mar, se disiparon las últimas dudas de sus padres con respecto a su identidad. Llenos de alegría por haberle recuperado, le nombraron públicamente príncipe del reino.

Ahora tenemos que seguir los pasos de Galaor, el hermano de Amadís, que fue raptado en su infancia por el gigante. Con el tiempo se convirtió en un joven valiente y diestro, y como tenía noticias de que en ninguna corte florecía la galante caballería como en la del rey Lisuarte de Bretaña, decidió viajar allí con la esperanza de recibir el honor de ser caballero. Le acompañó su padre adoptivo, el gigante, y no habían viajado más de dos días cuando llegaron al castillo de un malvado caballero, al que vieron atacar, junto con sus secuaces, a un solo caballero. Galeor corrió al rescate y, con su ayuda, la malvada multitud huyó o resultó muerta. Galaor llegó a sentir tal afecto por el extraño que le pidió ser su caballero. Él consintió con agrado y, después de que Amadís hubiese partido —pues el caballero no era otro que Amadís—, Galaor le preguntó a una dama que estaba a su lado el nombre del caballero al que había ayudado. Dicha dama, que era la bruja Urganda, repuso que su nombre era Amadís y que era su propio hermano. Al oír la noticia Galaor sintió una gran alegría, pero su satisfacción se vio atenuada por la pena de no haber descubierto su relación antes de separarse el uno del otro.

No contenta con haber informado a Galaor, Urganda corrió tras Amadís, que iba camino de la corte del rey Lisuarte en Windsor. Le contó que su salvador era su hermano Galaor, secuestrado de niño, con lo cual ambos se sintieron tan alegres como apenados.

Embravecido por el extraño encuentro, Galaor se apresuró a alcanzar el objetivo de su aventura, la roca Galtares, que esperaba liberar de manos de tiránico monstruo que la había usurpado. Tras dos días de viaje llegó a la fortaleza, desafiando al gigante que salió de su castillo, armado hasta los dientes, montado sobre un corcel gigantesco y lanzando por su boca las más terribles amenazas imaginables. Cabalgó con fiereza hasta el joven caballero, esperando acabar la lucha de un solo golpe. Pero al blandir salvajemente su maza, abatió a su propio caballo, estrellándose estrepitosamente contra el suelo. Galaor espoleó su corcel hacia el cuerpo caído, cayéndose, a su vez, del caballo, y recibiendo un terrible golpe del gigante. Recuperándose, blandió su espada y segó el brazo del gigante a la altura del hombro. Con este golpe finalizó prácticamente el combate, ya que Galaor con el siguiente golpe de su espada decapitó al gigantesco adversario.

Al llegar a la corte del rey Lisuarte, Amadís entró a formar parte de su caballería y participó en muchas aventuras, con tal entusiasmo que llegó a ser conocido como uno de los más ilustres caballeros de la cristiandad. Sus aventuras en la corte de Lisuarte pueden llenar todo un volumen, incluyendo una guerra para exterminar a los gigantes, la derrota del usurpador Barsinan y el encantador Archelaus, y tantas otras hazañas que, incluso, un pequeño recuento de las mismas excedería las páginas destinadas a la descripción de este romance. Sus aventuras se entremezclan con las de su hermano Galaor, al que llega a encontrarse en un fiero combate, sin que ambos se reconozcan a causa de sus armaduras.

La promesa de Lisuarte

Mientras Lisuarte tenía su corte en Londres, hizo su aparición un anciano caballero con una corona y un manto tan bellamente adornados que el rey le ofreció la suma de dinero que él quisiera por ellos. El caballero declaró que cuando volviera reclamaría su recompensa y el rey accedió a cuidar el manto y la corona con gran cuidado de no perder aquello que él tanto apreciaba. El caballero era un emisario del falso encantador Archelaus y los objetos que le había mostrado a Lisuarte eran producto de la magia, de forma que cuando el rey quiso ponérselos y abrió el cofre en el que estaban guardados, habían desaparecido. El anciano caballero regresó y pidió su recompensa. Lisuarte se vio obligado a admitir que había perdido la corona y el manto, y el emisario del mago pidió a la princesa Oriana en prenda de la promesa del rey. En cumplimiento, auténticamente romántico, de su promesa, el rey asintió débilmente y el caballero se llevó a Oriana, depositándola en manos de Archelaus. El propio Lisuarte cayó en la trampa del ladino mago.

Habiéndose enterado Amadís y Galaor de esta traición, cuando estaban acercándose a la corte, se apresuraron a llegar a Windsor, con el fin de frustrar las malvadas intenciones del nigromante, que quería casar a Oriana con el pretendiente al trono de Bretaña, el falso Barsinan. Galaor liberó rápidamente a Lisuarte de sus enemigos, mientras que Amadís fue a buscar a su amada, a la que finalmente encontró en un bosque en manos de Archelaus. Al divisar al valiente campeón, cuya reputación conocía sobradamente, el mago huyó dejando a Oriana con su amante, que la condujo de nuevo a la corte.

La isla Firme

Con el comienzo del segundo libro, entramos en una atmósfera extraña y misteriosa. Este libro puede denominarse el *cor cordium* del romance, su espejo, su quintaesencia. Nos presenta a Apolidón, hijo del rey de Grecia, descrito como un valiente caballero y un poderoso nigromante. Abandonando el trono en manos de su hermano menor, dejó Grecia para hacerse a la mar, donde descubrió una isla, conocida como isla Firme, habitada exclusivamente por campesinos y dominada por un aterrador gigante. Esta isla está predestinada a aparecer en otras muchas páginas del romance como un paraíso insular.

Tras matar al monstruoso tirano, Apolidón permaneció en la isla hasta que, a la muerte de su hermano, regresó a Grecia a ocupar el trono. Pero antes de abandonar el lugar, hizo un poderoso sortilegio, con el propósito de que ningún caballero, que no fuese tan valeroso como él, ni dama alguna, que no fuese tan bella como su señora Grymenysa, pudiesen habitar la isla.

Los prodigios de esta mágica isla merecen una descripción aparte y, dado que gran parte de la acción del romance se centra en ella, embarquémonos en el bello galeón anclado, y siempre dispuesto, en el puerto de la leyenda, naveguemos hasta allí y pisemos sus playas encantadas. Quizá sólo a través de las irisadas lentes de la poesía podamos divisar correctamente esta magnífica región, por ello he intentado hacer una descripción en verso de la isla.

LA ISLA FIRME

El príncipe hechicero Apolidón
con sus ocultas artes nigrománticas
un misterioso refugio edificó
en una isla de un mar lejano
jamás surcado por navío alguno,
y en sus acantilados de granito
esculpió jeroglíficos y sellos,
prohibiendo a quienes no fueran sus pares
tener acceso a su fragante aire.
Sobre el oscuro abismo refulgían
blancas terrazas de brillante mármol,
bellas cual los jardines de Semíramis,
y era su resplandor desde la altura
como el del día al lado de la noche.
Entre los verdes y frondosos mirtos
se alzaba un pabellón, que desde lejos
una estrella caída semejaba
y un arco encantador y bizantino,
hecho como de céfiro dorado,
unía este palacio con el mar.
En un nicho del arco se veía
una curiosa imagen esculpida
en cuya mano alzada fulguraba
una trompeta de esplendente bronce,
y si acaso una dama o un caballero
inferior en belleza o poderío
al mago o a la hermosa Grymenysa
intentaba cruzar el arco mágico
o tomar el palacio por asalto,

la trompeta de bronce resonaba
con tan terrible estruendo que el intruso
al punto desplomábase y moría.
Si un caballero, en cambio, de igual fama
o una dama de nombre inmaculado
entraba por la puerta, la trompeta
prorrumpía en un himno de alabanza
que despertaba el celestial alcázar.
Dos monolitos de cristal fenicio
marcaban aquel mágico recinto
y una estela de jaspe y serpentina,
envuelta en arabescos como llamas
y destinada a recoger el nombre
del aquel ilustre paladín o dama,
brillaba en el greciano pavimento.
Más allá de las vítreas columnas,
envueltos en fulgores deslumbrantes,
de aquel edén veíase a los dueños
en el perenne bronce cincelados.
En esos placenteros laberintos
una segura cámara hizo el mago
para su hermosa dama Grymenysa,
y en su ebúrnea entrada colocó
siete sellos caldeos de anatema
para que sólo un corazón preclaro
pudiera respirar su aire sereno.
A fin de proteger su casto honor,
puso a la puerta genios invisibles
armados con terribles cimitarras
templadas con el fuego del averno.
Y de su ignoto espíritu los hilos
un hechizado dédalo tejían
en torno a aquella umbría ciudadela,
testigo de sus mágicos poderes.
Una secreta noche, en que la Luna
en su menguante cuarto declinaba,
con fórmulas arcanas invocó
a Siduri, Sabitu y Bafomet,

espíritus del mal, y ocultamente
dejó la isla de aquel mar lejano,
jamás surcado por navío alguno,
sin pisar más sus sendas laberínticas.
Y aun hoy, al blanco resplandor del alba,
entre los mirtos óyense suspiros,
cual susurros de reyes invisibles
que rememoran glorias fenecidas.

Antes de abandonar la prodigiosa isla, el príncipe Apolidón dejó un gobernador con la orden de que todo aquel que no lograse pasar el Arco del Honor y sobreviviese al sonido amenazador de la trompeta, debía ser arrojado de la isla, mientras que el que pasase la prueba debería ser servido con todos los honores. Además, determinó que cuando la isla tuviese otro señor, cesase el encantamiento. El hechizo llevaba cien años surtiendo efecto, cuando Amadís, que se había despedido cariñosamente de Oriana para lanzarse de nuevo a la aventura, se encontró a una dama que le habló de las maravillas de la isla Firme que, según le dijo, estaba a dos días escasos de navegación. Amadís le respondió que no podía desear nada mejor que semejante aventura y el padre de la dama aceptó guiarle hasta allí. Cuando finalmente alcanzaron la isla Firme, contemplaron el palacio, en cuyas paredes colgaban los escudos de aquellos que habían intentado la aventura sin éxito, ya que aunque muchos traspasaron el arco, ninguno entró en el palacio. Cuando Amadís comprobó cuántos buenos caballeros habían fracasado, su corazón se llenó de temor.

Amadís traspasa el arco

A Amadís le acompañaba Agrayes, el hijo del rey Languines de Escocia, que decidió intentar pasar el arco de inmediato. Al pasar, la trompeta emitió una música dulce y entró en el palacio. Después se acercó Amadís al arco y la trompeta sonó más fuerte y melodiosa que nunca. Los dos caballeros se aproximaron a la cámara prohibida y vieron el bloque de jaspe, en el que pudieron leer: «Éste es Amadís de Gaula, el verdadero amante, el hijo del rey Perión.» Mientras lo contemplaban, se les acercó Ardian, el enano de Amadís, y les contó que Galaor y Florestan, sus hermanos, que también le habían acompañado en la aventura, habían logrado pasar el arco pero, de pronto, habían sido atacados por manos invisibles, dándoles ya por muertos. Amadís y Agrayes retrocedieron y vieron a los dos jóvenes caballeros tendidos en el suelo, como si estuvieran desmayados. Mientras Amadís intentaba ayudarles como podía, Agrayes quiso entrar de nuevo en la cámara prohibida, cayendo también sin sentido.

Cuando Galaor y Florestan se hubieron recuperado algo de los efectos del golpe de los asaltantes invisibles, Amadís sintió que, por el honor de su dama Oriana, debía intentar entrar en la cámara prohibida, en la que ningún caballero había penetrado. Reuniendo todo su coraje cruzó la frontera del hechizo, entre los pilares, y sintió de inmediato cómo le asaltaban los guerreros invisibles que habían acabado con sus camaradas. Se levantó un terrorífico tumulto de voces, como si le estuviesen asaltando todos los caballeros de la Tierra, redoblándose la fuerza y la violencia de los golpes. Pero, sin acobardarse y manteniendo firme el recuerdo de su dama, continuó luchando. A veces cayó de rodillas y a veces se le cayó la espada, pero siguió batallando hasta alcanzar la puerta de la cámara, que abrió sus puertas con intención de admitirlo. De pronto salió una mano y, agarrándolo, le arrastró a la habitación, mientras una voz exclamaba: «Bienvenido sea el caballero que será el señor de esta isla, al haber sobrepasado en valor a aquel que hizo el encantamiento y que no tuvo ningún igual en su época.» La mano que le conducía era grande y fuerte, como la de un anciano, y su brazo estaba recubierto de satén verde. En cuanto entraron en la habitación, desapareció, y Amadís sintió que sus fuerzas volvían a él.

Cuando Florestan, Galaor y la gente de la isla oyeron que la aventura había finalizado con éxito, se abalanzaron hacia el palacio, ya desencantado, y contemplaron sus maravillas. Estaba repleto de los tesoros y obras de arte más maravillosos, pero no había nada más extraordinario que la estatua de Apolidón y Grymenysa.

96

La crueldad de Oriana

En el momento en que Amadís abandonó Bretaña y se despidió de Oriana, envió a su enano, Ardian, de vuelta al palacio para recoger las piezas de una espada que una dama le había entregado, con toda su buena voluntad, pidiéndole que vengara la muerte de su padre a manos de unos cobardes asesinos. Amadís, como buen caballero, le prometió guardar la espada rota hasta que vengase al hombre asesinado. Cuando Oriana vio que el enano regresaba, le preguntó la razón, y Ardian le comentó que Amadís le había prometido a una dama guardar una espada, que él había venido a buscar. Después de recogerla, se marchó al galope. Oriana, haciéndose una construcción errónea de los hechos, en base a las palabras del enano, y sospechando que Amadís no era honesto con ella, le escribió una carta cruel y le encargó a un paje que le encontrase a toda costa. Después de mucho viajar encontró a Amadís en la isla Firme y le entregó personalmente la carta.

El mensajero observó que Amadís estaba ausente mientras leía las frías y amargas palabras. En la carta se le prohibía enviar una respuesta. Amadís, terriblemente afligido, mandó llamar a Ysanjo, el gobernador de la isla, y le rogó, como caballero leal, que guardase en secreto todo aquello que pudiera llegar a ver, hasta que sus hermanos se enterasen al día siguiente. Después ordenó a Ysanjo abrir las puertas del palacio con cuidado, para que él pudiese salir con su caballo y su armadura, sin ser observado por nadie. Acompañado por el noble Ysanjo, al que había llegado a tener en alta estima, se dirigió a una capilla de la Virgen. Le rogó fervientemente que intercediese por él ante su divino Hijo, ya que presentía que sus días tocaban a su fin. Después se levantó y se despidió afectuosamente del gobernador, montó su caballo y se marchó sin llevar escudo, lanza o casco.

Gandalín, escudero de Amadís e hijo del rey de Escocia Gandales, que siempre había acompañado a su señor en todas sus aventuras, le consultó a Durin, el mensajero enviado por Oriana, y decidió seguir al turbado caballero antes de que le ocurriera algún mal.

Pronto le encontró durmiendo junto a una fuente, con la violencia de su pesar marcada en su rostro, y le dejó seguir durmiendo. Pero cuando cayó la noche Amadís se despertó y, recordando su desdicha, estalló en tristes lamentos a causa de su cruel destino. Ambos jóvenes se ocultaron el uno al otro, ya que no querían demostrar su presencia. Sin embargo, Amadís alcanzó a ver a Gandalín y se enfureció con él por haberle seguido. Para sacarlo de su desesperación, Gandalín le dijo que un caballero de las cercanías, abandonado por su dama al igual que él, amenazaba con vengarse de todo aquel con quien se topase. Amadís, con idea de acabar con su vida, montó su caballo y acompañó a Gandalín en busca del loco caballero. Pronto lo encontraron y Amadís le lanzó un duro desafío, seguido de un atroz combate. Amadís dejó a su oponente inconsciente de un golpe desesperado, dejándole, malherido, con Durin, y marchando luego seguido de su fiel Gandalín.

Galaor, Florestan y Agrayes, enterados de la desgracia de Amadís y de su rápida partida, decidieron seguirle. Mientras tanto el objeto de su búsqueda seguía cabalgando, dejando que su caballo siguiese su propio rumbo, y limitándose a llorar y a lamentarse. Mientras el preocupado Gandalín dormía, el enloquecido amante se le escabulló, atravesando las zonas más salvajes de un país en el que jamás había penetrado. Finalmente, llegó a una planicie al pie de una montaña, donde encontró a un ermitaño, al que rogó que le permitiera quedarse con él. El ermitaño accedió gentilmente y Amadís le confió su historia. El hombre santo le dijo que habitaba en una alta roca en el mar a siete leguas de allí. El ermitaño le otorgó el nombre de Beltenebros o el Bello Desamparado, tan guapo y aturdido le veía.

La peña pobre

Finalmente, llegaron a la orilla del mar, y, entregando su caballo a unos marineros, Amadís acompañó al ermitaño a bordo de un velero hasta la Roca Pelada, como el ermitaño denominaba a su lugar de retiro. Allí participó Amadís de la austeridad del ermitaño, no tanto por devoción como por desesperación, olvidando su renombre como guerrero y esperando la muerte —todo ello por el amor de una mujer.

Durin, el mensajero de Oriana, viajó de vuelta a la corte británica y le contó a su señora cómo había recibido Amadís la carta y el modo en que el caballero había finalizado felizmente la aventura de la isla Firme. Entonces Oriana se percató de que Amadís había permanecido fiel a ella. Cuando se enteró de que había partido hacia el desierto para morir, su vergüenza y su angustia no tuvieron límites, y se decidió a escribir una carta de arrepentimiento a su amante, enviándosela con una de sus damas, llamada la Dama de Dinamarca, hermana de Durin.

El caballero que había sido vencido por Amadís la tarde que recibió la cruel carta de Oriana, llegó a la corte de Bretaña, llevando consigo la armadura de Amadís, que había encontrado, poco después del enfrentamiento, al borde de un profundo manantial. Cuando Oriana escuchó su historia, dio a su amante por muerto y, rota de dolor, se encerró en sus habitaciones rehusando todo consuelo.

Entre tanto, recordando todas las miserias que había tenido que soportar, Amadís compuso esta apasionada canción:

> Pues se me niega vitoria
> do justo m'era devida,
> allí do muere la gloria
> es gloria morir la vida.
> Y con esta muerte mía
> morirán todos mis daños,
> mi esperança, mi porfía,
> el amor y sus engaños;
> mas quedará en mi memoria
> lástima nunca perdida,
> que por me matar la gloria
> me mataron gloria y vida

Por aquellas fechas, Corisanda, que amaba a Florestan, se arriesgó a visitar la Roca Pelada, y tanto ella como sus damas escucharon la historia de Amadís, que les dijo que su nombre era Beltenebros y que la canción había sido compuesta por un tal Amadís al que él había conocido. A su regreso a la corte británica, las damas de Corisanda le cantaron a Oriana la canción compuesta por Amadís y de ella intuyó que Amadís y Beltenebros eran la misma persona.

La Dama de Dinamarca, que había ido a buscar a Amadís, fue lanzada por la tempestad a los pies de la Roca Pelada [37]. Junto con Durín y con Enil, un ayudante, tomaron tierra y encontraron a Amadís rezando en la ermita, que al verles creyó desmayarse.

Esta extremada sensibilidad de sentimientos es característica de la baja Edad Media, por muy absurda y exagerada que pueda parecernos. El hecho de que Amadís se desmayara por la simple visión de una dama que había servido a su señora, puede parecernos ridículo, y el que se encerrase en una roca pelada durante el resto de su vida, porque su dama había sido cruel con él, le resulta al hombre moderno poco menos que grotesco.

> ¿Debo, sumido en la desesperación,
> morir por una bella dama?

Pero debemos ser generosos con las ideas del pasado, como si se tratase de un objeto de nuestra tatarabuela, que, si no tratamos con cuidado, se rompe en pedazos. Si pensamos en la manera en que Dante y Petrarca elevaron a las mujeres, y cómo completaron su labor las cortes amatorias, ¿puede sorprendernos que los hombres, criados en dichas creencias, que consideraban a las mujeres lo más importante después de Dios, cayeran en el desconsuelo y la desesperación, si el objeto de su devoción les condenaba o abandonaba? Además, espíritus exaltados y sensibles de todas las épo-

---

[37] Antes había visitado Escocia, embarcando allí hacia Gran Bretaña, siendo conducida durante la travesía a la Roca Pelada, que debía estar en algún lugar del Mediterráneo. Es extraño que las nociones geográficas fueran tan poco firmes en dicho período y entre gentes acostumbradas a la navegación y a los descubrimientos.

cas han sido peculiarmente susceptibles a la crítica femenina, como podemos comprobar en biografías de personajes como Goethe. También hay genios propensos a participar casi siempre de la naturaleza femenina, que tienden a adoptar una actitud suprarreverencial, como lo demuestran los sonetos de Shakespeare, los poemas de Lovelace y otros muchos. Por lo general, el hombre niega su parte femenina, sin embargo la tiene y sufre sus emociones.

Pero si se mantiene dentro de los límites de la razón, esta reverencia hacia las mujeres en general debe contemplarse como una de las grandes obligaciones de la humanidad, una de la cosas que más ha favorecido el refinamiento y el avance. Y aquí, en el romance, es donde yo apelo a que las jóvenes generaciones de hoy en día miren atrás con ojos amables y contemplen la tierna belleza y el infinito encanto de una creencia que, si no está totalmente muerta, sí que está de algún modo moribunda. No estoy animando a nuestros jóvenes a que imiten estas extravagancias, pero les suplico que observen el fino espíritu caballeresco y, sobre todo, la modesta reserva y las sublimes intenciones, que fueron sus principales características. Es un buen síntoma de nuestros tiempos que los sexos se conozcan mejor entre sí, pero debemos ser cautelosos con la familiaridad que genera desprecio. Retengamos algo de la serena belleza del antiguo intercambio entre hombre y mujer, y aprendamos a preservarnos de la ligereza de actitudes y de la laxitud de conducta que dentro de unos años observaremos, con seguridad, con sentimiento de vejación y autorreproche.

Cuando Amadís recuperó la conciencia, la Dama de Dinamarca le entregó la carta de Oriana, rogándole que volviese y aceptase sus disculpas por todo el mal que le había causado. Se despidió del buen ermitaño y, embarcando en el velero en el que había llegado la dama, navegó hacia la isla Firme, en la que decidió permanecer algunos días, ya que estaba todavía muy débil para efectuar el largo viaje hacia Inglaterra. Pasados diez días, tomó a Enil de escudero y, acompañado de Durin y de la Dama, se dirigió a la corte inglesa.

101

El arrepentimiento de Oriana

Entre tanto, Galaor, Florestan y Agrayes, habiendo buscado a Amadís en vano, llegaron a Londres totalmente desconsolados. Oriana, al oír hablar de su éxito, les llevó a Miraflores, su castillo situado a algunas leguas de la ciudad. En sus jardines sintió que Amadís estaba todavía vivo y, llena de remordimientos por el modo en que le había tratado, decidió que ninguna otra sombra entorpecería su amor. La descripción del castillo de Miraflores es bellísima:

«Este castillo de Miraflores estava a dos leguas de Londres y era pequeño, mas la más sabrosa morada que en toda aquella tierra havía, que su assiento era en una floresta, a un cabo de la montaña y cercada de huertas que muchas frutas llevavan, y de otras grandes arboledas, en las cuales havía yervas y flores de muchas guisas, y era muy bien labrado a maravilla, y dentro havía salas y cámaras de rica lavor, y en los patios muchas fuentes de agua sabrosas cubiertas de árboles que todo el año tenían flores y frutas.»

De pronto llegó un heraldo a Windsor para presentarle al rey Lisuarte un desafío en nombre de Famongomadan, el gigante; Cartadaque, su sobrino y gigante de la Montaña Defendida; Mandanfaboul, gigante de la Torre Bermeja, y de Quadragante, hermano del rey Abies de Irlanda y de Archelaus el Mago, todos ellos unidos contra Bretaña en nombre del rey Cildadan [38], que se había peleado con Lisuarte. Anunciaba, sin embargo, que si Lisuarte entregaba a Oriana como dama y sierva de Madasima, la hija de Famongomadan, o en matrimonio a Basagante, su hijo, los gigantes y reyes aliados no avanzarían contra él y permanecerían en sus tierras. Lisuarte se negó con tranquila dignidad.

Amadís había matado hacía tiempo al rey Abies y lo que los variopintos aliados deseaban era vengarse. Florestan, que estaba presente, retó al embajador a un combate. El caballero, llamado Landin, le prometió hacerlo al finalizar la guerra.

---

[38] Pienso que Cildadan es Cuchullin, el héroe de la famosa epopeya irlandesa.

Tras partir el caballero, Lisuarte llamó a su hija pequeña, Leonora, y a sus damas para que bailasen para él, cosa que no hacían desde que tuvieron noticias de que Amadís se había perdido, pidiéndole que cantara una canción que Amadís le había dedicado. La niña y sus compañeras tocaron y cantaron esta breve trova:

Leonoreta, fin roseta
blanca sobre toda flor,
fin roseta no me meta
en tal cuita vuestro amor.
Sin ventura yo en locura
me metí
en vos amar, es locura
que me dura,
sin que poder apartar;
¡oh hermosura sin par,
que me da pena y dulzor!,
fin roseta no me meta
en tal cuita vuestro amor.
De todas las que yo veo
no deseo
servir otra sino a vos;
bien veo que mi desseo
es devaneo,
do no me puedo partir;
pues que no puedo huir
de ser vuestro servidor,
no me meta fin roseta,
en tal cuita vuestro amor.
Ahunque mi quexa paresce
referirse a vos, señora,
otra es la vencedora,
otra es la matadora
que mi vida desfalesce,
aquesta tiene el poder
de me hazer toda guerra;

aquesta puede fazer
sin yo gelo merescer,
que muerto biva so tierra.

Gandalín viajó a Miraflores para transmitir a Oriana la noticia de que Corisanda había llegado a la corte y estaba reunida con Florestan. Ella no pudo evitar estallar en llanto al comparar la felicidad de los amantes con la suya propia. Pero cuando estaba enjugándose las lágrimas, le anunciaron la llegada de la Dama de Dinamarca. Oriana escuchó sus nuevas con el corazón palpitante y, cuando la Dama le entregó una carta de Amadís que contenía su anillo, casi explota de alegría.

Amadís estaba recuperándose en un convento de monjas de todo el sufrimiento que había padecido durante tanto tiempo. Cuando se sintió más fuerte, se colocó una armadura verde para que nadie le reconociera y viajó hasta Londres. A los ocho días de viaje se encontró al gigante Quadragante, que había desafiado, entre otros, al rey Lisuarte. Amadís desarmó al gigantesco guerrero, que huyó vencido, prometiendo entregarse al rey Lisuarte.

Amadís mata a Famongomadan

Siguiendo su camino, Amadís pasó junto a unas tiendas asentadas en un prado, ocupadas en su mayoría por caballeros y damas al servicio de la princesa Leonora. Los caballeros insistieron en romper lanzas con él. Amadís les desarmó y reemprendió su camino. Mientras bebía en un manantial a pocas millas, espió un carromato repleto de caballeros y damas cautivos y encadenados. Frente a él, cabalgando un enorme caballo negro, estaba el gigante Famongomadan, que había desafiado al rey Lisuarte. Amadís, que estaba cansado del encuentro que había mantenido antes con los caballeros, no tenía ganas de encontrárselo, pero cuando vio que Leonora estaba en el carromato con otras damas, subió a su corcel y, mirando hacia Miraflores, donde se encontraba Oriana, esperó el ataque del gigante.

Al verle, Famongomadan se abalanzó sobre él como una avalancha humana. Su gran lanza traspasó el caballo de Amadís, pero éste logró introducir su lanza limpiamente a través de su armadura hasta alcanzarle. Su hijo Bagasante corrió en su socorro, pero Amadís, desembarazándose de su carga, desenvainó su espada y le separó una de sus piernas del tronco. Pero, con la violencia de la estocada, el arma se partió en dos y ambos entablaron una feroz pelea por el hacha de Bagasante, que, finalmente, logró arrebatarle Amadís de su puño, cortándole la cabeza. Después mató a Famongomadan con su propia lanza y, liberando a los caballeros, les ordenó que llevasen los cadáveres de los gigantes al rey Lisuarte, diciéndole que se los enviaba un extraño caballero, llamado Beltenebros. Después desapareció, montando el corcel negro del gigante Famongomadan.

Finalmente, Amadís llegó a Miraflores y se encontró con Oriana, sintiendo ambos un intenso amor. Pasó ocho días en el castillo con la dama, marchando luego a ayudar a Lisuarte en su guerra contra Cildadan de Irlanda, que, como ya vimos, quería usurparle al rey su supremacía en Bretaña. Cildadan y sus gigantes aliados fueron vencidos, quedando el rey de Irlanda mortalmente herido.

Briolania, la dama que le había dado a Amadís la espada rota, visitó a Oriana y le confió que estaba enamorada de Amadís y que él le había respondido que no correspondía a su amor, con lo que Oriana se sintió aliviada y contenta. Toda la corte sabía ya que Beltenebros era Amadís, siendo grande el asombro por la fuerza de su brazo.

Amadís, sabiendo que la aventura es la tarea de todo caballero, quiso lanzarse a ella una vez más, uniéndosele diez caballeros, más sus fieles y amigos, para el descontento de Lisuarte, al que algunos intentaron encolerizar en contra de Amadís, por haberse llevado a sus mejores y más bravos hombres.

Mientras tanto Briolania se había dirigido a la isla Firme, donde se vio perturbada por señales y portentos terribles. Pasó por el Arco de los Verdaderos Amantes pero, al intentar entrar en la cámara prohibida, fue arrojada con violencia. Entristecida, regresó a su país. Poco después llegó Amadís a la isla para el contento de sus habitantes.

Aquí se nos desvela algo más en relación a la topografía y a la naturaleza de la isla Firme, que tenía nueve leguas de largo por siete de ancho y estaba poblada de aldeas y casas. El propio Apolidón había construido cuatro maravillosos palacios. Uno de ellos era el de la Serpiente y los Leones; otro el del Ciervo y los Perros. El tercero se llamaba el Palacio Giratorio, ya que tres veces al día, y sobre todo por la noche, giraba de tal modo que los que se encontraban dentro creían que se iba a hacer pedazos. El cuarto era el del Toro, porque cada día salía un toro bravo a través de un pasadizo cubierto y corría hacia la multitud, como si fuese a cornearles. Después entraba en una torre, de la que volvía a salir montado por un viejo mono, que le volvía a llevar al lugar de donde había salido [39].

A la isla llegó la noticia de que Gromadaza, la esposa de Famongomadan, había desafiado a Lisuarte, quien, en consecuencia, resolvió decapitar a su hija Madasima y a otras damas de la raza gigante, a no ser que se rindiesen y abandonasen su reino. Amadís y sus caballeros consideraron que estaba mal por parte de Lisuarte tomar semejantes medidas contra unas mujeres, y doce de ellos se ofrecieron como defensores de las desgraciadas damas. Esta acción dio nuevos ánimos a los revoltosos de la corte de Lisuarte que deseaban avergonzar a Amadís. Pero Lisuarte era demasiado noble y no les escuchó, dejando en libertad a las damas cuando llegaron los caballeros.

La pelea de Amadís con Lisuarte

Pero el destino y los consejos de hombres malvados son, frecuentemente, más poderosos que la nobleza de un rey. Sus conse-

---

[39] Este incidente parece tener reminiscencias de la historia del Minotauro. De hecho, por su proximidad geográfica y todos sus fenómenos, la isla Firme me parece copia de Creta o de la historia del rey Minos. El «pasadizo cubierto» del que emerge el toro parece el laberinto. ¿Puede ser Dédalo el viejo mono?

jeros urgieron a Lisuarte para que sitiase la isla de Mongaza, el último bastión de los gigantes, defendida exclusivamente por mujeres. Amadís y sus compañeros consideraron este plan poco caballeroso y, cuando Lisuarte se enteró de su opinión, se encolerizó y desafió a Amadís en la isla Firme. Amadís le respondió que, dado que Madasima, la hija de Famongomadan, se había casado con Galvanes, amigo de ambos, la isla ya no sería una madriguera para los enemigos de Lisuarte y que él la defendería con todas sus fuerzas. Y tomó rumbo hacia la isla con un ejército cuantioso y bien equipado. Allí se toparon con una guarnición que había tomado posesión de la misma en nombre de Lisuarte, a la que arrojaron de la isla.

Dejando un número adecuado de hombres en la isla, Amadís, que empezaba a sentirse ansioso por ver a Oriana, navegó hacia sus tierras de Gaula, parando en una isla para comprar provisiones, en la que logró luego salvar a su hermano Galaor y al rey Cildadan de las garras de un tiránico gigante que los había atrapado. Al llegar a Gaula, Amadís saludó a sus padres, a los que no había visto desde hacía años. Entre tanto Lisuarte había desembarcado en la isla de Mongaza, derrotando a las tropas de Galvanes, su señor, aunque negoció una paz razonable y justa con las fuerzas enemigas, contentándose con obligar a Galvanes y a su esposa, Madasima, a rendirle homenaje.

Durante un tiempo Amadís llevó una vida tranquila, cazando y asistiendo a festejos, contentándose con las pocas noticias que lograba obtener de su dama. Se dice que esta actitud oscureció su gran renombre, aunque el lector imparcial puede pensar que ya había atesorado fama suficiente para el resto de sus días.

Pero Amadís tenía poderosas razones para actuar de ese modo, ya que Oriana le había comunicado que había tenido un hijo y que le rogaba que no abandonase Gaula hasta que ella se lo hiciese saber. Ella le ocultó que el niño se había perdido, pero de esto hablaremos más adelante. Oriana le escribió a Amadís rogándole que no tomara las armas en contra de su padre y que no se fuese de Gaula, a no ser para ponerse de su parte. Amadís decidió ayudar a

Lisuarte contra los reyes de las islas, con los que estaba en guerra, ya que habían invadido su reino.

La Dama de Dinamarca había cogido al hijo de Amadís y de Oriana, llevándoselo de noche a través de un bosque tenebroso, para que su señora no cayese en desgracia. Habiéndole dejado solo un instante, se lo arrebató una leona, rescatándolo luego el ermitaño Nasciano, que le llamó Esplandian y lo educó como a su propio sobrino. El buen hombre enseñó al muchacho a cazar, y una de las muchas extrañas anécdotas de este extraordinario chico fue que una leona le acompañó siempre, negándose a abandonarlo, tanto en casa como durante la caza.

Mientras tanto Amadís, que se autodenominaba el Caballero de la Verde Espada, decidió desmentir los perversos informes de su falta de espíritu caballeresco. Llevándose sólo a Ardian, el enano, consigo, fue a Alemania, donde pasó cuatro años de aventuras sin noticia alguna de Oriana. Luego se trasladó a Bohemia, en cuya corte pasó algún tiempo.

Un buen día salió el rey Lisuarte de paseo con la reina y sus hijas, llegando a la montaña en que habitaba Nasciano y se encontró con Esplandian, al que decidió adoptar. El ermitaño le enseñó una carta de la bruja Urganda que llevaba Esplandian atada al cuello cuando lo encontraron. La carta iba dirigida al rey Lisuarte y le aconsejaba cuidar del niño, ya que algún día le libraría de un gran peligro. Entonces Lisuarte tomó la decisión de llevarse a Esplandian y a Sargil, su hermano adoptivo, como servidores. Cuando el ermitaño les explicó cómo había salvado al niño de la leona, Oriana supo que se trataba de su hijo, ya que sabía que había sido dejado en el umbral de un convento y una bestia salvaje se lo había llevado.

En el transcurso de sus aventuras, numerosas y emocionantes, Amadís fue gravemente herido por un monstruo al que acabó matando, siendo luego curado por una dama llamada Grasinda, a la que se sintió muy agradecido por su amabilidad y ayuda, prometiéndole hacer su voluntad en cualquier aventura que ella eligiese para él. Al mismo tiempo, El Patin, emperador de Roma, le pidió a

Lisuarte la mano de Oriana. Al enterarse la reina Sardamira de Cerdeña, enamorada de El Patin, marchó a Bretaña junto con los embajadores del emperador de Roma, y se fue al encuentro de Oriana para darle nuevas de Amadís, contándole que en una ocasión había vencido a El Patin en una batalla y éste le guardaba un mortal rencor por ello.

Galaor, que sospechaba el amor entre Amadís y Oriana, fue a ver a Lisuarte advirtiéndole que no accediese al matrimonio de ésta con el emperador, y se marchó después a Gaula, con la esperanza de recibir noticias de Amadís. Al mismo tiempo Florestan se dirigió a la isla Firme para contarle a Agrayes las preocupaciones de Oriana y para hablarle de su dama Mabilia, que deseaba verle de nuevo.

El caballero griego

Amadís, llevado por el destino, y bajo el nombre de El Caballero Griego, llegó hasta Bretaña, acompañando a Grasinda. Amadís, deseando permanecer de incógnito, dio órdenes a todo su séquito de no revelar su verdadero nombre. Se enteró de que Oriana estaba a punto de ser dada en matrimonio al emperador y decidió tomar las medidas oportunas. Sin embargo, Grasinda, recordando la promesa que le había hecho Amadís de embarcarse en cualquier aventura que ella eligiese, le envió una carta el rey Lisuarte en la que afirmaba que se consideraba más bella que cualquiera de las damas de su corte, y que el caballero que lo negase tendría que vérselas con su defensor, El Caballero Griego. Los embajadores romanos le pidieron al rey que les permitiera aceptar el reto, a lo que accedió.

El combate entre Amadís y los caballeros romanos tuvo lugar puntualmente, para desconcierto de éstos. Pero llegó el día en que, según lo prometido por Lisuarte al emperador, Oriana debía partir hacia Roma, y, aunque Oriana se negaba, su testarudo padre la llevó hasta el barco, se despidió de ella y observó cómo la galera romana se alejaba de las blancas costas de Bretaña.

Al enterarse Amadís de las intenciones del rey Lisuarte, se lanzó a la mar en su propia nave y esperó al barco romano que transportaba a su amada. Atacó a la embarcación enemiga con ímpetu, venciendo rápidamente a la tripulación y rescatando a Oriana. Luego puso rumbo a las doradas costas de la isla Firme.

Tras un viaje de siete días el barco de Amadís ancló en el puerto de la isla Firme. Grasinda, que había arribado ya, salió a su encuentro para dar la bienvenida a Oriana, la mujer que más deseaba conocer de toda las del mundo, tan grande era la fama de su belleza. Cuando la contempló, no pudo creer que tanta hermosura pudiese existir en una criatura mortal.

Oriana y las otras damas se albergaron en la torre del palacio, que había construido Apolidón con sus artes mágicas, y, a petición suya, ningún caballero tuvo permiso para entrar en la torre hasta que no se solucionaran las cosas con su padre, el rey. Amadís, consciente de las serias consecuencias que conllevaría el desafío que suponía para Lisuarte y el emperador de Roma el rapto de Oriana, envió mensajeros a todos sus amigos desperdigados por el mundo, pidiéndoles que le socorriesen si lo necesitaba.

La enemistad que había nacido entre Amadís y Lisuarte le ofrecía una oportunidad al mago Archelaus, que no cejaba en sus perversas intenciones. Aproximándose a otros muchos, y sembrando la discordia, les propuso que si se iniciaba una guerra entre Amadís y el rey británico, ellos deberían reunirse, junto con sus tropas, en las cercanías del lugar del combate, para caer luego sobre la retaguardia de ambos ejércitos, venciéndoles y causando su ruina. Este malvado plan tuvo eco entre los señores descontentos y los reyezuelos, y decidieron llevarlo a cabo.

La guerra con Lisuarte

Entre tanto, Amadís había enviado un embajador a la corte del rey Lisuarte para pedirle la mano de Oriana, pero el testarudo monarca se la negó y le desafió. El Patín, emperador de Roma, había llegado mientras tanto a Bretaña, tomando medidas contra

Amadís. Pronto reunieron entre ambos un poderoso ejército y marcharon contra Amadís, quien, cogiendo la ocasión por los pelos, invadió Bretaña y avanzó al encuentro de las fuerzas aliadas del rey y el emperador.

Los amigos de Amadís no le fallaron. En primera línea, justo detrás de Amadís, estaba su padre, el rey Perión, con todas las fuerzas de Gaula. También Irlanda había enviado contingentes, y sus viejos amigos, el rey de Bohemia y el emperador de Constantinopla, le habían proporcionado legiones bien equipadas, todas ellas bajo el mando del rey Perión. Además, Oriana, Grasinda y todas las damas y princesas que habían llegado a la isla Firme, acompañaban al ejército, animando con su presencia a la realización de grandes hazañas y empresas. Mientras tanto Archelaus, el mago, y sus aliados observaban los progresos de las fuerzas de Lisuarte, con la esperanza de atacarlo en cuanto su situación fuese desventajosa.

Finalmente, ambos ejércitos se avistaron. El punto de encuentro fue una vasta llanura y en varias millas a la redonda sólo se veía el resplandor de las armas, el balanceo de penachos y estandartes y el orgullo de los caballeros. Estuvieron observándose durante dos días. Entonces avanzaron a la carga, con tal estruendo de tambores, címbalos, trompetas y fanfarrias, que se podía escuchar a una legua de distancia. Se encontraron por fin, chocando con un ruido atronador, y el ruido de las espadas, estrellándose contra las armaduras, se asemejaba al de miles de martillos contra otros tantos yunques.

Amadís iba al frente. Retado por Gasquilan, el arrogante rey de Suecia, cargó contra él, derribándolo de la silla con tal fuerza que quedó tirado en el suelo como si estuviese muerto. Pero durante el encuentro Amadís se cayó del caballo. Quadragante, que iba a su lado, tiró a un caballero romano de su caballo para entregárselo al héroe, que, seguido de Gandalín y otros paladines, atacó el flanco de los romanos con fiereza. Entre tanto Quadragante, con su aterradora corpulencia, permaneció en el frente, siendo pocos los enemigos que pudieron resistir la fuerza del gigante. El ejército romano comenzó a dar señales de confusión, pero en ese momento hizo su aparición el emperador con cinco mil hombres de refuerzo, encabezando, personalmente, a sus tropas al grito de «¡Roma!, ¡Roma!» y blandiendo su enorme espada. Al encontrarse con Quadragante, recibió tal golpe del gigante que retrocedió, buscando protección entre sus hombres.

Amadís, rodeado por sus paladines más valientes, llevó a cabo tales hazañas que fueron la admiración tanto de amigos como de enemigos. Los romanos empezaron a tirarse al suelo ante los terribles golpes que lanzaba a diestro y siniestro, acabando por huir. Sin embargo, sus fuerzas habían mermado tanto que Amadís decidió no perseguir a sus enemigos derrotados, ya que el ejército de Lisuarte no había tomado, todavía, parte en el combate, por lo que pensó que era mejor reservar a sus hombres para el momento en que tuvieran que enfrentarse a las fuerzas del rey.

Al día siguiente Lisuarte marchó al mando de sus tropas. Entonces se acercó el rey Perión con todo su ejército. La batalla no había progresado demasiado, cuando Amadís se enfrentó al emperador romano y, con un golpe tan poderoso como pocos había dado hasta entonces, acabó con su carrera. Cuando los romanos comprobaron que su jefe había muerto se rindieron, por lo que Lisuarte tuvo que mantener el orden entre sus hombres. Viendo que Lisuarte se retiraba, y temiendo por su seguridad personal, Amadís, aprovechándose de que caía ya la noche, decidió retirar también sus fuerzas, en lugar de lanzarse en su persecución, para que Lisuarte pudiera efectuar su retirada ordenadamente.

Cuando el santo ermitaño Nasciano se enteró de la gran discordia que había surgido entre los reyes, se animó a hacer un esfuerzo para evitar una masacre y, aunque era anciano y débil, inició su marcha hacia el campamento de Lisuarte. Sin embargo, no logró llegar antes de que se hubiesen librado las dos batallas que acabamos de relatar. Dándose a conocer al rey, le reveló que Oriana había prometido casarse con Amadís y que Esplandian era el hijo de ambos. Al oír esto el rey se quedó desconcertado, insultando a los amantes por haberlo mantenido en secreto y comentando, con gran sentido de la justicia, que muchas vidas valiosas se habrían salvado si hubiesen confiado en él. Le pidió al ermitaño que se aproximase a Amadís, con el fin de negociar la paz entre ellos, lo que el buen hombre aceptó encantado. Se dirigió al campamento de Amadís, en compañía de Esplandian, donde fue recibido cortésmente. Lo primero que hizo el ermitaño fue revelar la identidad de Esplandian a Amadís, su padre, que abrazó cordialmente a su hijo. Antes de partir, limó todas las diferencias entre Amadís y el orgulloso rey y se acordó que se enviaran embajadores, con el fin de cerrar un generoso y duradero tratado de paz.

La traición de Archelaus

Entre tanto, el vengativo mago Archelaus y sus descontentos aliados habían estado observando ansiosamente los acontecimientos y, cuando sus espías les informaron que las hostilidades entre el rey Lisuarte y Amadís habían llegado a su fin, decidió atacar las fuerzas del anciano rey sin tardanza. Pero Esplandian vio las tropas cuando volvía al campamento de Lisuarte, y retrocedió de nuevo hasta el campamento de Amadís y del rey Perión para advertirles de la traición que se estaba preparando. Al escuchar estas noticias Amadís y el rey Perión se lanzaron al rescate del exhausto ejército de Lisuarte para librarlo del peligro que le amenazaba. Pero antes de que Amadís y sus caballeros alcanzaran a las tropas de Archelaus, Lisuarte y sus escuadrones habían sido ya atacados por las tropas del brujo y de sus aliados, que le habían infligido una gran derrota. El anciano monarca logró huir del campo de batalla, buscando refugio en una ciudad vecina, donde se preparó para una última y desesperada batalla contra el implacable enemigo. Archelaus atacó la ciudad, que Lisuarte defendió fieramente con los pocos caballeros que le quedaban. Pero en el preciso momento en que el mago se preparaba para tomar la ciudad, irrumpieron las tropas de Amadís, venciéndole tras una sangrienta batalla. Archelaus y sus compinches fueron encadenados para ser luego liberados, tras dar su palabra de que en el futuro se comportarían bien.

El encuentro entre Amadís y Lisuarte fue extremadamente cordial, pareciendo que su antigua amistad renacía rápidamente. Lisuarte reunió a sus barones y nobles para anunciar públicamente los esponsales de Amadís y Oriana.

Toda la comitiva, incluyendo a Lisuarte, Perión, sus respectivas reinas, Florestan, Galaor, Agrayes y otros muchos, viajaron hasta la isla Firme, que estimaron el lugar más apropiado para que Amadís y Oriana contrajesen matrimonio. Al llegar a tan encantador lugar comenzaron los preparativos de la boda principesca, que debían ser adecuados para la ocasión, ya que no sólo se unían por fin Oriana y Amadís, sino que también lo hacían al mismo tiempo otros amigos que se habían prometido ya en matrimonio. En medio de los preparativos hizo su aparición la benéfica bruja Urganda, montada sobre un enorme dragón, y fue calurosamente recibida por aquellos a los que había predicho su destino con tanta diligencia.

La boda de Amadís y Oriana

Cuando todo estaba ya listo y llegó, por fin, el día de la boda, se reunió una brillante comitiva, montada en sus corceles, que se dirigió a la iglesia, en la que les esperaba el ermitaño Nasciano para celebrar la misa [40]. Al acabar la ceremonia Amadís le pidió permiso al rey Lisuarte para que Oriana pasara la prueba del Arco de los Verdaderos Amantes, ya que el encantamiento seguía activo en lo que a las mujeres se refería. El rey consintió, y cuando Oriana se aproximó, la trompeta emitió un sonido tan dulce que hasta entonces no se había oído nada igual en la isla, cayendo de la boquilla de la trompeta rosas y otras flores en tal abundancia que cubrieron todo el suelo. Sin dudarlo, Oriana pasó hasta la cámara prohibida. Al pasar entre los pilares notó que manos invisibles la empujaban violentamente hacia atrás, impidiéndole durante tres veces consecutivas traspasar el umbral. Pero gracias a su fidelidad y su belleza logró alcanzar el portal encantado, a pesar de toda la

---

[40] No es necesario recordar al lector que el nombre de Nasciano proviene del de Nasciens, el rey ermitaño del romance del Santo Grial.

oposición, y allí la mano que había admitido a Amadís la ayudó a entrar, mientras cantores invisibles entonaban las alabanzas de su belleza y constancia.

Todos los allí reunidos, que habían sido testigos de tal maravilla, entraron en la cámara para iniciar los festejos nupciales. La espera de Amadís y Oriana había llegado a su fin y, unidos el uno al otro y a su hijo Esplandian, se adentraron en un futuro repleto de una felicidad tal que sólo se les depara a los mortales en las páginas de los romances.

Así acaba este bello cuento que nos habla de unos modales y unos pensamientos tan alejados de los de nuestros días que parecen pertenecer a seres de otro planeta. La conducta de la dama y el caballero es quizá poco espontánea. Pero sin importar lo absurdas que puedan resultar las promesas y lo fantásticas que puedan parecer las circunstancias, no podemos dejar de admirar la naturaleza romántica de dichos códigos que nos hacen sonreír, al ver la seriedad con la que barbados caballeros y poderosos reyes se enfrentan a la sutileza de los magos, cuyos señuelos y conjuros harían reír actualmente a un escolar. A pesar de ello, al leer la historia percibimos cuán profundamente cree el autor en la pureza del alma y la integridad de los propósitos.

Debo pedir perdón al lector, que me ha seguido por los intrincados caminos de este encantador romance, por haber omitido muchos pasajes de rara belleza y conmovedora humanidad. Pero mi labor en este libro se limita a presentar el nudo de la historia y a describir sus principales incidentes, ajustándome lo más posible a las aventuras y proezas de sus principales personajes, para ofrecer un visión de su totalidad. Quizá hubiera aumentado la brillantez y la facilidad de lectura si hubiese narrado las aventuras y los incidentes más destacados por su belleza. Pero mi propósito, tal y como ya he comentado, es el de ofrecer al lector, que tiene poco tiempo para leer el texto original, una historia resumida. Al mismo tiempo he intentado conservar el verdadero espíritu del romance y, si no lo he conseguido, habrá que atribuirlo, en cierta medida, a la difícil tarea de comprensión a la que me he tenido que enfrentar.

Capítulo IV

LAS IMITACIONES DEL «AMADÍS DE GAULA»

«Aunque estos libros que siguieron al *Amadís,* son sin duda inferiores, le otorgan tal singularidad a dicha época, dentro de la historia de la literatura, que sería bueno traducir toda la serie a la lengua inglesa.»—SOUTHEY.

E N todo lo relacionado con la literatura de la Península, tarea para la que estaba muy bien preparado, Southey se guiaba por un instinto natural de selección que raras veces le fallaba. Aun cuando todos los libros que sucedieron al *Amadís* son indudablemente flojos, no podemos ignorarlos, aunque sólo sea por los fenómenos literarios que representan. La imaginación, que había florecido de forma lujuriante en la obra de *Amadís,* se desborda en estos otros cuentos fantásticos. De hecho, son los pétalos caídos de una rosa marchita —tal es la rapidez con la que decae el maravilloso brote de la ficción de caballerías.

La primera de estas secuelas, llamada *El Quinto Libro de Amadís,* se conoce más popularmente por *Esplandian,* ya que se refiere principalmente a las aventuras de este héroe. Cervantes es, quizá, menos amable con este romance de lo que su peculiaridad merece, ya que pone en boca del clérigo, uno de sus personajes, las siguientes críticas palabras: «Realmente, la calidad del padre no excusa la ausencia de la misma en lo que respecta al hijo. Aquí tiene señora patrona, abra la ventana y tírelo al patio. Que sirva de base a toda la pila de libros con la que vamos a alimentar la hoguera.»

La primera edición de *Esplandian* fue publicada en Sevilla en 1542. Parece ser que su mayor parte fue obra de Montalvo, el traductor de *Amadís*. Pero, mientras que al escribir este último adoptó exclusivamente el papel de traductor, en *Esplandian* asumió el de autor, y es una evidencia lamentable que no supo discernir las amplias diferencia que separaban ambas tareas. Tengo la sensación, sin embargo, de que es un error de la crítica el calificar a *Esplandian* de obra absolutamente carente de mérito, y sospecho que más de uno de los censores que han afirmado tal cosa no la han leído en su versión original, o se han limitado a seguir al pie de la letra las palabras de Cervantes. Es notorio que muchos críticos ingleses piensan que es posible emitir un veredicto sobre obras escritas en español, aunque se conozca la lengua sólo superficialmente, y entre los hombres de letras ha cundido la absurda idea de que, sabiendo francés y latín, el conocimiento de la lengua castellana es una mera cuestión de leer un poco.

Esplandian posee una singular belleza, y su hermosa «maquinaria», al igual que la distinguida simplicidad de su ambiente, hacen de ella una obra agradable y deliciosa. ¿Dónde vamos a encontrar un ejemplo más representativo de la extravagancia romántica? *Esplandian,* sin mostrar las enormes deficiencias de sus herederas, tiene el color rico y variado de ese exceso de imaginación que es patrimonio de los auténticos poetas, disciplina en la que no todos han salido airosos. Debo admitir, sin embargo, que *Espladian* es alimento de entusiastas y no recomiendo su lectura a almas poco románticas. No ha sido escrita para curas y barberos y es una pena que aquellos que no saben apreciar su espíritu influyan a otros en su contra.

Esplandian pasó su niñez en la corte de su abuelo, el rey Lisuarte, y apenas fue hecho caballero, fue llamado a participar en una gran aventura. Sus deseos se vieron ampliamente gratificados, ya que, poco después de que le hubiesen ceñido las espuelas doradas a los talones, cayó en un sueño profundo que le presagió maravillas fuera de los común. Mientras dormía, las gentes de la isla Firme, a la que se había dirigido para que se le confiriera el grado de caballería, divisaron una gran montaña de fuego que se aproximaba a la orilla, de la que salió, de pronto, la silfidea figura de la bruja Urganda la Desconocida, surcando el aire a lomos de un gran dragón. Poco antes, Amadís, al que se le había confiado la custodia del malvado Archelaus, cometió la insensatez de liberar al peligroso mago, comprobando al poco tiempo que el poco escrupuloso brujo, aprovechándose de su recuperada libertad, utilizó, una vez más, sus ardides contra el desprevenido Lisuarte, incapaz de aprender de la experiencia, que ahora pagaba su credulidad, encarcelado en las mazmorras del castillo del nigromante. Urganda anunció al yerno del rey que era necesario que Esplandian se vengase, llevándose al muchacho a lomos del monstruo alado que cabalgaba.

La bruja transportó a Esplandian mientras dormía a una embarcación, llamada el *Barco de la Gran Serpiente,* y éste, al despertar, descubrió, para su sorpresa, que se encontraba en la cubierta de un barco. Mientras surcaba los tranquilos mares, sintió el estremecimiento de placer que se desprendía de la mágica tranquilidad con que la encantada galera rozaba las olas. Más tarde divisó un islote rocoso, emergiendo, desamparado, del mar, en el que desembarcó, encontrándolo desierto y sin otra señal de estar habitado que una alta torre que coronaba la más elevada cumbre. Escaló hasta ella y descubrió que la vieja fortaleza estaba totalmente vacía. Explorando sus recovecos vio una piedra, ricamente ornamentada, en la que se hundía firmemente una espada, pero al intentar empuñarla, el rugido de un temible dragón rasgó el aire y éste descendió a tal velocidad que Esplandian no pudo defenderse y el dragón le enrolló entre los enormes pliegues de su cuerpo, con la intención de romper las placas de su armadura y matarle por aplastamiento. Hombre y monstruo lucharon de aquí para allá tan terriblemente que la tierra tembló y la torre se balanceó, mientras oscilaban y se retorcían en un mortal abrazo. Finalmente, Esplandian logró liberar su mano derecha y, desenvainando la espada mágica que Urganda le había regalado, traspasó la escamosa piel del dragón. Éste, mortalmente herido, aflojó la presión y su voluminoso cuerpo se quedó rígido. Esplandian abandonó el castillo, regresando a la playa, y el reflejo sobrenatural que emitía la espada que había extraído de la piedra guió sus pasos a través de la oscuridad de la noche.

Reembarcando en el *Barco de la Gran Serpiente,* fue llevado velozmente hasta un país escabroso, conocido como la Montaña Prohibida, una plaza fuerte situada en la frontera entre Turquía y Grecia. Divisó un castillo a lo lejos y se dirigía hacia él, cuando se encontró a un ermitaño que le aconsejó que siguiese de largo, contándole que un conocido príncipe estaba allí encarcelado. De pronto Esplandian pensó que no podía ser otro que Lisuarte, y el castillo la fortaleza del perverso Archelaus, por lo que, naturalmente, se decidió a inspeccionar el lugar. Al acercarse a la puerta observó que estaba guardada por un gigantesco centinela que, tras espiarlo, se abalanzó salvajemente contra él, blandiendo una formidable maza. Esquivando el ataque del adversario, Esplandian le mató con su poderosa espada y, cuando estaba a punto de entrar en el castillo, se encontró, frente a frente, con Archelaus en persona. A continuación se libró una dura lucha. El mago, encolerizado por la audacia del jovencito, que osaba transgredir los misterios del castillo, y sabiendo que pertenecía a la familia de Lisuarte, su detestado enemigo, atacó a Esplandian con furia. Pero su ciega cólera no pudo detener el frío valor de su antagonista, que alcanzó a matarlo con su espada mágica, poniendo fin de este modo a todas las perversas acciones del nigromante. Un sobrino del encantador asesinado asaltó a continuación al joven caballero pero cayó, también, ante la espada mágica de Urganda. Más tarde, Arcobone, la madre de Archelaus y una bruja muy versada en los misterios de las artes ocultas, intentó hacerle desaparecer con el poder de sus conjuros pero el poder, aún mayor, del arma de Esplandian le libró de la furia de la amenazante sibila, que, finalmente, se vio obligada a obedecer sus órdenes. Conminándola a revelarle el lugar en el que Lisuarte estaba confinado, tuvo la satisfacción de liberar a su anciano pariente.

Cuando Esplandian y Lisuarte estaban a punto de abandonar la isla, la flota de Matroed, el hijo mayor de Archelaus, arribó a la costa y el joven héroe se vio forzado a presentar batalla al enemigo, que confiaba en su habilidad para derrotar fácilmente al joven adversario. Matroed hizo del combate un asunto personal y ambos se enzarzaron en una pelea a muerte hasta la caída del sol. Pero las muchas heridas que había recibido el guerrero pagano le forzaron a abandonar la lucha, rogando a Esplandian que le permitiese morir en paz. En ese momento se acercó un hombre santo y el vencido, a punto de expirar, le pidió que le bendijese, a lo que accedió piadosamente.

Asumiendo el nombre de «el Caballero Negro», dado el color de su armadura, Esplandian se convirtió en el señor de la Montaña Prohibida y de su castillo. Pero no pudo permanecer tranquilo por mucho tiempo, ya que Armato, el sultán de Turquía, atacó la fortaleza con todo su ejército. Esplandian, que había atraído a numerosos seguidores, le derrotó y tomó al soberano como prisionero. Animado por su éxito, se lanzó a luchar en el corazón de los dominios turcos, tomando la ciudad más importante.

Antes de iniciar su carrera aventurera, Esplandian conoció a Leonorina, hija del emperador de Constantinopla, de la que se enamoró profundamente. En el trascurso de su guerra en territorio turco le envió múltiples mensajeros, confirmándole su amor sin límites. Pronto se enteró de que ella estaba resentida por tan larga ausencia, y en cuanto la capital turca cayó bajo su espada se dirigió velozmente a Constantinopla. Al llegar compró un exquisito cofre de cedro, que encomendó a determinados mensajeros con la orden de llevárselo a su dama. Cuando ella lo abrió, a solas en su habitación, se sintió a la par confusa y encantada al saber que su amante, ausente durante tanto tiempo, regresaba. En el romance español es imprescindible que el amor del héroe y la heroína permanezca en secreto para los familiares de la dama, no sólo porque era una exigencia de la susceptibilidad romántica del lector español medio, sino porque el espíritu español no hubiese podido afrontar la idea de que los padres fuesen cómplices de los amantes antes del matrimonio. Esta triste situación se dio hasta principios de siglo entre las clases media y alta de España y de América Latina y a los ingleses nos resultaba gracioso enterarnos de que muchachas, formalmente prometidas, no puedieran conversar confidencialmente con su pareja, a no ser que adoptasen ridículos disfraces o recurriesen a los amables oficios de sus sirvientes. De hecho, en ocasiones, jóvenes parejas españolas, cuyo compromiso estaba en regla y su unión no topaba con la más mínima oposición, acordaron fugarse, simplemente por el romanticismo que ello implicaba. Circunstancias como ésta nos permiten apreciar el firme enraizamiento del romance en el corazón español.

Pero Esplandian tenía poco tiempo para diversiones, ya que los turcos se habían preparado nuevamente para la batalla. A pesar de ello, tenía en Urganda una sólida aliada, pero, en contrapartida, los infieles tenían el apoyo de la bruja Melia, la hermana de Armato, el derrotado sultán, que había logrado escapar a lomos de un dragón volador que le había proporcionado la bruja turca a tal efecto. El enemigo era tan numeroso como la arena del mar, siendo uno de ellos una bella reina amazona, acompañada en el escenario de las hostilidades por un escuadrón de cincuenta grifos, que volaron sobre la ciudad como un aeroplano devastador, vomitando fuego y humo sobre las cabezas de la infeliz población.

Tan elevado fue el número de muertos en esa batalla entre las fuerzas de la cristiandad y los paganos, que, finalmente, se acordó que la primacía debería dirimirse en un doble combate. Por un lado participaron Amadís y Esplandian y por el otro la amazona y un célebre soldado pagano. Los paganos fueron derrotados, pero fue tal la cólera que su ocaso les provocó, que se lanzaron al ataque con todos los hombres y mujeres disponibles. A pesar de ello, los cristianos, embravecidos por la victoria de sus campeones, repelieron el ataque, expulsando a los paganos de los dominios griegos. El emperador de Grecia, probablemente feliz de liberarse de la carga que le suponía tan pesada herencia, abdicó del trono en favor de Esplandian, quien tomó por esposa a Leonorina y asumió la tarea de gobernar el reino helénico.

Relevada de la responsabilidad de los deberes militares, en los que había demostrado ser muy eficiente, Urganda tuvo tiempo libre para dedicarse a los asuntos personales de los mortales. Al consultar su espejo mágico, quedó desolada al comprobar que sus amigos Amadís, Galaor, Esplandian y todos sus caballeros favoritos morirían pronto. Pero si su alma profética hubiera podido captar el inmenso poder de la ficción, hubiera permitido, sin lugar a dudas, que la naturaleza siguiera su curso, por lo que debemos sacar en conclusión que su capacidad visionaria era limitada. Resuelta a frustrar el destino, reunió a sus protegidos en la isla Firme y les advirtió que, si deseaban escapar a la muerte, debían obedecer sus mandatos. Ellos le aseguraron que los seguirían al pie de la letra y se dispusieron a entrar en un mágico sueño, del que, conforme a las exigencias de Urganda, no podrían despertar hasta que les despertara Lisuarte, el hijo de Esplandian, el cual, una vez que tomase posesión de determinada espada mágica, podría devolverles a la vida con renovado vigor.

El sexto libro de la serie de *Amadís* trata de las aventuras de Florisando, su sobrino, pero, dado que el héroe no pertenece a su línea directa y el libro es bastante aburrido, podemos pasarlo por alto, limitándonos a mencionar su existencia.

Lisuarte de Grecia

Lisuarte de Grecia, héroe de los libros séptimo y octavo, es mucho más animado. Se cree que fue escrito por Juan Díaz, licenciado en Derecho Canónico, y que se publicó en 1526. Pero Lisuarte no es el único héroe de este romance, ya que Perión, otro hijo de Amadís y Oriana, reclama una considerable participación en las hazañas contadas en el libro. El joven guerrero, habiendo oído hablar del valor y destreza del rey de Irlanda, concibió el deseo de que éste le armase caballero y, con tal propósito, embarcó en dirección a la isla Verde. Al atravesar el canal de San Jorge, o su equivalente romántico, se encontró a una dama en un bote manejado por cuatro monos. Los animales le rogaron a Perión que acompañase a su señora, que debía llevar a cabo una gran empresa, por lo que se trasladó a la embarcación de la dama y los monos. Sus acompañantes, disgustados porque él había aceptado la aventura, así, sin pensárselo, pusieron rumbo al Este y llegaron a Constantinopla, donde informaron de su desaparición, por lo que Lisuarte, su pariente, al enterarse, decidió ir en su busca.

Mientras tanto, el joven Perión llegó, junto a la extraña tripulación, al reino de Trebisonda al que, como todos sabemos, se puede acceder desde las costas irlandesas. En dicha ciudad se enamoró de la hija del emperador, pero no tuvo mucho tiempo libre para amoríos, ya que la Dama de los Monos le apremió a llevar a cabo la aventura impuesta. Apenas habían partido de Trebisonda, llegó Lisuarte, que pronto se enamoró de Onoloria, la otra hija del rey. Un buen día, mientras los amantes disfrutaban de su mutua compañía, apareció en la corte una enorme giganta que solicitó un favor de Lisuarte, el cual, siguiendo la tradición romántica, accedió sin preguntar de qué se trataba. Su compromiso consistía en acompañar a la mujer giganta durante todo un año a cualquier parte que ella quisiera. En realidad, ella era un espía pagana que había ideado semejante plan para que Lisuarte, uno de los sólidos puntales del cristianismo en Grecia, no pudiese apoyar al trono de Grecia en tiempos tan difíciles y peligrosos.

Cuando Lisuarte dejó Trebisonda en pos de la aventura, en la que participaba involuntariamente, el emperador de dicho país, padre de su enamorada, fue informado de las auténticas intenciones de la prodigiosa dama, gracias a una carta cerrada con sesenta y siete sellos, en la que se le anunciaba que Constantinopla estaba a punto de ser tomada por Armato, el sultán de Turquía, que encabezaba un ejército de sesenta y siete príncipes, con el fin de atacar la ciudad imperial. Mientras tanto, Lisuarte había sido puesto bajo la vigilancia del rey de la isla de los Gigantes; su hija, Gradaffile, se enamoró de él y le facilitó la escapada, acompañándole a Constantinopla, donde se preparó para combatir a los infieles. Perión, que había llegado a Grecia tras cumplir el encargo de la Dama de los Monos, le ayudó en la tarea.

En el curso del tiempo, Lisuarte tomó conciencia de que tenía el deber de liberar a sus antepasados del hechizo al que se habían sometido para prolongar su existencia. Tras varias aventuras, que ahorraremos al lector, consiguió tomar posesión de la espada fatal y se dirigió a la isla Firme, donde rompió el sueño encantado en el que la visionaria Urganda había sumido a Amadís, Esplandian y los demás caballeros. Éstos, lógicamente descansados tras tan largo sueño, y anhelando el ejercicio marcial, le ayudaron a combatir las fuerzas paganas frente a Constantinopla e impusieron, una vez más, la paz. Lisuarte, liberado de sus tareas patrióticas, pensó de nuevo en su amada y dirigió sus pasos hasta la ciudad de Trebisonda. También Perión se trasladó hasta allí por motivos similares pero, a instancias de la duquesa de Austria, decidió acompañarla hasta sus dominios, en manos de un usurpador. A su regreso se encontró con su pariente Lisuarte y, mientras ambos campeones se estaban dedicando a preparar los festejos de sus respectivos esponsales, Perión y el emperador de Trebisonda fueron secuestrados por los paganos con malas artes durante una partida de caza. Lisuarte se lanzó a su persecución y fue, igualmente, capturado por el enemigo y hecho preso junto a aquellos que había ido a socorrer.

Amadís de Grecia

El noveno libro nos cuenta las proezas y aventuras de los descendientes de Amadís, que parece, en todos los sentidos, inmortal. Se publicó por primera vez en 1535 en la ciudad de Burgos, un lugar de gran trascendencia literaria, y pretende ser una traducción latina de una obra griega, al modo del famoso romance troyano *Dares y Dictys,* que fue posteriormente traducida a la lengua romance por el mago, sabio y poderoso, Alquife, un supuesto moro, al servicio de la magna, aunque indisciplinada, imaginación del autor. *Amadís de Grecia* alcanza tan sublime exceso de imaginación y de insensata ficción que realizar un resumen inteligente de sus extravagantes páginas, saturadas de maravillas, es una tarea harto difícil.

Si recorremos la carrera salvaje de este visionario con el paso moderado de la incredulidad moderna, sabremos que, como sus antecesores, Amadís de Grecia fue un niño no deseado, hijo de Lisuarte y Onoloria, princesa de Trebisonda, nacido poco después de la frustrada boda. El niño fue bautizado en una fuente de un lugar salvaje y desierto, al que fue llevado en secreto, donde fue raptado por unos corsarios que luego le vendieron al rey moro Saba. Dado que en el pecho llevaba la imagen de una espada, al ser armado caballero por el monarca pagano recibió el nombre de «El Caballero de la Llameante Espada». Poco después de haber entrado en las filas de la caballería, fue falsamente acusado de abrigar un amor secreto por la reina de Saba, por lo que, temiendo la cólera de su benefactor, escapó y se embarcó en una vasta carrera de aventuras —que, de hecho, ninguno de su linaje hubiera podido eludir.

Pagano, tanto por su religión como por sus sentimientos, se acercó a la Montaña Prohibida, cuyo abuelo había liberado de las garras del infiel, y, destruyendo la pía obra que allí se había realizado, derrotó y expulsó a aquellos que la defendían en nombre del emperador de Grecia. Preocupado por la amenaza que se cernía sobre la montaña, el propio Esplandian, ahora emperador de Constantinopla, corrió al escenario de las hostilidades e hizo frente al intruso, siendo derrotado por sus propias manos, un hecho que nunca hubiese entrado en los cálculos de su entusiástico autor, que se hubiese sentido horrorizado con el simple pensamiento de que eclipsaran a su invencible estrella. Poco después Amadís se encuentra al rey de Sicilia. Su encuentro comienza con un combate, ya que era esencial que así fuese, como única vía de presentación de dos caballeros errantes, pero, cuando se conocieron más profundamente, llegaron a sentir mutua estima y camaradería, cimentada poderosamente en la pasión de Amadís por la encantadora hija del monarca.

En el transcurso de su viaje a Sicilia, Amadís visitó una isla en la que se encontró al emperador de Trebisonda y a Lisuarte, Perión y Gradaffile sumidos en un sueño encantado. Como vimos anteriormente, los emisarios del paganismo les habían hecho desaparecer. Por estas fechas, Amadís de Gaula, que, evidentemente, no era todavía demasiado mayor para emprender aventuras, se encontró a la reina de Saba que estaba buscando un caballero que la protegiese de los falsos cargos de infidelidad conyugal de su marido. Amadís se adhirió a su causa y la acompañó hasta Saba para presentar batalla al acusador, al que derrotó. Logró después probar su inocencia y la de su homónimo, Amadís de Grecia, para satisfacción del rey.

Tras liberar a sus antepasados de su mágico sueño, Amadís de Grecia se dirigió a la isla de Sicilia. No llevaba allí mucho tiempo cuando se enteró de que un caballero recitaba versos de amor en los alrededores del palacio. Celoso, pensó que las canciones iban dirigidas a alabar la belleza de la princesa. Loco de celos, buscó a su rival por todas partes sin éxito, ya que, aunque seguía sus pasos, nunca lograba dar con él. Durante la persecución se enfrentó a innumerables aventuras, tras las que acabó convenciéndose de que sus temores eran infundados y que el cantor no pretendía a su enamorada.

Mientras se sucedían estos acontecimientos, Lisuarte, el padre del héroe, volvió a Trebisonda, y pidió formalmente la mano de Onolaria. Pero Zairo, sultán de Babilonia, había visto a la princesa en sueños y, acompañado de su hermana Abra, llegó a Trebisonda para pedirla en matrimonio. El emperador estaba dispuesto a aceptar, pero no así Lisuarte, que había pedido antes la mano de la dama. Esta oposición encolerizó al sultán, que sitió Trebisonda. Tras un prolongado sitio, ambas partes decidieron elegir algunos caballeros que dirimiesen las pretensiones de ambos rivales. Los paladines del sultán fueron derrotados por Gradaffile, hija del Rey de la isla del Gigante, que se disfrazó de caballero y cuya furia amazónica no pudieron detener con éxito los desafortunados babilonios. Sin embargo, el sultán, quebrantando las reglas del juego, raptó a Onoloria recurriendo a una estratagema.

Durante la huida se encontró a Amadís de Gaula, que corría a liberar la ciudad de Trebisonda y que, a la hora de cruzar los Dardanelos, no había sufrido ningún retraso por cuestiones de derecho internacional. Sobra relatar que el sultán fue vencido y asesinado.

Pero el deseo de hacer el mal de los babilonios no se había extinguido con la muerte de Zairo, cuya vida fue corta pero romántica. A su muerte, su hermana Abra le sucede en el trono de Semíramis. Ésta había caído rendida ante el atractivo del caballero durante un viaje a Trebisonda, antes de que se iniciaran las hostilidades entre Lisuarte y su hermano, y, a la manera de las mujeres orientales descrita por los autores de romances, había iniciado la conquista del objeto de sus amores. Esperamos que Lisuarte no la rechazara con la rudeza con que lo hizo Sir Bevis of Hamton cuando la bella sarracena Josiana le envió sus mensajes apasionados:

> Si no fueseis mensajeros, exclamó,
> Os mataría, descarados,
> No moveré ni un pie del suelo
> Para hablar con una perra pagana.
> Ella es una perra, como vosotros:
> Fuera de mi habitación, huid deprisa.

Pero, de cualquier modo, Lisuarte la rechazó y el corazón de la bella babilonia ardió de furia. Sumida en profundos deseos de venganza, envió mensajeros a todos los reinos de la Tierra, pidiendo a todos los caballeros que la ayudasen a destruir a Lisuarte. Durante su viaje, una de sus damas se encontró con Amadís de Grecia que, siendo todavía pagano, le prometió rápidamente que no descansaría hasta presentar a la reina Abra la cabeza de Lisuarte. Al llegar Amadís a Trebisonda se libró un terrible combate entre padre e hijo, que, afortunadamente, interrumpió la oportuna aparición de Urganda que, según su costumbre, les informó de su parentesco.

Pero Amadís, al igual que su padre, no se libró de la persecución amorosa de las princesas paganas. Niquea, la hija de un sultán oriental, se enamoró perdidamente de él y le hizo llegar un retrato a través de su enano favorito. El indudable atractivo de la dama tenía, como contrapartida, el problema de que todo aquel que contemplaba su resplandeciente belleza moría o quedaba privado de razón. Su sabio padre la encerró en una torre inaccesible, en la que sólo podían entrar sus familiares (inmunes a su belleza como los amigos más cercanos a la familia).

A pesar del compromiso previo de Amadís con la princesa de Sicilia, en cuanto vio el retrato de Niquea renunció a su anterior alianza y se enamoró de la princesa oriental. Con el fin de ver con sus propios ojos a aquella que le había embrujado, se disfrazó de esclava y se internó en la torre en la que Niquea estaba prisionera. Se declararon amor mutuo y Amadís permaneció disfrazado en la torre. Sobra decir que la buena presencia de Niquea no le supuso ningún problema.

Volvamos de nuevo a la bella y vengativa Abra que al frente de su ejército marchó contra Trebisonda. Tras un furioso encuentro, las fuerzas de la pagana fueron derrotadas. Pero como entre tanto Onoloria había sido tan gentil de librarse de las trabas de la inmortalidad, Lisuarte, persuadido por su platónica amiga Gradaffile, aceptó, en aras de la paz, casarse con la reina babilonia, que fue tan afortunada en el amor como desafortunada en la guerra.

Niquea, cansada de su encarcelamiento, consiguió escapar con Amadís, llegando al poco tiempo con él a Trebisonda, donde se celebraron sus esponsales. Más tarde dio a luz a un hijo llamado Florisel de Niquea, protagonista de otro cuento.

Este romance, como el de Esplandian, finaliza con el encantamiento de héroes griegos y princesas en la Torre del Universo, hechizados por el sabio mago Zirfea, que les advirtió que ése era el único medio de escapar a la mortalidad. Pero, a diferencia del encantamiento de la isla Firme, este hechizo no sumió a paladines y princesas en un estado somnoliento, sino que les permitió cultivar sus relaciones durante más de un siglo, una situación nada despreciable si se tienen en cuenta todas las largas separaciones que tuvieron que soportar. Incluso, en el caso de que se cansasen los unos de los otros, nunca llegaron a caer bajo el máximo y más amenazador hechizo del aburrimiento, ya que el complaciente mago les proporcionó un aparato, a través del cual podían contemplar todo lo que pasaba en el mundo, vehículo de solaz y divertimiento que luego incorporó Madame d'Aulnoy a uno de sus cuentos.

El barbero y el sacerdote de Cervantes fueron especialmente cáusticos en lo que al Amadís de Grecia y sus inmediatos sucesores se refiere. «Al patio con todos ellos», exclamó el clérigo, «no sólo hay que quemar a la reina Pintiquinestra y a Darinel, el pastor, acabando con los discursos, intrincados y diabólicos, que el autor pone en sus labios, sino que mataría al padre que me engendró, si me lo encontrase vestido de caballero errante.»

Florisel de Niquea

Esta obra, que parece haber sido la que más enfureció al poco romántico sacerdote y al no menos poco poético barbero, es el décimo libro de *Amadís,* y pretende haber sido escrita nada menos que por Cirfea, reina de Argives, que, sin duda, lo compuso en los intervalos de reposo que robó a sus importantes actividades reales. Su majestad no se sintió en absoluto degradada por el hecho de revelarnos los honorarios que cobró del editor, que publicó la obra en 1532. Si hay que determinar el valor de esta composición sin contravenir la sagrada ley del *lèse-majesté,* yo sugeriría que con un penique por línea se remuneraría ampliamente la labor literaria de la imaginativa soberana. En una palabra, Cirfea, o el escritor que intentó protegerse tras su real manto, es aburrido hasta la saciedad, y no se puede describir sus absurdas escenas pastoriles como no sea recurriendo a una humorística tolerancia. La única aportación relativamente importante de esta obra es probablemente que fue la primera en incluir el elemento bucólico en el romance. El autor crea un sinfín de pastores y pastoras, artificiales y extremadamente amorosos, cuyas lágrimas y suspiros rodaron sobre las páginas poéticas de los siglos XVII y XVIII, y cuyas insistentes quejas le hacían a uno temblar ante la idea de abrir ese volumen que parecía, en cierta medida, retener *l'esprit de bergères.*

El romance nos presenta a Sylvia, la hija de Lisuarte y Onoloria, que, naturalmente, fue separada de sus padres durante su niñez, para ser criada por unos pastores en las cercanías de Alejandría, que si en su tiempo gozó de fama como zona de pastoreo, debió de ser gracias a las reconocidas propiedades de la arena como medio de alimentar a los animales. Al crecer, Sylvia se hizo consciente de su belleza y, confiando en su buena presencia y en su bonito nombre, esclavizó al bello Darinel. Su nombre, al igual que el de su dama, es, como todo el mundo sabe, típico del país de los faraones.

Sylvia consideraba que lo apropiado en una pastora era ser cruel con su amante, el cual, estableciendo la moda de innumerables futuros sonetos, se quejó amargamente de su indiferencia y declaró su intención de acabar sus días, exponiéndose a la furia de los elementos en la cima de una montaña, una operación bastante prolongada, si se piensa que la región es especialmente indicada para pacientes con trastornos pulmonares. Probablemente, comprobando que el clima de Egipto le dificultaba la consumación de su destino, se trasladó a la región de Babilonia, en la que, mientras iba en busca de montañas, en una tierra que, por desgracia, carecía de ellas, encontró tiempo para hacerse amigo de Florisel, que hizo gala de su buen carácter, soportando estoicamente todas las alabanzas de la ceja de su dama. La descripción que Darinel hizo de Sylvia fue tan encendida, que Florisel se contagió del sentimiento de su infeliz camarada e, incapaz de combatir la pasión que le consumía, se disfrazó de pastor, valiéndose del desdichado Darinel para que le condujese hasta Sylvia. Pero aunque Florisel le había hecho el cumplido de caminar desde Babilonia sólo para ver sus brillantes ojos, Sylvia se mostró con él tan fría como con Darinel.

Una noche, en que Florisel se dignó gratificar al lector con una bendita interrupción de sus penas amorosas, le contó a la pastora que el poderoso mago Zirfea había encerrado, gracias a sus encantamientos, al príncipe Anastarax, hermano de Niquea, en un terrible palacio. Al oír la historia, la petulante Sylvia cayó rendida de amor por Anastarax y persuadió a Florisel y a Darinel, que ya no añoraba los rigores alpinos, de que intentasen liberar al príncipe del castillo rodeado de fuego. Pero al acercarse a la torre en la que el príncipe estaba retenido, descubrieron que la aventura estaba destinada a Alastraxare, una bella amazona hija de Amadís de Grecia y reina del Cáucaso. El lector se ve luego obligado a seguir los avatares de esta Hércules femenina, cuyo nombre ha sido un constante obstáculo para generaciones de impresores. Estas hazañas ocupan varias páginas. El pequeño grupo de Alejandría partió en busca de la heroína y se enfrentó a variopintas aventuras, que parecen arregladas por los vendedores de libros. Una de las principales es el coqueteo de Arlanda, princesa de Tracia, que se había enamorado de Florisel de oídas, desconcertante hábito de las mujeres de la época del romance. Arlanda se vistió las ropas de la inmaculada Sylvia y, engañando al caballero, le propuso una cita a la luz de la Luna, en la que logró ganarse sus favores, valiéndose de que Floristan creía que ella era la pastora que tanto tiempo había perseguido en vano.

En el transcurso de su vagabundeo, Sylvia se separó del resto del grupo a causa de una gran tormenta, y, volviendo atrás, regresó a la llameante prisión de Anastarax. Mientras tanto Florisel y Darinel arribaron a las costas de Apolonia, donde el primero olvidó, felizmente, los encantos de la caprichosa pastora, que, a su vez, había descubierto ya que era hija de Lisuarte, y se había unido a su amado Anastarax. Pero Florisel no se olvidó de Sylvia por falta de memoria, sino más bien a causa de los bellos ojos de la princesa Helena de Apolonia.

Después se interrumpe la secuencia del cuento de un modo claramente calculado para agravar al más tenaz de los lectores. Florisel no pudo disfrutar durante mucho tiempo del placer de su relación con la fascinante princesa Apolonia, ya que sólo a él le corresponde la liberación de su pariente de la torre encantada. Tras haber satisfecho los dictados del deber, volvió de nuevo el rostro hacia Apolonia pero, evidentemente, su destino no era llegar a las playas de ese delicioso reino, sin antes haber pasado por mil aventuras. Al aterrizar en Colchos se encontró a Alastraxare, que encontró la felicidad junto a Falanges, un brillante guerrero del séquito de Florisel. Al llegar por fin a Apolonia se enteró de que la princesa Helena tenía que desposar al día siguiente al príncipe de

Gaula, una unión política ordenada por su padre. Florisel hubiese traicionado la sangre aventurera de miles de héroes, siempre activos ante tal contingencia, que corría por sus venas, si no hubiese frustrado las tiránicas intenciones paternas, tal y como pone de relieve nuestra real autora, repitiendo el rapto de Helena que Paris consumó en el cuento troyano.

Al igual que su prototipo homérico, su acción precipitó a los reinos de Oriente y Occidente, real uno y apócrifo el otro, a una guerra caótica. Ayudados por los rusos, que, incluso en aquella lejana época habían demostrado su predilección por las tareas de demolición social, los países occidentales concentraron miríadas de soldados en las llanuras de Constantinopla, infligiendo un serio revés a las tropas helénicas. Pero los eslavos nómadas se volvieron más tarde contra sus aliados de Occidente, arrojándoles de las costas del Cuerno de Oro; finalmente, Florisel se aseguró la posesión de la capital oriental y de la princesa Helena.

En este punto, la augusta Cirfea debería haber sido juiciosa y haber escrito la palabra «Fin» con su pluma dorada. Pero a esas alturas de los acontecimientos la dama sacó fuerzas de flaqueza y, probablemente en vista de que su contrato con los libreros vallisoletanos estipulaba que sus patrones debían recibir un número determinado de líneas, expectativa que no estaba dispuesta a defraudar, decidió, con generosidad real, no desilusionarlos y superarlas con creces. Pero su país, Argolia, era extremadamente pobre y sus habitantes tenían una proverbial aversión a los impuestos. Sea como sea, no fue la última soberana de los Balcanes que consiguió dinero por su trabajo literario. Bien equipada para la tarea con un manojo fresco de pergaminos de su Departamento de Archivos (ya que los papeles del Gobierno han sido siempre propiedad de todos, incluso desde los tiempos de Hammurabi) se preparó para nuevas situaciones y se dedicó a la labor de deshilvanar historias.

Cuando los traicioneros rusos acabaron con las tropas occidentales, se embarcaron hacia su país para diseñar nuevas estrategias frente a los disturbios que conmocionaban a la azarosa Europa. Pero Amadís de Grecia no tenía la menor intención de que este pueblo escapara impunemente al castigo que merecía por haberse adherido al enemigo. Les persiguió, pero, al perder el rastro de sus barcos, apareció en una isla inevitablemente desierta, donde decidió permanecer y hacer penitencia por su infieles amoríos con la princesa de Sicilia. Casualmente, la dama ancló en las costas de la isla y, tras reprender al desleal amante, le aconsejó volver con su entristecida esposa Niquea, a lo que finalmente consintió.

Como, después de un tiempo razonable, Amadís no había regresado a Constantinopla, las revueltas bullían en la ciudad y Florisel y Falanges decidieron marchar en su busca. Desembarcaron en la isla, donde, bajo el nombre supuesto de Moraizel, el primero se enamoró de su reina, Sidonia, casándose con ella. Pero la reina no tuvo reparos en demostrar sus preferencias por su compañero. Florisel se cansó pronto de su esposa, con la que tuvo una preciosa hija llamada Diana, que estaba destinada a ser la heroína de los libros undécimo y duodécimo.

Agesilan de Colchos

El joven Agelisan de Colchos estaba estudiando en Atenas cuando alcanzó a ver una estatua de la bella Diana. Irresistiblemente atraído por ella, decidió ir a buscarla y verla en persona, y, poniéndose las ropas de un juglar, emprendió viaje hacia la corte de la reina Sidonia, la madre de la princesa. Allí fue empleado como acompañante de la princesa. Pero cuando una sucesión de caballeros en busca de aventura llegaron a la isla, no pudo contenerse y les presentó batalla disfrazado de amazona, inclinándose la balanza invariablemente a su favor.

Tras enterarse por boca de la reina que había sido abandonada por Florisel, Agesilan se ofreció a traerle la cabeza del guerrero errante, revelándole, al mismo tiempo, su auténtica identidad. Sidonia, que sentía un gran rencor hacia su marido por el abandono, aceptó la oferta. De este modo Agesilan se fue a Constantinopla y desafió al desertor a un combate mortal. Se convino que el encuentro tuviese lugar en el territorio de Sidonia. Pero al llegar, descubrieron que la ciudad había sido sitiada por los omnipresentes rusos, que, descontentos con la libertad de sus vastas estepas, buscaban, probablemente, un lugar bajo el sol con un clima más generoso. No parece muy honesto lanzar sobre los eslavos dos paladines de tanto renombre al mismo tiempo pero, una vez finalizada la batalla, la victoria pareció unir de nuevo a Florisel y a Sidonia y todo fue sobre ruedas, con el repiqueteo de fondo de campanas de boda. Por su parte Agesilan se prometió formalmente a Diana.

Sin embargo, se acordó que el esplendor de Constantinopla proporcionaría un escenario más adecuado a los esponsales, por lo que todos pusieron rumbo al Cuerno de Oro, habiendo sido previamente honrados con la visita de Amadís de Gaula en persona que, a pesar de sus muchos años, seguía disfrutando de las delicias de la vida errante. Le acompañaba Amadís de Grecia que, casi tan venerable como su famoso abuelo, podía cruzar la lanza con cualquier campeón.

No se habían alejado demasiado de las costas de la isla, cuando les sorprendió una furiosa tempestad que separó a Agesilan y a Diana del resto de sus parientes, arrojándoles a una roca desierta, en la que hubieran perecido si un amable caballero, montado en un hipogrifo, no les hubiera recogido, llevándoles a su casa en las islas Canarias. Pero el espíritu desinteresado del protector se desvaneció en cuanto contempló la belleza de Diana, a la que arrastró a la otra punta de la isla Verde, nombre por el que se conocían sus territorios, aprovechándose de que Agesilan estaba desprevenido. Sin embargo, su sueño de amor estaba destinado a verse brutalmente interrumpido por una partida de corsarios que consideraron que podrían ganar una buena suma de dinero por Diana en el mercado de esclavos.

Agesilan, incapaz de encontrar a Diana, sospechó la traición y, montando el hipogrifo, partió en busca de ella. Tras inspeccionar toda la isla, decidió, desesperado, realizar un largo vuelo. No se sabe si por una avería del motor o por causas aún más oscuras, tuvo que aterrizar forzosamente en el país de Garamantes, un rey que había sido cegado como castigo por su extremado orgullo. Además, el infortunado monarca tenía que soportar que la comida que le preparaban fuese devorada a diario por un horrible dragón. Agesilan le libró del monstruo. Este incidente es una descarada imitación del pasaje de *Orlando Furioso* (Can. XXXIII, st. 102 ff.) en la que Senapus, rey de Etiopía, veía cómo las arpías devoraban todos los días su comida, hasta que Astolpho le liberó, descendiendo a sus dominios en una bestia alada. Pero el autor de *Agesilan* no es menos culpable que el propio Ariosto, ya que ambos incidentes son copia de la historia original de Fineo y las arpías, recogida en los *Argonautas,* de Apolonio de Rodas.

Agesilan continuó la búsqueda de Diana y llegó a la isla Desolada. El dios Tervagant (Termagaunt, Tyr Magus = Tyr el Poderoso) se había enamorado de la reina de dicha región y, como ella le rechazó, arrojó una bandada de demonios sobre el territorio, en el que causaron estragos. El oráculo de los dioses había anunciado que no habría paz hasta que no encontrase una muchacha que fuese tan de su gusto como la reina, por lo que colocaban cada día una a la orilla del mar. A diario se encadenaba a una desafortunada damisela a una roca, situada en las desoladas costas de la isla, que era devorada rápidamente por el monstruo que salía de las profundidades del océano. Esto lógicamente hizo disminuir el número de chicas de la vecindad. Diana, que había sido llevada a la isla, estaba encadenada a la roca una mañana, como si fuese otra Andrómeda (el incidente es una paráfrasis del mito), y permanecía a merced del monstruo. Agesilan, atisbando a través del aire desde su hipogrifo, la vio y bajó en su ayuda. Después de un terrible combate mató al monstruo antes de que la devorara.

Tras acabar con el repugnante satélite de Tervagant, depositó a Diana, casi inconsciente, sobre su bestia aérea y la guió hasta Constantinopla. De camino el caballero, que ya era un avezado piloto, divisó la embarcación de Amadís, de la que habían sido arrojados por la tempestad. Aterrizando con destreza en la cubierta de la embarcación, saludó a sus atónitos familiares. Finalmente llegaron a Constantinopla, donde se celebró la solemne ceremonia de los esponsales.

Silvio de la Selva

Silvio de la Selva, hijo de Amadís de Grecia y de una tal Finistea, es el héroe del duodécimo y último libro de la serie de *Amadís*. Se hizo famoso por su galante demostración de ardor guerrero frente a los rusos durante el sitio de Constantinopla, y, cuando el zar de ese turbulento pueblo intentó sumir de nuevo a Europa en una guerra, fue el primero en desenvainar la espada y asegurar a los doce embajadores moscovitas que la confederación de los ciento sesenta monarcas, que había logrado reunir, les haría frente. Pasaremos por alto los detalles de los siguientes asaltos y combates, ya que no difieren en nada de los que ya hemos visto.

Pero, si los príncipes griegos habían pensado en escapar a las consecuencias derivadas de haber vencido al turbulento enemigo ruso, les esperaba una cruel sorpresa, ya que un nigromante volatilizó, de golpe, toda la galaxia. Una vez más, los habitantes de la romántica ciudad del Bósforo quedaron profundamente consternados pero, sin arredrarse ante la tarea que les esperaba, los caballeros y paladines de la familia —que formaban un ejército de proporciones considerables— marcharon en busca de sus parientes. Pero no pensemos todavía que hemos podido liberarnos del entramado de intrigas desplegado por la expirante inspiración castellana, y que la moribunda llama del romance de *Amadís* deja ya de brillar y de parpadear a la hora de rescatar a los héroes y heroínas que se suceden, en una secuencia casi inmortal de hazañas y batallas a lo largo de sus páginas. Ya que, habiendo llevado a las princesas a la segura ciudad de Constantinopla, descubrieron que, en su ausencia, algunas de ellas habían sido bendecidas con pequeñas ramas de olivo, mientras que el atónito lector, perdido en los entresijos de la historia, mira desesperado a su alrededor, al igual que el Satán de Milton, en busca de alguna vía de escape, exclamando:

Miserable de mí, ¿por qué camino puedo salir volando?

Pero, como el ángel exterminador, tiene que doblegarse finalmente a su destino y vadear las aventuras de Spheramond, hijo de

Roger de Grecia, y de Amadís de Astre, hijo de Agesilan, o, mejor aún, cerrar reverentemente el libro, retornándolo a su estantería, ya que su lomo, finamente repujado, es, quizá, más valioso que todo su grotesco contenido.

En lugar de ser arrojados del trono por su pueblo, encolerizado por su constante olvido, los descendientes de Amadís siguen brotando por doquier y quizá el secreto de su éxito radique en haber residido habitualmente en castillos, rodeados de fuego, o en islas encantadas, en vez de en su propio palacio, que parecen haber utilizado más como lugar de convalecencia de sus heridas, causadas por espadas mágicas y por mordeduras de malvados dragones, que como sede de su actividad gubernamental o dirección imperial.

Ya hemos visto cómo la gran temática del *Amadís de Gaula* brota gloriosamente en España y luego, mutilada por esforzados y constantes hachazos, se sumerge en la insignificancia, entre un cultismo irrisorio y la vulgaridad. Es como si nuestra incomparable epopeya del británico Arturo, ese tesoro heroico de las hazañas de

las justas en Aspremont o Montalbán,
Damasco, o Marruecos, o Trebisonda,

hubiera sido arrastrada por el fango y prostituida por las necesidades de los escritorzuelos. No podemos dejar de dar gracias al dios de las letras por haberla preservado de semejante destino, producto más de la buena suerte que de las influencias protectoras. Las continuaciones de *Amadís* van perdiendo paulatinamente valor hasta acercarse a los límites de lo absurdo. ¿Pero atenúa esta triste circunstancia la gloria de la primera obra? En la misma medida que la noche puede oscurecer el recuerdo de la mañana. La elocuencia caballeresca del original puede degenerar en fanfarronería; la imaginería, delicada y sublime, de los primeros libros puede desembocar en una inventiva vulgar; la tierna belleza que rodea el primer idilio puede convertirse en una burda intriga. Pero no se puede juzgar una obra de arte por sus imitaciones. Exceptuando el quinto libro, los restantes romances de *Amadís* son como una copia situada junto al cuadro original. Debido a su ejecución desenfrenada, sus manchas de color de tosca imperfección y su trazo desigual resultan más apropiados para un vestíbulo que para una galería de pintura. Sin embargo, no debemos olvidarlos al tratar del romance español. Nos presentan una moral que tenemos que digerir en el siglo XX: si una nación consiente que su nivel literario se degrade y se divierte con la excitación de una ficción grosera, dejará de sobresalir. La literatura es la expresión del alma nacional. ¿Qué clase de alma es la que se regodea en noveluchas toscamente encuadernadas, perfumadas de una psicología ridícula e insana a la vez? ¿No tenemos a Cervantes para reducir su innoble carácter a una carcajada inacabable? ¿No debemos tener en cuenta en nuestro propio país la triste lección de *Amadís*? España nunca fue tan grande como cuando sus primeros libros elevaron la caballería a un ardoroso patriotismo y nunca fue tan pequeña como cuando los libros impresos en Burgos, Valladolid y Zaragoza inundaron las ciudades de ficción indiscriminada, favorecida por la codicia comercial y aceptada alegremente por un público ávido de sensaciones narcotizantes.

Capítulo V

EL ROMANCE DE PALMERÍN

> Preservemos a *Palmerín de Inglaterra* como una singular reliquia de la antigüedad.
>
> Cervantes

P ARECE que los críticos del romance español siempre han tenido la manía de querer descubrir un origen portugués en casi todas sus manifestaciones literarias. Presumiblemente, partiendo de la base del romance de *Amadís*, han concluido que todos los esfuerzos románticos provienen del reino lusitano, lamentándose de las influencias provenzales y moras. Es tal y como alguien comentó: «La historia de Arturo revela todos los signos de la influencia franco-normanda pero, como siempre, el primer lugar en que se acuñó en lengua literaria fue en Gales. ¿Inglaterra? E Inglaterra se limitó a aceptarlo.»

La serie de *Palmerín* transcurrió paralela a la de *Amadís,* cronológicamente hablando, y la tradición atribuye el primer libro a una dama anónima de Augustobriga, pero hay razones para creer, en base a *Primaleón,* un pasaje de la primera serie, que es obra de Francisco Vázquez, de Ciudad Rodrigo. No se conoce ninguna edición portuguesa anterior y sabemos con certeza que la primera edición española del primer romance, *Palmerín de Oliva,* que se imprimió en Sevilla en 1525, no fue la edición más antigua. La traducción inglesa, realizada por Anthony Munday, **fue publicada** en 1588.

Palmerín de Oliva

En el momento de su aparición, la obra consiguió un éxito sólo igualado por *Amadís*. Sus similitudes no pueden considerarse fortuitas y se multiplicaron con sorprendente rapidez, no sólo en el caso de los romances, sino también en el de las traducciones y la continuación de las series.

El inicio de *Palmerín de Oliva* nos lleva de nuevo a las playas encantadas del Cuerno de Oro. Reymicio, el emperador de Constantinopla, tenía una hija, llamada Griana, a la que había decidido casar con Tarisius, hijo del rey de Hungría y sobrino de la emperatriz. Pero Griana había entregado su corazón a Florendos de Macedonia, con el que había tenido un hijo. Temiendo la ira de su padre, consintió que una sirvienta llevase al pequeño hasta un lugar desierto, donde le encontró un campesino que le llevó a su granja y le crió como si fuese su propio hijo. Le llamó Palmerín de Oliva porque le descubrió en una colina cubierta de una lujuriante vegetación de palmeras y olivos.

Al crecer, el muchacho aceptó su humilde condición con ecuanimidad. Sin embargo, cuando se enteró de que no era hijo del campesino anheló la excitación de la vida guerrera. Pronto degustó el sabor de las deslumbrantes posibilidades de la vida aventurera. Un día en que atravesaba un tenebroso bosque en busca de caza, vio a un león que atacaba a un mercader. Mató a la bestia y el mercader le dijo que regresaba a su ciudad natal desde Constantinopla. Sumándose al comerciante, Palmerín se dirigió a la ciudad de Hermide, donde su agradecido compañero le proporcionó armas y un caballo. Debidamente pertrechado ya para la vida caballeresca, se dirigió a la corte del rey de Macedonia, en la que Florendos, el hijo del rey de dicho lugar y su propio padre, le concedió el honor de armarle caballero.

En breve se le presentó la oportunidad de realizar una búsqueda. Primaleón, rey de Macedonia, sufría desde hacía tiempo una grave enfermedad. Sus médicos le aseguraron que si lograba obtener agua de una determinada fuente su mal desaparecería. Pero la fuente estaba custodiada por una enorme serpiente tan feroz que aproximarse al manantial presuponía una muerte segura. Muchos caballeros intentaron la aventura, acabando en el vientre del monstruo, de modo que el rey no podía obtener el agua que le devolvería la salud y que tanto necesitaba. Esta situación le ofreció a Palmerín la ocasión de distinguirse de los demás y, sin pararse a pensar en lo peligroso de su tarea, montó su caballo y se precipitó en dirección a la fuente guardada por la serpiente.

Las bellas damas

Consciente del honor que finalmente le había sido concedido y extraordinariamente orgulloso de las doradas espuelas que rodeaban sus talones, Palmerín quedó muy complacido al comprobar que había logrado atraer la atención de un grupo de bellas damas que observaban sus progresos con ojos sonrientes desde una pradera al borde de un bosque. Si no hubiera estado tan preocupado por su porte y por su caballo, al que obligó a realizar desenfrenadas cabriolas, se hubiera percatado de que las damas a las que intentaba impresionar poseían una belleza más etérea que humana, ya que las damas que le miraban divertidas eran princesas de la estirpe de Faery y estaban acechando al joven caballero con la intención de ayudarle recurriendo a sus poderes de hadas.

Palmerín las saludo con toda la distinción que le fue posible.

«Dios os guarde, bellas damas», dijo, haciendo tal reverencia que tocó las crines de su caballo. «¿Podéis decirme si estoy cerca de la fuente guardada por la serpiente?»

«Hermoso caballero», replicó una de las sílfides, «estás a una legua de ella, pero permítenos suplicarte que te alejes de ese lugar. Hemos visto pasar a muchos caballeros para luchar con el monstruo que guarda las aguas y ninguno ha regresado.» «No es mi costumbre abandonar una empresa», dijo Palmerín con arrogancia.

143

«Si os he entendido bien, la fuente está a una legua de aquí», añadió. «A menos de una legua, caballero», respondió el hada. Después girando el rostro hacia sus compañeras dijo: «Hermanas, éste parece ser el joven que hemos esperado durante tanto tiempo. Parece audaz y resoluto. ¿Le confiamos a él el regalo?»

Sus compañeras asintieron y el hada le reveló a Palmerín su naturaleza y la de sus hermanas, asegurándole que, dondequiera que fuese y cualquiera que fuese la aventura que llevase a cabo, ningún encantamiento de mago o monstruo podría afectarle. Después de guiarlo hasta el manantial desapareció en el bosque.

Continuó cabalgando y muy pronto vio la fuente, pero apenas se detuvo a contemplar cómo sus plateadas aguas brotaban de la verde ladera de una colina, cuando un horrible siseo le advirtió que no se acercase. Sin sentir temor alguno, espoleó a su caballo. De pronto la boca de la serpiente despidió una llamarada de fuego, pero él, agachándose sobre la silla, la evitó. Después, precipitándose hacia su cabeza, asentada sobre un cuello grueso como una columna y recubierto de escamas, la atacó furiosamente con la espada. La serpiente intentó envolver al caballero y al caballo con su cuerpo pero, antes de haberlo conseguido, Palmerín le segó la cabeza.

De regreso a Macedonia, el joven héroe tuvo que enfrentarse a una legión de monarcas importunos a los que tuvo que ayudar en diverso tipo de empresas. Las solventó todas ellas con tan consumada destreza que su fama se extendió por toda Europa. Llegó hasta la lejana Bélgica, donde liberó al emperador de Alemania de unos caballeros traidores que le habían encerrado en la torre de Gante. Fue en esta aventura cuando se enamoró de la hija del emperador, la bella Polinarda, que ya se le había aparecido en sueños en alguna ocasión. Pero el joven paladín estimó que, si pretendía merecer el amor de tan preciada dama, debería antes derrotar a multitud de caballeros en su nombre y llevar a cabo aventuras mucho más peligrosas de las realizadas hasta entonces. Así, al enterarse de que iba a celebrarse un gran torneo en Francia, se dirigió a dicho país y obtuvo el premio.

Al retornar a Alemania, Palmerín se encontró al emperador comprometido en una guerra con el rey de Inglaterra, a instancias del rey de Noruega, que le había rogado que le ayudase contra el monarca británico. Sin embargo, Trineus, hijo del emperador, no quería participar en dicho enfrentamiento, ya que, al estar enamorado de la hija del rey británico, la princesa Agriola, deseaba ayudar al padre de su amada, tal y como le confesó a Palmerín. Ambos jóvenes pasaron por varias aventuras y consiguieron llevarse a la princesa de Inglaterra, pero durante su regreso a casa fueron sorprendidos por una furiosa tempestad que les arrastró a las costas de Morea. Cuando los elementos amainaron, Palmerín desembarcó en las cercanías de la isla de Calpa. Durante su ausencia la embarcación de sus amigos fue asaltada por piratas, que se llevaron a Agriola para regalársela al Gran Turco. La situación de Trineus era aún más desdichada, ya que le abandonaron en un isla, que seguramente era Circe, y se convirtió inmediatamente en perro. Por añadidura, no se transformó en una de las muchas y variedades de la raza canina, sino en un perro de lanas.

Entre tanto Palmerín, que desconocía el destino de sus amigos, fue descubierto en la isla de Calpa por Archidiana, hija del sultán de Babilonia, que le tomó a su servicio, sin permitirle que se marchara. Desde el principio Archidiana sintió una violenta pasión por el bello y joven aventurero, enardecida por la sospecha de que su prima Ardemira también le amaba. Sin embargo, el caballero rechazó testarudamente todo avance amoroso y Ardemisa se tomó tan a mal su negativa que tuvo un derrame y murió poco después de que la comitiva llegase a Babilonia. Al escuchar la noticia, Amaran, el hijo del rey de Frigia, que estaba prometido a Ardemisa, corrió a Babilonia y acusó a Archidiana de su muerte, ofreciéndose a confirmar sus aseveraciones mediante las armas. Palmerín, obligado por el deber, aceptó el reto, mató a Amaran en el duelo y, con ello, se ganó el favor del sultán, al que ayudó en la guerra contra Frigia que se desató poco después. El sultán, animado por su victoria, decidió ensanchar su imperio y envió, con dicho objeto, una gran expedición contra Constantinopla, en la que Palmerín se vio obligado a acompañarle. Pero durante una tempestad que azotó a la flota babilonia, el barco que él mismo capitaneaba fue arrojado a las costas de Alemania. Se dirigió a la capital y en secreto reveló su identidad a Polinarda, con la que pasó algún tiempo.

Pero su corazón estaba apesadumbrado al pensar en el destino de su amigo Trineus y optó por ir en busca del infeliz príncipe. Viajando a través de Europa llegó a la ciudad de Buda, donde se enteró de que Florendos, príncipe de Macedonia, había matado recientemente a Tarisius, su rival amoroso, que pretendía la mano de la princesa Griana, que finalmente se había visto forzada a casarse con Tarisius, obligada por su tiránico padre, el emperador de Constantinopla. A consecuencia de ello, Florendos había sido capturdo por los parientes de Tarisius y, una vez en Constantinopla, había sido condenado a morir en la hoguera junto con Griana, que se creía era cómplice. Palmerín, que no sabía que se trataba de sus padres, al oír la noticia del infortunado destino de ambos, se presentó en Constantinopla para defender su inocencia, venciendo al acusador, un sobrino de Tarisius, y les libró de la tortura. Mientras yacía en la cama, recuperándose de sus heridas, la agradecida Griana le hizo una visita y se dio cuenta, por una señal que el muchacho tenía en la cara y por el relato de su infancia, que tenía que ser su hijo. Al escuchar la historia el emperador recibió muy contento a Palmerín y le nombró su sucesor.

La búsqueda de Trineus

Pero su nueva ascensión al poder no consiguió que Palmerín olvidara la búsqueda de su perdido amigo Trineus. Al cruzar el Mediterráneo fue asaltado por una impresionante multitud de turcos que le hicieron prisionero. Le llevaron al palacio del Gran Turco, donde acertó a liberar a la princesa Agriola del poder del tirano. Tras escaparse, llegó hasta el palacio de una princesa, a la que habían entregado a Trineus como regalo, al que encontraron abandonado y convertido en perro faldero. Esta dama padecía una gran inflamación en la nariz (detalle poco romántico) y le rogó a Palmerín que la acompañara a visitar a Mussabelin, un mago persa, que ella pensaba podría aliviarla de su mal. Pero el mago le informó que sólo se curaría con las flores de un árbol que crecía junto al castillo de los Diez Pasos.

El castillo del que hablaba el mago estaba guardado por artes mágicas. Sin embargo, ese poder amenazador no era dañino para Palmerín, ya que las hadas le habían proporcionado un antídoto contra él. Dirigiéndose al castillo encantado, recogió las flores del árbol curativo y cazó, también, un pájaro encantado, destinado a anunciar la hora de su muerte mediante un chillido ultraterrenal. Después acabó con los encantamientos del castillo y, cuando finalmente se disiparon, Trineus, que les había acompañado, recuperó su forma original.

Las siguientes aventuras de Palmerín son tan parecidas a las ya relatadas que recitarlas sería una labor muy repetitiva. Fue pasando de la corte de un sultán a otra, de encantamiento en encantamiento y de combate en combate. Por último Palmerín y Trineus regresaron a Europa, donde se unieron a sus respectivas señoras.

El clérigo de Cervantes es, quizá, demasiado duro con *Palmerín de Oliva*. «Abramos otro libro que parece ser *Palmerín de Oliva*. ¡Bien, te encontré!», gritó el clérigo. «Toma esto *Oliva;* vamos a cortarte en pedazos y a quemarte, para que las cenizas se esparzan y se dispersen por el aire.» Ello no obstante, hay algunos pasajes brillantes, concretamente los que hemos relatado —granos de arena dorada en un desierto desenfrenado e indisciplinado—, que denotan relámpagos de genio, como los que podemos encontrar en *Zastrozzi, St. Irvyne,* de Shelley, y en otras obras histéricas del Oxford de esa época.

Primaleón

Es indudable el carácter y origen español de *Primaleón,* hijo y sucesor de *Palmerín de Oliva,* que tiene los típicos prejuicios de su época en relación al misterio y al orientalismo y cuyo autor, Francisco Delicado, anunció como traducción del griego. La primera edición se imprimió en España en 1516, seguida poco después de múltiples traducciones. Concretamente la inglesa, realizada por Anthony Munday, fue dedicada a Sir Francis Drake y publicada en 1589. Esta traducción se limitó a la parte del romance que relata las proezas de Polendos, pero Munday completó la historia en las ediciones posteriores de 1595 y 1619. Sin embargo, las aventuras de Polendos son, con mucho, la mejor parte de la obra.

Polendos fue el hijo de la reina de Tarso. Al volver un día de cazar, divisó una pequeña anciana, sentada en las escaleras del palacio, de donde la expulsó con un fuerte y poco galante puntapié. «Tu padre Palmerín no trataba de esta manera a los desafortunados», exclamó, poniéndose en pie. De esta forma se enteró Polendos de los secretos de su nacimiento, dado que era el hijo de Palmerín y de la reina de Tarso. Exaltado por la revelación, ardió en deseos de ser merecedor de su padre y tomó las armas. Marchó a Constantinopla para revelar su identidad a su padre, sorteando varias aventuras durante el camino. Al llegar a la ciudad, no pudo permanecer mucho tiempo, ya que tuvo que correr al rescate de la princesa Francelina, en manos de un gigante y un enano, que la tenían retenida en un castillo encantado. De regreso a Constantinopla, destacó en un torneo que se había celebrado con motivo de los esponsales de una de las hijas del emperador, y Primaleón, auténtico héroe de la historia, hijo de Palmerín y Polinarda, deseoso de emular las hazañas de su medio hermano, fue nombrado caballero y participó en el evento. El resto del romance lo ocupan las aventuras de Palmerín, que mata al hijo de la duquesa de Armedos, que prometió que sólo concedería a su hija en matrimonio al hombre que le trajese la cabeza de Primaleón. Éste había matado, uno por uno, a todos los pretendiente de Gridoina, hija de la duquesa, razón por la que ésta no podía soportar la simple mención de su nombre. Pero una noche Primaleón llegó al castillo y ella, sin saber quién era, se enamoró de él intensamente. El fruto de sus amores fue Platir, cuyas aventuras fueron relatadas por el mismo autor y publicadas en Valladolid en 1533. Pasaremos por alto este insulso romance y prestaremos atención a su sucesor, más entretenido y de mayor interés.

«Palmerín de Inglaterra»

Éste es, quizá, el mejor de la serie. Se pensó que la primera edición española se había perdido, pero se publicó su traducción francesa en Lyon en 1553 y otra italiana en Venecia en 1555. Southey mantiene que nunca hubo un original español de esta historia, que fue escrita por primera vez en portugués. Pero esta hipótesis fue desbaratada por Salva, que descubrió una copia del original español perdido, escrito por Luis Kuxtado [41] y publicada en Toledo en dos partes, una en 1547 y otra en 1548. Southey intentó demostrar en su traducción al inglés de *Palmerín de Inglaterra* que la puesta en escena era una muestra irrefutable de su origen lusitano, una clara y buena ilustración de los peligros y falacias conectadas con ciertos razonamientos. También podríamos alegar, como argumento de igual poder de convicción, que el original era inglés, ya que la mayor parte de su acción se desarrolla dentro de las fronteras de dicha isla, siguiendo el modelo de *Amadís*.

En esta obra contamos con un resumen bibliográfico de los padres del héroe. Don Duardos, o Eduardo, hijo del rey de Inglaterra, contrajo matrimonio con Flerida, hija de Palmerín de Oliva. Mientras cazaba, se perdió en las profundidades de los bosques británicos y buscó protección en un misterioso castillo, en el que fue detenido por una mujer gigante, Eutropa, a cuyo hermano había matado. Pero Dramuziando, su sobrino, hijo del gigante a quien Palmerín había enviado a mejor vida, fue más compasivo que su terrible tía y desarrolló una extraña amistad hacia el cautivo Duardos.

Entre tanto Flerida, alarmada por la ausencia de Duardos, emprendió su busca, acompañada por un gran séquito de sirvientes, y al cruzar el bosque, con la esperanza de encontrarle, dio a luz a dos hijos gemelos, bautizados por el capellán en ese mismo lugar. Apenas había finalizado la ceremonia, un salvaje, un habitante de los bosques, surgió de entre el follaje y, agarrando a los príncipes,

---

[41] Ver Antonio, *Bib. Nov.*, t. II, pág. 44, para mayor información sobre este poeta toledano que tradujo la *Metamorfosis,* de Ovidio.

se los llevó. Nadie se atrevió a detenerlo, ya que le acompañaban dos leones, cuyo tamaño y ferocidad helaron de terror los corazones de los acompañantes de Flerida.

El salvaje se llevó a los niños, que habían sido llamados Palmerín y Florián, a su guarida, donde decidió destinarlos a pasto de los leones. Flerida regresó desconsolada al palacio y envió un mensajero a Constantinopla con la noticia de su triple pérdida. Al recibir su mensaje, Primaleón, junto a un grupo de caballeros griegos, se embarcó hacia Inglaterra, donde averiguó que Duardos estaba en prisión en el castillo de la mujer gigante. Intentaron liberarlo pero cometieron el error, muy común entre la caballería errante, de intentarlo individualmente en lugar de en grupo, y uno a uno fueron presa del gigante Dramuziando que obligaba a combatir a cada enemigo que se aproximaba.

El asilvestrado hombre, que había decidido alimentar a los leones con los reales gemelos, no había contado con el instinto materno de su mujer, dispuesta a salvar a los niños de tan terrible destino. Persuadió a su bárbaro marido de que les dejase vivir y los crió junto con su hijo Selvian. Con el paso del tiempo, los niños aprendieron las artes de la caza y de la talla de la madera. En una de sus excursiones por el bosque Florián se encontró a Sir Pridos, hijo del duque de Gales, quien le llevó consigo a la corte inglesa y se lo presentó a Flerida, su madre. Atraída por el pequeño salvaje, ésta le adoptó y le enseño modales civilizados, llamándole «el Hijo del Desierto».

No hacía mucho tiempo que Florián había desaparecido, cuando Palmerín y Selvian vieron un galeón que había sido arrojado a la costa por una tempestad. Polendos (cuyas anteriores aventuras ya hemos recitado en el romance de Primaleón) desembarcó, acompañado de otros caballeros griegos en busca de Duardos. Palmerín y Selvian les rogaron que les llevaran con ellos a bordo y se hicieron todos a la mar, llegando poco después a Constantinopla, donde fueron llevados ante el emperador, que ignoraba, evidentemente, el origen de Palmerín, pero conocía su rango, gracias a unas cartas que le había enviado una tal Dama de los Baños, que actuaba como genio protector del héroe. El emperador, impresionado por la presentación, armó al joven caballero, el cual tuvo el privilegio de que Polinarda, la hija del emperador, le ciñera la espada a la cintura. Durante la estancia de Palmerín en Constantinopla tuvo lugar un torneo, en el que se distinguieron tanto Palmerín como un extraño caballero que portaba en su estandarte un salvaje acompañado de dos leones. El extranjero se marchó de incógnito pero fue posteriormente descubierto por Florián, que por aquel entonces era conocido como «el Caballero de la Selva».

Palmerín fue una víctima fácil de los encantos de Polinarda, pero su apasionada naturaleza, potenciada, posiblemente, por su crianza asilvestrada, ofendió a la cortés dama, que le prohibió presentarse ante ella. Desesperado por semejante frialdad, abandonó la capital de Grecia y viajó a Inglaterra con el sobrenombre de «caballero de la Fortuna», llevándose a Selvian como su escudero. De camino se topó con un rosario de aventuras, de las que salió airoso, llegando, por fin, a las tierras de su abuelo. Al cruzar el bosque donde había habitado con su padre adoptivo, se lo encontró cara a cara y le narró todas sus aventuras. Después se apresuró y se dirigió a un castillo en los alrededores de Londres, cuyo alcaide le rogó que luchase por él contra «el Caballero de la Selva», que había matado a su hijo. Al llegar a Londres desafió a Florián, pero intervino la princesa Flerida, prohibiendo el combate, ya que, como Palmerín había vencido, finalmente, a Dramuziando y liberado a Duardos, Doliarte, un mago, reveló la identidad de los gemelos, cosa que confirmó su salvaje padre adoptivo.

El castillo de Almaurol

Instigados por el amor a la aventura, Florián y Palmerín desdeñaron una cómoda vida en la corte, para lanzarse a viajar. No podemos seguir aquí las constantes aventuras en las que se vieron envueltos, pero algunas de ellas, sobre todo la de Palmerín en la isla de Perilous, están entre las más interesantes y atractivas de la serie. En muchos de sus pasajes parece vencer la inclinación amistosa del gigante Dramuziando, pero su tía, la vengativa Eutropa, continuó albergando un terrible odio hacia toda la familia de Palmerín e ideó continuamente todo tipo de maquinaciones contra ellos. Afortunadamente, el mago Doliarte recurrió a toda su habilidad para enfrentarse a ella. La escena principal de la aventura se desarrolla en el castillo de Almaurol, custodiado por un gigante, y en el que habitaba la bella, aunque soberbia, Miraguarda, cuya figura estaba dibujada en un escudo que colgaba a la entrada del castillo. Varios caballeros, enamorados de la dama, defendían el escudo y, cuando llegaba otro paladín y ensalzaba sus encantos, le presentaban batalla. Entre las víctimas de la bella Miraguarda se encontraba el gigante Dramuziando. Un día en que éste custodiaba el dibujo, apareció Alhayzar, sultán de Babilonia, y lo robó, ya que su dama, Targiana, hija del rey turco, le había exigido que se lo trajera como trofeo y muestra de su valor.

El escritor del romance cree necesario, en este punto del relato, trasladar a su héroes a Constantinopla para desposarlos con sus respectivas damas. Palmerín se unió a Polisarda y su hermano Florián a Leonarda, reina de Tracia, de modo que los amantes consiguieron su feliz propósito. Sin embargo, los esponsales no determinaron en modo alguno la finalización del romance, ya que las cosas se complicaron por la pasión de la hija del Gran Turco por el recién casado Florián. Este joven príncipe se tomó la libertad de fugarse con Targiana, en la época en que vivió en la corte de su padre, y, aunque ella estaba ahora casada con Alhayzar, sultán de Babilonia y ladrón de cuadros, seguía sintiendo una poderosa atracción por su primer amante, mezclada con un gran resentimiento, ya que éste se había alejado de ella para casarse con la reina de Tracia. Para acallar sus celos, recurrió a la magia contra esta última, que, mientas tomaba el aire en los jardines de su palacio, fue atrapada por dos descomunales grifos y trasladada a un castillo mágico, en el que fue convertida en una enorme serpiente. Su desconsolado marido encontró en la hazaña de su rescate una aventura muy de su gusto y, tras consultar al mago Doliarte, descubrió el lugar en que su esposa estaba prisionera y pudo liberarla del encantamiento.

152

Pero su acción ofendió gravemente al orgulloso Alhayzar, que decidió vengar la afrenta inflingida a su esposa, pidiendo al emperador de Constantinopla que le entregase a Florián. Éste se negó, por lo que Alhayzar invadió los dominios de Grecia con un ejército de doscientos mil hombres, reclutados en todo su reino y en los de los sátrapas orientales. Se sucedieron tres sangrientas batallas y Alhayzar fue muerto en una de ellas, quedando todas las fuerzas paganas aniquiladas.

El elogio de Cervantes

Cervantes escribió un extravagante elogio sobre este romance. «Este *Palmerín de Inglaterra*», dijo, «debe ser guardado y conservado como cosa única, hagamos un cofre como el que encontró Alejandro en las ruinas de Darius... Este libro es valioso por dos razones: una, porque es bueno en sí mismo, y la otra, porque fue escrito por un sabio rey de Portugal. Las aventuras del castillo de Miraguarda son excelentes y han sido manejadas con gran habilidad; los discursos son corteses y claros y se preserva el decoro del que habla de forma apropiada y juiciosa. Por tanto, maese Nicolás, salvemos del fuego este libro y el de *Amadís de Gaula* y destruyamos todos los restantes.»

Maestro Cervantes, yo disiento totalmente con usted en lo que a este tema se refiere. Aunque *Palmerín de Inglaterra* sea el mejor de su serie, no se lleva por ello la medalla de honor tan fácilmente. De hecho sus méritos no trascienden los de su género y sus fallos tampoco. ¿No será que, como buen español que es, lo ensalza por creerlo obra de un rey? ¿No desciende usted a la categoría de un crítico periodístico, al condenar a la extinción romances que no ha leído? Es más, ¿como caballero castellano, está usted de acuerdo con el trato desdeñoso que da el autor al tierno sexo femenino que inspiró a todos los romances? Ningún buen caballero, ningún buen hombre, podría haber escrito tantas estupideces relativas a la envidia, la volubilidad y la falta de sentido de las mujeres. Más aún, el autor las convierte en marionetas que se mueven al impulso del cordel. Le agradezco, sin embargo, una cosa: el carácter del mago Doliarte, un sabio que habita en el valle de la Perdición, abandonado a la contemplación de los misterios de la vida. Hay otra gran cosa que tengo que agradecerle: el colorido de lo maravilloso, la magia contagiosa que insufla a la obra. Si su hechizo le transporta al bosque de las hadas y le impide ver sus fallos, queda usted excusado por ver sólo el brillo externo del arco íris y por negarse a posar sus encantados ojos en sus deméritos.

Capítulo VI

LOS ROMANCES CATALANES

Romances de una costa de amores y vino
que nos traen el eco de espadas aventureras,
murmullo del ingenio oscuro del nigromante
y lengua que invoca los espíritus de curiosas palabras.

EL genio literario de Cataluña es incuestionablemente lírico, como corresponde a una región tan felizmente dotada por la naturaleza, cubierta de un manto púrpura de viñedos y lamida por la bella calma de un mar de ensueño. La épica tiene su cuna en zonas áridas, barridas por el viento, en las que el aire enardece el alma del hombre, animándole a fieras batallas e impregnando su memoria del clamor de la guerra. Sin embargo, en las playas resguardadas, maduradas al sol y pintadas con los colores de la abundancia, la música suave y soñadora imita el sonido de los céfiros que acarician, como espíritus melodiosos, los viñedos y los huertos. Esta provincia de trovadores no carece de leyendas y de empresas caballerescas y, de hecho, generó dos romances tan intrínsecamente meritorios que ocupan una posición inexpugnable en la literatura de la Península.

Partenopex de Blois

Este romance de fina y extremada belleza fue escrito en el dialecto catalán del siglo XIII e impreso en Tarragona en 1488. Es muy probable que el cuento fuese originariamente francés, pero no es una mera traducción y el tratamiento que ha recibido en sus ulteriores adaptaciones fue totalmente catalán, como *El Cid* es castellano. Ésta es la historia del caballero Partenopex.

A la muerte del emperador Julián de Grecia heredó el trono su hija Melior, una dama de extraordinario talento, que, además, poseía un conocimiento profundo de las ciencias ocultas. A pesar de ello, sus consejeros no consideraron apropiado que reinase en solitario, insistiendo en que debía elegir un marido. Le concedieron un plazo de dos años para seleccionar al consorte conveniente. Con el fin de encontrar un partido de rango acorde al suyo, envió embajadores a las principales cortes europeas, pidiéndoles que averiguaran con diligencia las credenciales de todos los príncipes disponibles.

Por aquellas fechas vivía en Francia un hermosos joven, gran promesa en el terreno de las armas, llamado Partenopex de Blois, sobrino del rey de París. Siguiendo la comitiva de su tío durante una jornada de caza, en los verdes bosques de las Ardenas, se separó del resto del grupo y se perdió. Se vio forzado a pasar la noche en el bosque y al despertar al amanecer llegó hasta la costa, cuando iba en busca de sus parientes. Para su sorpresa, divisó un espléndido barco anclado junto a tierra firme. Con la esperanza de que su tripulación pudiese indicarle el camino de regreso, subió a bordo de la embarcación, encontrándola desierta. Cuando estaba a punto de abandonarla, la nave empezó a moverse, ganando cada vez más velocidad. Surcaba las aguas con tal rapidez que era imposible saltar. Tras un breve viaje, Partenopex se encontró en la bahía de un maravilloso país.

El joven desembarcó y caminó hacia su interior, llegando al poco tiempo a las murallas de un castillo. Entró y, para su sorpresa, lo encontró tan desierto como el barco que le había llevado hasta allí. La habitación principal estaba iluminada por el resplandor de cientos de diamantes y el joven caballero que, a esas alturas estaba ya hambriento, se alegró de ver frente a sí una mesa repleta de exquisiteces. Pronto advirtió el carácter mágico del castillo, ya que las golosinas que cubrían la mesa se desplazaban solas hacia su boca y, además, después de haberse saciado, apareció una antorcha encendida, como si estuviese suspendida en el aire, que le precedió hasta el dormitorio, en el que le desnudaron manos invisibles.

Mientras estaba tendido en la cama, pensando en la extraordinaria aventura en la que se había visto envuelto, una dama entró en la habitación y se presentó. Era Melior, la emperatriz de Grecia. Le contó que se había enamorado de él, por lo que le habían contado sus embajadores y había decidido traerle hasta ella, utilizando sus poderes mágicos. Le rogó que se quedase en el castillo, pero le advirtió que, si intentaba verla antes de que pasasen dos años, perdería su amor. Después se marchó, entrando Uracla, hermana de la emperatriz, que le traía una espléndida armadura.

El castillo misterioso

Partenopex descubrió grandes diversiones en el misterioso castillo de Melior, ya que en los extensos terrenos que le rodeaban podía dedicarse a la caza, y por las noches le acompañaba la música de instrumentistas invisibles. Se le ofreció todo lo posible y lo imposible para que tuviese una estancia placentera y memorable. Sin embargo, durante su deliciosa estancia se enteró de que su país había sido atacado por un ejército enemigo. Entonces le comunicó a su invisible señora su deseo de partir a luchar por su tierra, lo que ella permitió, poniendo a su disposición la nave encantada, con la que llegó rápidamente a las costas de Francia.

Partenopex emprendió, todo lo deprisa que pudo, el camino hacia París para poner su espada al servicio del rey, cuando de pronto vio a un caballero que, por sus modales, le instaba al combate. Después de la lucha Partenopex descubrió que su oponente no era otro que Gaudín, el amante de Uracla, la hermana de Melior, y ambos pasaron de odiarse a ser íntimos camaradas y cabalgaron juntos hasta la corte de París.

Poco después de su regreso a la capital, Partenopex fue presentado a lady Angelica, sobrina del Papa, que se enamoró de él de inmediato. Animada por la creencia de que en el amor todo es válido, interceptó las cartas de Melior, enterándose de la pasión que su amado sentía por la emperatriz de Constantinopla. Acercándose a un ermitaño muy santo, le pidió que se reuniese con Partenopex y le desvelase que su amada era un demonio de las tinieblas, tan alejada del bien que, incluso, poseía los rasgos externos de un diablo, como por ejemplo, cola de serpiente, piel negra, ojos blancos y dientes rojos. Partenopex se negó tozudamente a creer esta historia, pero, cuando las hostilidades llegaron a su fin y regresó al castillo encantado, el relato del ermitaño seguía dándole vueltas en la cabeza y decidió comprobar su autenticidad, ya que sólo había visto a Melior de noche.

Una noche fatal, mientras todo el castillo estaba sumergido en el sueño, el joven caballero cogió una lámpara y dirigió sus pasos hacia la habitación en la que sabía que dormía Melior. Entró suavemente y enfocó la luz hacia el cuerpo de su dama durmiente, y, cuando contempló su cálida belleza, supo que todo había sido una calumnia. Pero, desafortunadamente, mientras la miraba, cayó una gota de aceite sobre su pecho, y ella se despertó. Estaba tan furiosa, porque él había roto su promesa, que hubiese matado a su infortunado amante en el acto si no se lo hubiese impedido Uracla, que entró al oír las exclamaciones de ira de su hermana. Por fin, la emperatriz le permitió marchar.

El desdichado Partenopex abandonó el castillo a toda prisa y llegó, de nuevo, a los verdes bosques de las Ardenas, donde decidió morir luchando con las bestias salvajes que poblaban sus umbrosos parajes. Pero, aunque éstas devoraron su caballo, no parecieron dispuestas a comerse al caballero. Uracla, que estaba buscándole por el lugar, oyó los relinchos de caballo y, acercándose, indujo al caballero a acompañarla hasta el castillo de Tenedos, para esperar una actitud más complaciente por parte de su hermana. Cuando volvió a ver a la iracunda emperatriz, logró convencerla de que anularía su decreto y le concedería su mano, si lograba salir victorioso en un torneo que estaba a punto de proclamarse.

Se hicieron todos los preparativos rápidamente, mientras Partenopex esperaba el día en Tenedos, el castillo de Uracla. Pero no se le permitía vivir en paz, ya que Parseis, una de las damas de Uracla, se enamoró de él apasionadamente, confesándoselo durante una corta travesía en barco. Partenopex estaba a punto de protestar, cuando una terrible tempestad sacudió la nave, yendo ambos a parar a las costas de Siria. A su llegada fueron atrapados por las gentes de dicho país que llevaron al caballero ante su rey, Hermon, que le encarceló.

Partenopex se entristeció al enterarse que Hermon y otros caballeros habían partido a Constantinopla para participar en el torneo de Melior, mientras él se veía obligado a permanecer en esa vil prisión, renunciando a toda esperanza de recuperar el afecto de su dama mediante las armas.

Pero Partenopex logró que la reina se interesase por sus cuitas y le ayudase a escapar de la cárcel siria. Llegó a Constantinopla justo a tiempo de participar en el torneo. Sus oponentes eran muchos y poderosos, siendo el más peligroso el sultán de Persia, pero al final consiguió vencerlos a todos. Cuando pidió que se le permitiese reclamar su recompensa, fue recibido por Melior que se mostraba feliz y ya le había perdonado.

El estilo de Partenopex

El romance de Partenopex es, sin duda, de la misma categoría que el de Cupido y Psyche y Melusina, en los que un esposo no puede contemplar al otro, so pena de perderlo. La pérdida se produce invariablemente, pero la justicia poética demanda, por lo general, que tenga lugar la recuperación después de innumerables avatares. Con frecuencia, el marido o la esposa toman la forma de una bestia o de un reptil, como en el antiguo romance de *Melusina,* al que *Partenopex* se asemeja mucho. Pero en la historia que hemos estado viendo, la forma de semirreptil que se le atribuye a la heroína es una farsa creada por una rival celosa, y esto supone una variante a tener en cuenta con respecto a la forma original de la leyenda, demostrando la aparición de ideas más modernas y la hábil adaptación de una versión antigua a una ficción más a gusto del autor. El cuento de *Partenopex de Blois* merece que los folcloristas le dediquen un estudio más profundo del que ha recibido hasta ahora, y espero que lo lean tanto en su versión catalana como en la francesa, para tener así una visión más amplia.

Tirante el Blanco

El antiguo gran cuento *Tirante el Blanco* fue obra de dos autores catalanes, Juan Martorell y Juan de Gilha, que completó la obra del primero. Martorell asegura que él tradujo el romance del inglés y, desde luego, parece que algunas partes de la obra imitan o tienen la influencia del antiguo romance inglés *Sir Guy de Warwick*. Sin embargo, no puedo distinguir signo alguno de traducción directa y me inclino a pensar que el autor lo hace con el refinado objeto, tan empleado por los escritores de romances de la vieja España, de dar más misterio a su obra o de salvaguardarse de las despiadadas críticas que parecieron invadir la Península, en una época en que poco menos que todo el mundo estaba enloquecido por las *bellas letras*. El romance se imprimió por primera vez en Valencia en 1490. Hace referencia a las islas Canarias, que fueron descubiertas en 1326 y no se conocieron bien en España hasta el comienzos del siglo XV, por lo que se justifica el pensar que la composición de la obra se realizó alrededor de esas fechas, y, sobre todo, porque hace alusión al libro de caballerías titulado *L'Arbre des Batailles,* que no fue publicado hasta 1390. El libro se tradujo al castellano y se publicó en Valladolid en 1511, y más tarde lo tradujeron al italiano y al francés Manfredi y el conde de Caylus, respectivamente, pero el último mutiló espantosamente el original, alterando sustancialmente su trama principal, al igual que muchos de sus pormenores, trasladándolo a una atmósfera que no existe en la obra de Martorell.

Con ocasión del matrimonio de un rey de Inglaterra con una bella e inteligente princesa francesa, se desplegaron todo tipo de esfuerzos para significar la unión, coronados por un espléndido torneo. Tirante, un joven caballero de Bretaña, se enteró del evento y decidió participar, embarcándose hacia Inglaterra con otros jóvenes compañeros que tenían el mismo propósito. Al arribar a Inglaterra se dirigieron a Windsor, pero las fatigas del viaje sumieron a Tirante en un profundo sueño, mecido por el trote de su debilitado caballo.

No es por ello de extrañar que se separase de sus camaradas y que, al despertar, se encontrase solo en un ancho camino. Espoleando a su corcel, cabalgó unas cuantas millas, pero sintiendo la necesidad de descansar y de refrescarse hizo una parada, atraído por la visión de un humilde albergue, que creyó una ermita, a una cierta distancia del camino y casi oculto entre las hojas de los árboles. Desmontó, entró en el lugar y se encontró a un hombre vestido de ermitaño, cuyo disfraz, sin embargo, no engañó al perspicaz caballero. Por ello, Tirante no se sorprendió al descubrir que el hombre estaba leyendo la obra llamada *L'Arbre des Batailles,* que enseña las artes y preceptos de la práctica de la caballería.

El conde ermitaño

De hecho, el ermitaño no era otro que Guillermo, conde de Warwick, un famoso paladín que, cansado de las frivolidades de la corte, había ido en peregrinaje a Jerusalén. Al llegar al Santo Sepulcro, vio ante sus ojos la imagen de su muerte, y regresó a Inglaterra disfrazado de peregrino, recluyéndose en la ermita en que le había descubierto Tirante, cercana al castillo en el que habitaba su esposa, la condesa. Pero su destino no le deparaba un retiro muy largo, ya que cuando el rey de las islas Canarias desembarcó en Inglaterra con un formidable ejército, el conde tomó las armas de nuevo, al ver la profunda consternación que ocasionaba tal invasión. Sin embargo, el avance de los extranjeros fue tan veloz, que el rey de Inglaterra tuvo que abandonar Canterbury y Londres, para refugiarse en la torre de Warwick, en la que fue sitiado por las fuerzas canarias. El conde corrió en su ayuda, mató al rey de Canarias en un combate mano a mano y dispersó a sus tropas tras un ardiente combate. Una vez hecho esto, le reveló su identidad a la condesa y se retiró de nuevo a su ermita. Todos estos detalles se asemejan en cierta medida a los del viejo romance de *Sir Guy de Warwick*.

Tirante se dio a conocer al ermitaño, contándole que debía su nombre a su padre, señor de las tierras de Tirraine, situadas en Francia en la parte opuesta a las costas inglesas, y que su madre era la hija del duque de Bretaña. Le comentó también su intención de tomar parte en el torneo que se celebraría con ocasión de la boda real, con lo cual el conde le recitó un capítulo del libro que estaba leyendo, que hacía referencia a todos los deberes de un caballero, seguido por la lectura de otro capítulo relativo al manejo de las armas y las hazañas de los antiguos paladines. Al finalizar, se percató de que se había hecho tarde y que sería mejor que Tirante se apresurase a continuar su viaje, ya que no conocía bien el camino. Animó al joven caballero a aceptar el libro y se despidió de él.

Pasaron doce meses y Tirante, que había demostrado su superioridad en el combate, regresaba de la corte con algunos de sus compañeros, cuando pasó una vez más ante el retiro del conde y se detuvo para saludarle. Éste, interesado por la marcha del torneo, preguntó quién había destacado, a lo que le respondieron que Tirante había obtenido el premio. Un caballero francés, llamado Villermes, que luchaba en nombre de la bella Agnes, hija del duque de Berri, alegando cansancio, le desafió a un combate mortal en el que deberían luchar con escudos de papel y cascos de flores. Tirante mató a Villermes en el encuentro y, tras recuperarse de las once heridas que recibió, mató a otros cuatro caballeros, que resultaron ser los reyes de Polonia y Frisia y los duques de Borgoña y Baviera. Entonces llegó a Inglaterra un súbdito del rey de Frisia, descendiente de una raza de gigantes y afortunado poseedor del nombre de Kyrie Eleison, o «el Señor tenga piedad de nosotros», para vengar la muerte de su señor. Sin embargo, al visitar la tumba de su señor, murió de pena al ver las armas de Tirante suspendidas sobre el estandarte del rey de Frisia. Le sustituyó su hermano, Tomás de Montauban, aún más gigantesco, que, a pesar de ello, fue vencido por el joven caballero bretón y forzado a suplicar por su vida.

Tras haber presentado sus respetos al ermitaño, Tirante regresó a su Bretaña natal, pero había pasado sólo unos pocos días en el castillo de sus padres, cuando llegó un mensajero con la noticia de que los caballeros de Rodas habían sido cercados por el sultán de El Cairo. Tirante corrió al rescate de la isla, acompañado por Felipe, el hijo pequeño del rey de Francia, y en el transcurso del viaje ancló en las costas de Palermo, donde descansó unos días. Cuando llegó por fin a Rodas, los sitiadores emprendieron la retirada y, tras librar a la isla de su presencia, Tirante marchó con sus hombres hacia Sicilia, donde el príncipe Felipe desposó a la princesa de dicha isla.

Pero apenas finalizados los festejos de la boda, llegó un heraldo del emperador de Constantinopla con el perturbador mensaje de que las tierras de su señor habían sido invadidas por el Gran Turco y el sultán de los moros. Una vez más, el honor de la caballería reclamaba que las tierras cristianas fueran liberadas de las garras paganas y Tirante, poniendo rumbo a Constantinopla, se puso, a su llegada, al frente de todas las fuerzas helenas. Gran parte del romance describe los detalles de la guerra contra los turcos, que fueron, invariablemente, derrotados batalla tras batalla, de forma que, finalmente, pidieron una tregua. Les fue concedida, destinándose el intervalo de paz que siguió a festivales y torneos.

A esta altura de los acontecimientos llegó a Constantinopla, en busca de su hermano, el famoso rey Arturo de Bretaña, nada menos que Urganda. El emperador, buscando entre los múltiples prisioneros de sus calabozos, encontró al héroe de los héroes encerrado en una jaula de hierro, muy avejentado y en estado de extrema debilidad. Al recuperar su vieja espada, la buena Excalibur, el desgraciado monarca pudo contestar a las preguntas que le hicieron. Pero cuando le retiraron la espada de la mano, cayó en un profundo estado de infantilismo senil. Tras ofrecer una fantástica cena, Urganda desapareció con su anciano hermano, sin que nadie supiera hacia dónde se dirigían.

Hasta ese momento, Tirante se había mantenido felizmente libre de compromisos amorosos, pero, al final, cayó víctima de los brillantes ojos de la princesa Carmesina, hija del emperador. Su relación fue muy pacífica, hasta que, Reposada, una de las damas de la princesa, se enamoró apasionadamente del joven caballero, logrando suscitar sus celos mediante una burda estratagema. Éste, ofendido por lo que él consideraba una vileza de su señora, marchó de nuevo a la guerra sin despedirse de ella. La embarcación que le transportaba fue sorprendida por una violenta tempestad que les arrojó a las costas de África, donde Tirante se encontró al embajador del rey Tormecen, que le llevó a la corte para presentarlo a su señor, al que ayudó en todas las guerras en que el monarca estaba implicado. En una ocasión, durante el asedio de la ciudad de Montagata, una mujer salió a la puerta a suplicarle la paz en nombre de sus habitantes. Para su sorpresa, se trataba de una sirvienta de la princesa Carmesina, que le contó la verdad sobre la treta de la perversa Reposada. Levantó el cerco de inmediato y regresó a Constantinopla a la cabeza de un enorme ejército para socorrer al emperador. Allí impidió la retirada de las fuerzas del sultán, incendiando la flota turca y asegurándose una paz ventajosa.

Se hicieron los espléndidos preparativos de la boda de Tirante y Carmesina, pero durante su retorno a Constantinopla, a un día de la ciudad, y tras la conclusión del tratado, recibió órdenes de esperar a que finalizasen los preparativos antes de entrar en Constantinopla. Mientras paseaba con los reyes de Etiopía, Fez y Sicilia a la orilla del río, enfermó de pleuresía y, a pesar de todos los esfuerzos de sus ayudantes, murió poco después. Al enterarse de la noticia, el emperador y la princesa, no pudiendo soportar la pena, murieron también.

Por fin hemos encontrado un romance que no acaba felizmente. No sabemos cómo recibió el público español este final, al menos debieron quedarse impresionados por su originalidad. El hecho de que Cervantes colmara a *Tirante el Blanco* de alabanzas es una muestra de que fue un favorito del pueblo. Al reunir todos los romances, nos dice: «Cayó uno a los pies del barbero, que se agachó a ver cuál era, descubriendo que se trataba de *Tirante el Blanco*. "¡Dios nos libre!", exclamó el sacerdote, "¿está ahí *Tiran-*

164

te el Blanco?, dámelo, es un tesoro de delicias y una mina de diversiones." Después aconsejó al ama que se lo llevase a casa y que lo leyese. Aunque el autor merece ser enviado a galeras por escribir en serio tantas locuras, es, a su modo, el mejor libro del mundo. En él los caballeros comen, duermen y mueren en la cama, haciendo testamento antes de morir, todas ellas cosas que brillan por su ausencia en los otros libros de este género.»

¿No es ésta la esencia de la revolución contra los absurdos antinaturales que tan frecuentemente caracterizan al romance, expresada sucintamente por el hombre que encabezó la sublevación?

Capítulo VII

RODRIGO, EL ÚLTIMO REY GODO

Anoche era rey de España, hoy ya no soy rey.
Anoche mi séquito ocupaba bellos castillos, hoy ¿dónde yaceré?
Anoche era servido por cientos de pajes arrodillados ante mí,
Hoy a ninguno de ellos puedo llamar mío, ninguno me pertenece.

LOCKHART, *Baladas Españolas*

L A trágica y tumultuosa historia que nos relata el modo en
que España cayó en manos de los moros es, ciertamente,
un tema que merece ser tratado por las máximas autoridades en la materia. Sin embargo, no hay ninguna obra épica relativa
al tema, quizá porque ofende el orgullo nacional, o bien porque no
es acorde al temperamento castellano. Pocos pasajes de la historia
ofrecen una oportunidad de describir en profundidad las pasiones
humanas como este episodio, resultado de la traición de todo un
pueblo para satisfacer un agravio privado. La catástrofe fue la misma que movió a Esquilo a componer el conmovedor y majestuoso
drama de *Electra.* Sin embargo, no tuvo más repercusión que un
aburrido pergamino de las crónicas españolas y el pedestre poema
de Southey, *Rodrigo, el último Rey Godo,* inspirado en una seudohistoria de los acontecimientos [42].

---

[42] A menos que exceptuemos el *Anseis de Carthage:* un romance que atribuye la caída de España a un hijo de Carlomagno, que actúa al igual que don Rodrigo. La obra está en francés.

Antes de examinar el material romántico contenido en *La Crónica de Don Rodrigo y la Destrucción de España,* sería bueno hacer un resumen de la caída del imperio godo en España, con ayuda del material, más o menos preciso, con el que contamos. Este material está recogido en *La Crónica General de España* y en las páginas de los historiadores moros. Los hechos relacionados con el incidente fueron, probablemente, los siguientes:

Durante el período de los asentamientos de árabes mahometanos en Mauritania, sus flotas saquearon frecuentemente las costas de Andalucía, nombre por el que conocían a toda la Península Ibérica. Así nació una gran enemistad entre los godos españoles y los árabes, basada, no sólo en la diferencia de religiones, sino también en el hecho de que la plaza de Ceuta estaba todavía en manos de los godos. Este puesto del imperio godo estaba bajo la vigilancia del valeroso conde Julián, un experimentado guerrero, que mantenía la fortaleza contra viento y marea.

El gobernante en España por aquellas fechas era don Rodrigo, que no pareció llegar al trono por derecho sucesorio. Witiza, su antecesor, mató al padre de Rodrigo, el gobernador de la provincia, y bien por venganza o por pura ambición Rodrigo consiguió asegurarse la corona, frente a las pretensiones de los dos hijos de Witiza. Pero la monarquía goda en España era electiva y puede ser que Rodrigo fuese elevado al trono legalmente por el sufragio de los nobles. Es probable que el conde Julián fuese miembro de la facción vencida que apoyaba a los hijos de Witiza, y que se aliase con los enemigos moros para que le ayudasen a destronarlo por la fuerza de las armas.

Pero la tradición, correcta o incorrectamente, se niega a aceptar que la deslealtad del conde Julián se debiese a esta fría circunstancia política y ofrece una explicación mucho más romántica para justificar su traición. Según parece, Rodrigo era un gobernador escandaloso y de mal carácter. Albergó una violenta pasión por Cava, la hija pequeña del conde Julián, a la que raptó y deshonró. Ciego de ira y de desesperación por el acto de Rodrigo, el conde Julián decidió emprender una terrible venganza y, no contento con gobernar la fortaleza que tanto tiempo había mantenido frente al poderoso enemigo, le sugirió a Musa, el rey moro, que invadiera España, acoplándose de tal manera a los infieles que adoptó su religión y sus costumbres. Le informó a Musa de los recursos naturales de su tierra natal, haciendo hincapié en su estado de confusión e indefensión, en la desprotección de las ciudades y en el carácter degenerado y afeminado de sus guerreros. Musa vio que tenía una buena oportunidad de ampliar sus dominios y envió un embajador a Walid, el Califa, su soberano, pidiéndole su opinión respecto a la empresa. Walid le animó a seguir adelante. Pero Musa, aun siendo valiente y decidido, era también prudente y cauteloso, y en vez de lanzarse al frente de un gran ejército contra un país cuyas defensas no conocía aún muy bien, se contentó, en primera instancia, con atacar, en el mes de julio del año 710 d.C., las costas españolas para comprobar la calidad de sus defensores. La expedición estaba formada por quinientos hombres únicamente y desembarcó en Tarifa, para caminar luego unas seis leguas tierra adentro hasta el castillo de Julián, donde le esperaron los descontentos secuaces del noble, que no ofrecieron oposición alguna, con lo que Musa regresó a África con un abundante botín.

Envalentonados por el éxito de su primera empresa, los sarracenos reunieron un ejército de cinco mil hombres y desembarcaron en suelo español, en la primavera de año 711, al mando de un tal Tarik, en un lugar que todavía conserva el nombre de su invasor: Gibraltar, Gebel al Tarik, que significa la Montaña de Tarik. Pronto derrotaron a las fuerzas españolas al mando de Edeco, y Rodrigo, percatándose del peligro que amenazaba su trono, reunió a todos sus vasallos bajo su bandera, que según dicen eran unos cien mil. Tarik, que había recibido refuerzos, no pudo, sin embargo, contar con más de doce mil soldados de raza mora, aunque también se le unieron un grupo de africanos y los godos descontentos. Los ejércitos se encontraron en Cádiz, capitaneando el propio Rodrigo las tropas godas. Iba reclinado en un carruaje tirado por mulas blancas y ataviado con un manto de seda resplandeciente de bordados de oro. Los godos vencieron por su superioridad numérica, matando a dieciséis mil moros en el primer encuentro. Pero Tarik animó a sus tropas, diciéndoles que la retirada no era posible. «Tenemos al enemigo delante», dijo, «y el mar detrás. ¿Hacia dónde podemos huir? O aplasto al rey de los romanos o perezco.»

El destino de Rodrigo

Pero los moros recibieron una ayuda imprevista, ya que los dos hijos de Witiza, que ocupaban importantes puestos en el ejército español, se separaron del cuerpo del ejército. Cundió el pánico y Rodrigo, montado en su caballo «Orelia», se ahogó al intentar cruzar a nado el río Guadalquivir, tras haber dejado su corona y su manto a orillas del río. Instigado por el conde Julián, Tarik llegó hasta Toledo, que resistió tres meses, y envió un grupo de fuerzas a reducir el reino de Granada. Ambas ciudades se rindieron, tras obtener la promesa de Tarik de que permitiría que sus habitantes huyeran con todas sus pertenencias, cosa que cumplió fielmente. Los judíos, que ayudaron en gran medida a los invasores paganos, formalizaron una alianza con ellos que duró hasta que, finalmente, ambos fueron expulsados del territorio español. Tarik amplió desde Toledo sus conquistas a los reinos de Castilla y León, llegando por el Norte hasta la torre de Gijón en Asturias, siguiendo su conquista hacia el golfo de Vizcaya. En pocos meses casi toda España se había convertido en una provincia mahometana y sólo pudo huir un puñado de godos que se hicieron fuertes en los valles de Asturias para combatir a los moros.

Dejemos ahora los senderos de la historia para adentrarnos en aquellos más pintorescos y más inciertos del romance. Las crónicas nos cuentan que Rodrigo huyó cobardemente y que la invasión mora, instigada por Julián, estalló como un trueno sobre el poco escrupuloso gobernante. Tanto la lucha contra los moros, como la huida de Rodrigo son pintadas con tintes oscuros. Pero la leyenda popular se niega a aceptar la muerte de Rodrigo, al igual que se niega a dar crédito a la muerte de Arturo en Camelot, la de Jaime IV de Escocia en Flodden Field o la de Harold en Hastings. Los sentimientos raciales se niegan a admitir la muerte de un líder popular. ¿No siguen vivas en nuestros días leyendas como la del llorado lord Kitchener?

La tradición nos cuenta que, cuando Rodrigo estaba a punto de arrojarse a las aguas del Guadalquivir se le apareció una luz divina y una voz secreta le animó a arrepentirse de sus pecados y de su vida. Siguiendo las instrucciones de su consejero interior, se despojó de sus ropajes reales y, tomando las ropas de un humilde campesino muerto, se escabulló. Huyó toda la noche, perseguido por horribles visiones del mal que se avecinaba. Veía las nefastas consecuencias de su derrota por todas partes. Tras pasar por territorios asolados por la ruina y la miseria, que le atenazaban el corazón, llegó, por fin, tras siete días de viaje, al monasterio de Canlin, a orillas del río Ana, cerca de Minda. El lugar estaba desierto, pero el fugitivo se arrojó a los pies del altar para rezar mientras esperaba su suerte, ya que estaba seguro de que antes o después los infieles le encontrarían y le matarían. Llenó las lamparillas de aceite y dejó encendida sólo la llama sagrada, girándose de cuando en cuando para comprobar si se aproximaban los sarracenos. Se tumbó a los pies del crucifijo, agarrándose a los pies de la imagen del Redentor y llorando heladas lágrimas de penitencia. Mientras estaba en esa postura de humillación, oyó que alguien entraba en la capilla y cerró los ojos con la esperanza de que la cimitarra del soldado moro le matase rápidamente, pero, para su sorpresa, contempló a un monje, que se dirigió amablemente a él y le explicó que había regresado al lugar que había llamado su casa durante muchos años, esperando morir a manos de algún infiel y ganando, de ese modo, la corona del martirio.

Rodrigo le reveló su nombre y el monje, profundamente impresionado por el tono de penitencia de su voz, se arrodilló junto al apesadumbrado monarca y le atendió durante toda la noche. El monje le aseguró que debía vivir y luchar por su salvación, por lo que al día siguiente el anciano clérigo y aquel que el día antes había sido el orgulloso rey de la cristiandad dejaron la capilla y siguieron su camino.

El monje condujo al rey destronado a una ermita donde le aconsejó que permaneciese todo el tiempo que fuese necesario para rezar a Dios. «En lo que a mí respecta», dijo, «dejaré este mundo dentro de tres días y tú debes enterrarme, coger mis ropas y permanecer aquí, por lo menos un año, pasando hambre, frío y sed por amor a Dios, que tendrá compasión de ti.»

Tal y como profetizó, al tercer día el ermitaño expiró. Profundamente apenado por su muerte, Rodrigo se dedicó a cumplir sus últimos deseos y cavó una fosa con ayuda de un palo de madera y sus propias manos para enterrar al santo. Cuando estaba depositando su cuerpo en el fondo de la fosa observó que tenía un rollo de papel en las manos que iba dirigido a él. Contenía todas las instrucciones referentes a la vida que debía llevar mientras habitase en la ermita. Rodrigo lo leyó reverentemente y decidió seguirlas al pie de la letra.

Pero el Padre del Mal no estaba dispuesto a permitir que el rey permaneciese tranquilamente allí rezando por su salvación y se le apareció por la noche, cuando estaba sepultando al ermitaño. Apareció en forma de monje, con la cabeza oculta por una capucha, una venerable barba de gran longitud y de plateada blancura, apoyándose en un bastón como si estuviese cojo. Rodrigo le tomó por un amigo del ermitaño muerto y quiso besarle las manos, pero el monje retrocedió, diciendo: «No procede que un rey bese la mano de un pobre sirviente de Dios.» El rey, al comprobar que el hombre conoció su identidad, creyó que el Diablo era un hombre santo, que hablaba por revelación. «¡Ay de mí!», exclamó. «No soy un rey, sino un miserable pecador que no debería de haber nacido nunca, tan grande es el infortunio que he causado a mi país a causa de mis errores.»

«Tu culpa no es tan grande como tú te crees», le respondió Satán, «ya que las desgracias de que me hablas hubiesen ocurrido en cualquier caso. Estaba así predestinado y la culpa no fue tuya. Mis palabras no son mías, yo hablo por voluntad de Dios.» Después le dijo que había llegado desde Roma para ayudarle en su desdicha, por lo que el rey, regocijado, escuchó al demonio con reverencia mientras éste intentaba convencerlo de que contraviniera los consejos del ermitaño muerto. Pero cuando el rey le pidió que le ayudase a enterrar al ermitaño, el pretendido hombre santo huyó, para su sorpresa, a toda velocidad, a pesar de su aparente cojera.

Al mediodía del día siguiente regresó el diablo con una cesta llena de sabrosa comida. Pero el ermitaño muerto le había dicho a Rodrigo que no comiese más que el pan que le traerían los pastores una vez por semana, y él, obediente, resistió la tentación del vino y la carne. A continuación se detallan los encuentros del rey y el demonio, elaborados con la prolijidad medieval y la vulgar teología de la época. El sentido medieval de la decencia debería haber obligado al escritor a omitir la entrevista entre el rey y el Espíritu Santo. Sólo diré al respecto que la palabra del Espíritu Santo hizo huir al vil demonio, erizado con el sello del infierno.

La estratagema de Satán

Pero el enemigo no había acabado todavía con don Rodrigo, y una noche, al atardecer, el rey ermitaño vio cómo se aproximaba un poderoso grupo armado con todo fasto y boato. Cuando la comitiva se aproximó, Rodrigo vio, atónito, que se trataba del conde Julián que se le acercó y le besó la mano en señal de respeto, ofreciéndose para vengarle y reconociendo su traición. El presunto Julián le rogó que ocupase de nuevo su puesto a la cabeza del ejército de España, para arrojar de ella al infiel. Pero Rodrigo, sospechando que se trataba de otra treta, negó con la cabeza y le pidió a Julián que aceptase liderar él mismo el ejército godo, ya que sus votos no le permitían implicarse de nuevo en asuntos mortales. Julián volvió la cabeza hacia sus seguidores, muchos de los cuales habían muerto supuestamente en el combate, y éstos secundaron con entusiasmo el ruego de su líder. Al ver los nobles que sus palabras no lograban convencer al rey, formaron en orden de batalla en una llanura cercana a la ermita, permaneciendo a la espera del ataque enemigo. De pronto se aproximó una gran multitud de paganos y se libró un fiero combate. Los ansiosos ojos del rey vieron cómo

173

los cristianos vencían a los paganos. El rey ermitaño recibió a unos mensajeros que le anunciaron la gloriosa victoria. Pero al cantar el gallo, toda la batalla se disolvió como humo y el rey supo que había resistido, una vez más, la tentación del demonio.

Durante tres meses el diablo dejó de atormentar a don Rodrigo, pero pasado este tiempo le envió la más fuerte de las tentaciones hasta entonces. Mientras el rey rezaba a la hora de las vísperas, vio un grupo de caballeros que cabalgaba hacia la ermita. Al detenerse, se le acercó una dama, disfrazada de Cava, la hija del conde Julián, a la que había hecho tanto mal. Al verla el corazón de Rodrigo casi deja de latir, pero, antes de que él pudiese hablar, ella le comentó que su padre se había rebelado contra los moros y les había vencido y que un hombre santo le había dicho que debía buscar sin reposo a don Rodrigo para desposarle y tener luego un hijo al que llamarían Elbersan, que reuniría a todos los países del mundo bajo el cetro de España.

Al oír estas palabras Rodrigo empezó a temblar, tal era el amor que había sentido por ella. Cava ordenó que montaran su tienda cerca de la ermita y que prepararan una cena suntuosa. Al verla tan bella, Rodrigo quedó paralizado. Juntó sus manos y se encomendó a Dios, rogándole que le librase de la tentación. Al hacer la señal de la cruz, la imagen de Cava huyó gritando, seguida por su séquito infernal. Una vez más el Espíritu Santo le previno a Rodrigo de que se guardara de las estratagemas del demonio. El victorioso y arrepentido rey rezó incesantemente para dar gracias a Dios por haberle liberado de los males del infierno.

La muerte de Rodrigo

Llegó el día en que estaba previsto que el rey dejara su retiro, en el que había pasado por pruebas tan terribles. Inició el viaje, aprestándose para la lucha, guiado por una nube. Antes de que cayera la noche del primer día se encontró a otro ermitaño, que le alojó durante la noche. Tras dos días de viaje llegó a un lugar sin nombre, que estaba destinado a ser su sepultura. El anciano del lugar le dijo que debía ir hasta una fuente junto a la ermita, en la que debería morar, y donde debería encontrar una piedra lisa. Al levantarla encontraría tres pequeñas serpientes de dos cabezas. Debería meterlas en un jarro y alimentarlas en secreto, ya que nadie debía conocer su existencia, hasta que creciesen lo suficiente como para enroscarse tres veces dentro del jarro y sacar la cabeza fuera. Después debería colocar el jarro en una tumba y tumbarse dentro, totalmente desnudo, ya que Dios quería que ésa fuese su penitencia, tal y como una voz le había comunicado al anciano en la iglesia del lugar.

Rodrigo siguió escrupulosamente las instrucciones, encontró los reptiles y esperó pacientemente a que creciesen dentro del jarro. Después, acompañado del anciano, se desvistió y se tendió en la tumba. Después el anciano cogió una palanca y colocó una gran piedra sobre la tumba. El anciano llevaba rezando devotamente durante tres días, cuando, de pronto, las serpientes levantaron sus cabezas y empezaron a devorar el cuerpo de Rodrigo con una de ellas y su corazón con la otra. Rodrigo debió de padecer grandes tormentos. Finalmente, las serpientes traspasaron su corazón, de modo que el rey entregó su alma a Dios, que con su infinita compasión se lo llevó con Él a la Gloria. En el momento en que expiró sonaron por sí solas todas las campanas del lugar.

Con este extraño ejemplo de misticismo medieval acaba la triste leyenda de don Rodrigo de España. Thomas Newton nos descifra el significado de este final en su libro *Notable History of the Saracens.* El cree que la serpiente bicéfala representa su conciencia pecadora y culpable. *Requiescas in pace, Domine Roderice!*

Capítulo VIII

CALAÍNOS EL MORO, GAIFEROS Y EL CONDE ALARCOS

REÚNO estos tres romances en un mismo capítulo, no sólo porque parece que el pueblo español los tiene a los tres en muy alta estima, sino también por otra razón igualmente buena: me parece que los tres manifiestan el gusto y el genio nacional más marcadamente que otros de su misma clase. Aunque, de hecho, no pertenecen por sí mismos a una clase determinada, siempre he sospechado lo contrario, ya que todos los informes castellanos sobre la ficción romántica los mencionan frecuentemente a los tres juntos, y este tratamiento tradicional debe provenir de la conciencia de su similitud de género. Pero dejando esta hipótesis a un lado, poseen y muestran ese espíritu grave y austero, típico en toda la literatura española auténtica, y al menos uno de ellos está impregnado de esa atmósfera trágica y fatal, que sólo los latinos y los helenos saben evocar, ya que ni siquiera los grandes maestros de las razas nórdicas, como Marlowe, Massinger, Goethe o Shakespeare, fueron capaces de vestir los escenarios con cortinajes tan sombríos como Calderón o Lope.

Calaínos

Calaínos, uno de los caballeros moros más famosos, es el héroe de más de un romance en verso. Pero el más conocido y el más regular en cuanto a su sucesión de acontecimientos es el de *Las Coplas de Calaínos,* tan magistralmente traducido por Lockhart en su obra *Spanish Ballads.* El campeón moro se enamoró de una dama de su nación y le ofreció propiedades en el extranjero y una gran riqueza, con el fin de ganarse su favor. Pero ella rechazó la oferta petulantemente, y le pidió la cabeza de los tres campeones más valerosos de la cristiandad: Rinaldo, Roland y Oliver. Tras darle a su dama un beso de despedida, se dirigió a París, donde, al llegar, desplegó la bandera de su fe frente a la iglesia de San Juan. Después sopló su trompeta, cuyo sonido era bien conocido por Carlomagno y sus doce nobles, que la oyeron mientras estaban cazando en el bosque, a unas leguas de la ciudad. Poco después la comitiva real se topó con un moro y el emperador le preguntó cómo se atrevía a presentarse en sus dominios con el turbante verde. Le respondió que era un sirviente de Calaínos que le enviaba para desafiarlo, a él y a sus pares, cuyo ataque estaba esperando en París.

Mientras cabalgaban al encuentro del infiel, Carlomagno le sugirió a Roland que fuese él quien castigase al moro, pero el orgulloso paladín propuso que fuese un caballero de segundo orden el que llevase a cabo la tarea, ya que él consideraba que batallar con un solo moro estaba por debajo de su categoría. Sir Baldwin, el sobrino de Roland, aseguró que él arrojaría el turbante verde de Calaínos al polvo y, espoleando su caballo, se enfrentó cara a cara con el moro, que, con una sonrisa de desprecio, le ofreció al muchacho llevárselo consigo para que fuese el paje de su señora.

Baldwin se enfureció al oír estas palabras y, desafiando a Calaínos, le rogó que se preparase para la batalla. El moro saltó a su caballo y, tomando la lanza, cabalgó con furia hacia Baldwin, tirándole al suelo y obligándole a que solicitase clemencia. Pero Roland, el tío del chico, estaba muy cerca y soplando su terrible corneta le gritó a Calaínos que se preparase para el combate.

«¿Quién eres?», preguntó Calaínos. «Portas una corona en el yelmo, pero no te conozco.»

«¡Ni una palabra, moro!», replicó Roland. «Ésta será tu última hora.» Tras decir esto, cargó contra su enemigo con todas sus fuerzas. Derribó al arrogante pagano y, saltando de la silla, se abalanzó sobre su enemigo con la espada en la mano.

«Tu nombre, pagano», exigió, «habla o muere». «Señor», replicó Calaínos, «sirvo a una orgullosa dama española que no quiere otro regalo que no sea las cabezas de determinados nobles de Carlomagno.»

«Conque ésas tenemos», rió Roland. «Eres un loco, no puede haberte amado, si te ha pedido una cosa semejante. Has venido aquí a morir», y mientras pronunciaba estas palabras le cortó la cabeza, partiendo la media luna de su yelmo en dos. «Esta luna no volverá a elevarse sobre las praderas del Sena», gritó, mientras envainaba su espada.

Ésta es la historia de Calaínos, enloquecido por la soberbia de una mujer y por la suya propia. Evidentemente, la historia es bastante dudosa, ya que es impensable que un caballero moro llegase a París en dicha época. Pero el cuento tiene un acento muy humano y una cierta moraleja.

Gaiferos

Gaiferos fue una figura muy querida del romance español. Su historia estaba conectada al ciclo de Carlomagno y el arzobispo Turpín la incluyó en su seudocrónica. Aun siendo un caballero francés, parece haber sentido una atracción especial por todo lo castellano, debido, quizá, a la circunstancia de que estuvo durante siete años buscando a su esposa en el territorio español.

Gaiferos de Burdeos fue un pariente de Roland, el invencible héroe de las canciones de gesta, y esposo de Melisenda, hija de Carlomagno. Poco después de su matrimonio, su esposa fue raptada por los sarracenos y confinada en una poderosa torre en Zaragoza. Decidido a salvarla de los paganos, Gaiferos marchó en su busca, pero tras una intensa investigación, que duró siete años, no logró localizar el lugar en que estaba prisionera. Viajó por la soleada España de provincia en provincia y de castillo en castillo, hasta que, al final, vencido y desconsolado, regresó a París.

Con la esperanza de olvidarse de su pérdida, Gaiferos se dejó arrastrar por las diversiones de la corte. Un día, mientras jugaba a los dados con el almirante de Carlomagno, el emperador se le acercó y le dijo: «¿Cómo es posible, Gaiferos, que pierdas el tiempo en juego baladí, mientras tu esposa, mi hija, languidece en una prisión mora? Si estás tan preparado para manejar las armas como para tirar los dados, debes correr al rescate de la princesa.» El discurso de Carlomagno era inmerecido, ya que el emperador acababa de enterarse del lugar en que estaba encarcelada Melisenda, mientras que Gaiferos no lo sabía todavía. Carlomagno le dio el nombre del castillo en que estaba confinada y Gaiferos corrió a visitar a su tío para pedirle un caballo y una armadura.

Roland, al ver el estado de angustia de su sobrino, le cedió sus famosas armas y su caballo favorito, y Gaiferos partió una vez más hacia tierras de España. Llegó al fin a Zaragoza sin encontrar obstáculo alguno en la puerta; entró y cabalgó directamente hasta el lugar de cautiverio de su esposa. Ella le divisó desde la ventana y le rogó, como caballero cristiano que era, que le enviase noticias suyas a su esposo Gaiferos. Éste le reveló su identidad y Melisenda, saltando desde la ventana a los brazos del caballero, montó sobre la silla delante de él. Gaiferos, espoleando a su caballo, intentó cruzar las puertas de la ciudad a toda velocidad. Pero un moro, que había sido testigo del rescate, dio la alarma y pronto les estaban persiguiendo siete columnas de hombres.

Los perseguidores les pisaban los talones, pero Melisenda, que de pronto reconoció el caballo de Roland, recordó que si se aflojaba la cincha, se abría el peto y se colocaban las espuelas a los lados, y el caballo podía saltar por encima de cualquier barrera con total seguridad para los que lo montaban. Le informó del pormenor a su marido y éste siguió sus instrucciones y galopó hacia las murallas de la ciudad, que cruzó con facilidad. Al ver esto los moros abandonaron la persecución. Gaiferos y Melisenda regresaron a París y su futuro fue tan brillante como oscuro había sido su pasado.

El conde Alarcos

Los velos de la tragedia rodean la historia de *El Conde Alarcos,* un romance anónimo que se distingue por la riqueza de su composición. Fue traducido al inglés por Lockhart y Bowring, con poca fortuna en ambos casos, teniendo en cuenta el carácter conmovedor del original. La historia comienza con la simplicidad que caracteriza a las grandes tragedias. La infanta Soliza, hija del rey de España, se prometió en secreto al conde Alarcos, que la abandonó por otra mujer con la que tuvo varios hijos. Agonizante de pena y vergüenza por la seducción y el posterior abandono, la pobre princesa se apartó del mundo, consumiendo la primavera de su vida entre el dolor y la más amarga de las decepciones. Su real padre, que no conocía la traición que había padecido, le preguntó la causa de su tristeza y ella le respondió que estaba de luto porque no era una esposa, como otras mujeres de la corte.

«Hija mía», exclamó el rey, «eso no es por culpa mía. ¿No te pidió acaso el príncipe de Hungría la mano. No conozco ningún marido apropiado para ti en toda España, exceptuando al conde Alarcos, y él ya está casado.»

«Desafortunadamente», dijo la infanta, «es el conde Alarcos el que ha destrozado mi corazón, ya que me prometió contraer matrimonio conmigo, incumpliendo su promesa y casándose con otra. Él es fiel a sus nuevos votos, pero no cumplió su antigua promesa. De palabra, es mi marido.»

El rey permaneció un rato en silencio. «Te han hecho un gran mal, hija mía», dijo al fin, «la familia real de España ha sido puesta en vergüenza ante los ojos de todos los hombres.»

Unos celos oscuros anidaron en el corazón de la infanta, que gritó: «Esa condesa debe morir. ¿Debo soportar mi vergüenza mientras ella viva? Seguemos su vida y acabemos con esta aflicción. Así el conde Alarcos podrá casarse conmigo».

Exasperado por el deshonor de su hija, el rey invitó a Alarcos a un banquete y, cuando se quedaron solos, le echó en cara la perfidia con que había tratado a su hija.

181

«¿Es cierto, don Alarcos», preguntó, «que rompiste la promesa que le hiciste a mi hija, decepcionándola? Escucha, tu condesa ha usurpado el lugar que en buena ley le corresponde a mi hija y debe morir por ello. Tienes que reparar el mal que le has hecho. Después te casarás con la infanta. Has deshonrado a tu rey y ahora te ordeno que repares la deshonra de la única manera que está en tus manos».

«No puedo negar que he defraudado a la infanta», replicó Alarcos, «pero os ruego señor que tengáis compasión de mi señora, que es inocente. Que caiga el castigo por mi pecado sólo sobre mi cabeza, pero no sobre la de ella.»

«No puede ser», repuso tozudamente el rey, «morirá esta noche. Cuando se ha mancillado el honor de un rey, no importa si la sangre que lava el deshonor es culpable o inocente. Vete y cumple mis órdenes o lo pagarás con tu propia vida.»

Aterrado por la idea de morir como un traidor, ya que dicho final era el más temido por los arrogantes nobles castellanos, Alarcos aceptó cumplir las órdenes del rey y cabalgó hasta su casa en la agonía del remordimiento y la desesperación. La idea de ser él el ejecutor de su esposa, a la que amaba tiernamente y con la que tenía tres preciosos hijos, le enloquecía. Cuando la vio a las puertas del castillo acompañada de sus hijos, y feliz por su regreso, se desembarazó de su abrazo y murmuró que tenía malas noticias que le comunicaría en su alcoba.

Ella, con el niño pequeño en los brazos, le condujo al comedor, donde la cena estaba ya preparada. Pero el conde Alarcos ni comió, ni bebió, sino que apoyó la cabeza en la mesa y lloró amargamente. Después, volviendo a su horrible propósito, cerró las puertas y, situándose frente a ella, desenvainó la espada y le confesó su pecado.

«Hace tiempo amé a una dama», confesó, «le di mi palabra de casamiento y le prometí amarla como un buen esposo toda la vida. Su padre es el rey. Ahora ella me reclama y exige que cumpla mi promesa. Siento tener que decirte esto, pero el rey ha ordenado tu muerte y ha decretado que te mate esta misma noche.»

«No es posible», exclamó la condesa pasmada. «¿Es éste el pago por mi amor leal hacia ti? ¿Debo morir por ello? Por favor, envíame a casa de mi padre, donde pueda vivir en paz y criar a mis hijos como es debido.»

«No puede ser», dijo Alarcos apesadumbrado, «he dado mi palabra.»

«No tengo amigos en el mundo», gritó la pobre dama. «Déjame que bese a mis hijos por última vez antes de morir.»

«Sólo puedes besar al pequeño que llevas en brazos», murmuró Alarcos. «A los otros no volverás a verles. ¡Prepárate!»

La afligida dama besó al bebé, rezó un avemaría y arrodillándose le rogó a su señor que cuidase de sus hijos. Perdonó a su esposo, pero no así al rey y a su hija, sobre los que lanzo una terrible maldición, típica entre las gentes de la Edad Media que eran acusadas en falso y condenadas a morir, y en virtud de la cual convocaban a sus asesinos a encontrarse con ellos ante el trono de Dios antes de treinta días para responder de su crimen ante el Creador.

El conde la estranguló con un pañuelo de seda y, tras comprobar que había muerto y estaba fría, se entregó a la pasión de su dolor.

Doce días después pereció la vengativa infanta. El despiadado rey murió a los veinte días y, antes de que hubiese pasado un mes, murió también el conde Alarcos a causa de su pena. El cuento de Alarcos es cruel e inexorable como una tragedia griega. Pero al leerlo, hechizados por el trágico destino de sus personajes, no sabemos cuál de ellos es más abominable: la vengativa princesa, el rey cruel o el cobarde esposo, que sacrifica a su mujer, leal e inocente, en aras de un honor aristocrático que tiene como resultado un supersticioso y fanático holocausto.

Capítulo IX

LOS ROMANCEROS O BALADAS (I)

Ilíadas sin Homero.

LOPE DE VEGA

E N español moderno la palabra romancero se aplica, más o menos estrictamente, a una forma especial de composición en verso, un poema narrativo escrito en versos de dieciséis sílabas, que tienen la misma asonancia. El término se aplicó originalmente a los dialectos o lenguas que procedían de la lengua latina o romana: la lengua hablada de la antigua Roma pero modernizada. Más tarde sólo se aplicó a las formas escritas de dichas lenguas vernáculas y, por último, sólo a la poesía lírico-narrativa, como indicamos más arriba. Por tanto, el romancero difiere del romance en que está escrito en verso y, en base a todo lo que hemos explicado, queda claro que el nombre romance es el producto del período de transición en el que se intenta definir con este término la obra escrita de las lenguas más modernas, como el latino-castellano, el portugés, el francés y el provenzal, tanto en verso como en prosa. Ya hemos podido observar que casi todos los auténticos romances, exceptuando los cantares de gesta —es decir, composiciones como *Amadís, Palmerín* y *Partenopex*—, fueron escritos en prosa. Pero el romancero fue siempre una composición narrativa en verso. De hecho los tres cuentos relatados en

185

el anterior capítulo eran del tipo del romancero: una forma literaria que, como ya hemos estudiado, fue muy apreciada por las clases bajas de la Península, al igual que el romance lo fue por los
hidalgos y caballeros. En una palabra, el romancero es la balada
popular española.

Yo he intentado clasificar, en un capítulo anterior, los distintos
tipos de balada española, o romancero, en estas cuatro clases:

1. Los de origen popular espontáneo de una época temprana.
2. Los basados en crónicas o cantares de gesta.
3. Baladas populares de una época relativamente tardía.
4. Las baladas posteriores que fueron producto de un arte
   consciente.

En general, podemos dividir las baladas españolas en dos clases más amplias:

1. Las de origen popular.
2. Las que nacen de fuentes literarias.

En relación a las del primer tipo, no tengo intención, como
Sancho Panza, de determinar su antigüedad. Esta cuestión ha suscitado una feroz controversia pero, como ya he puesto de relieve,
sería muy extraño que no hubieran llegado hasta nosotros vestigios
de canciones populares castellanas que hubiesen sufrido alteraciones. En mi opinión, las canciones populares tienen grandes posibilidades de sobrevivir bajo la forma de costumbres o leyendas, y
sabemos de sobra cuán persistentes pueden llegar a ser en zonas
poco transitadas, por ello no veo razón alguna para poner en duda
que un cierto número de baladas originales de España hayan pervivido en una forma tan adulterada que, quizá, sus autores no hubieran podido reconocerlas, como ocurrió con el viejo romance escocés de *Thomas the Rhymer.*

Cualquier otro argumento, arqueológico o filosófico, construido por mera erudición, no logrará convencerme de lo contrario.

Para algunos la antigüedad es algo vivo, un entorno cálido y resplandeciente, un mundo con cuyos caminos están más familiarizados que con las calles de su ciudad. Para otros es un museo. No tengo nada en contra de los conservadores de museos y me entretienen mucho sus libros: informes de países que pocos de ellos han visitado. Sin embargo, cuando insisten en contradecir la evidencia, proporcionada por medios que les son ajenos, me resultan muy aburridos. Al igual que el arte, la arqueología tiene también un grado de inspiración y de visión. Es una pena que aquellos que no las poseen intenten justificar sus conclusiones únicamente en base a una lógica sin vida.

Por esta razón no voy a alegar nada más en relación al tema de la edad de las baladas de la vieja España, poniendo exclusivamente de relieve, como Sancho, que «son demasiado viejas para mentir.» También he demostrado con mucha claridad que algunas de ellas se basaron en las crónicas y los cantares de gesta, circunstancia que defiende, por sí misma, su relativa antigüedad. Aquí no nos interesan las obras de sello similar de Góngora o de Lope. Después de todo, sólo podemos analizar las baladas tal y como las encontramos en los cancioneros. Es demasiado tarde para hacer cualquier otra cosa. Como en Escocia o en Dinamarca, en España las baladas se recopilaron y publicaron durante siglos, y en las páginas de los cancioneros están todas entremezcladas, viejas y nuevas, populares y literarias, en una confusión inextricable. Limitémonos pues a estudiar la historia de estos cancioneros, arcas del tesoro de la poesía popular, intentando analizar su alcance, como mejor método para aproximarnos a las baladas españolas en general. Una vez hecho esto, podremos discutir su origen con la suficiente percepción y simpatía.

El «Cancionero General»

Si exceptuamos la colección fragmentada de Juan Fernández de Constantina, el *Cancionero General* fue originariamente compilado y publicado a comienzos del siglo XVI por un tal Fernando del Castillo. La sistematización de las baladas no es ni cronológica ni sistemática, aunque las obras de cada autor se ordenan por separado. Posteriormente, se multiplicaron rápidamente las ediciones de este libro y, conforme la colección iba aumentando, se iban colocando las nuevas obras al final. La colección está formada principalmente por obras de autores del siglo XV y principios del XVI, como Tallante, Nicolás Núñez, Juan de Mena, Porticarrero y el marqués de Santillana, bastante anterior.

La primera parte de la obra está dedicada a las obras de devoción, monótonas e inspiradas por un rígido fanatismo. Después le siguen los «Poemas Morales», no mucho más atractivos, que son alegorías de vicios y virtudes de acuerdo con la filosofía escolástica. Los versos amatorios son más ingeniosos que realmente poéticos, carecen de auténtico sentimiento y sus reiterados estallidos de pasión y la aplastante aflicción por amores no correspondidos, entremezclados con llamadas seudofilosóficas a la razón, resultan rígidos y artificiales. Pero no faltan algunas canciones alegres y llenas de gracia, como, por ejemplo, «Muy más clara que luna», de Juan de Meux, o «Pensamienti, pues mostrays», de Diego López de Haro. Pero acaban desembocando en baladíes disquisiciones filosóficas en las que se pierden los iniciales sentimientos de ternura con que fueron concebidas.

Mucho más prometedoras son las canciones o poemas líricos de corte semiconvencional, que tienen carácter y métrica propios. Por lo general tienen doce versos, divididos en dos partes. Los primeros cuatro versos contienen la idea en la que se basa el poema, idea que se desarrolla en los ocho versos posteriores. El *Cancionero General* contiene ciento cincuenta y seis canciones, muchas de las cuales son los mejores poemas de toda la colección, debiendo, quizá, su calidad a la contención verbal a la que la forma obliga. Una canción similar es el villancico, compuesto por lo general de tres o cuatro versos, una pieza fugitiva que suscita un efímera emoción y que suele tratar sobre poesía.

El «romancero General»

Este título se aplicó a muchas colecciones españolas de canciones y romances narrativos en verso, publicados durante el siglo XVII o en una época posterior. De ellos sólo merecen mención los más antiguos. La primera colección fue la de Miguel de Madrigal, publicada en 1604, aunque en el mismo año se publicó otra colección con el mismo título, que contenía más de mil romance Otra importante recopilación es la realizada en 1614 por Pedro d Flores. Es evidente que se trata de una recopilación llevada a cabo por un librero, pero eso no es lo malo, sino que pretende compilar la totalidad de romanceros españoles y no recoge ninguno de los que aparecen en el *Cancionero General.* Todas estas obras contienen gran cantidad de poemas amatorios del estilo de los del *Cancionero General,* pero es mejor centrar nuestra atención exclusivamente en sus romanceros. La mayoría de ellos parecen pertenecer al siglo XV y hacen referencia a la guerra civil de Granada, última plaza árabe en España, y a las heroicas y galantes aventuras de los caballeros moros. En esta obra percibimos, por primera vez, una tendencia a la moda mora en la literatura, a la que hemos hecho referencia en anteriores capítulos, pero, como ya señalamos, esto se aleja mucho de declarar que estos poemas tenían su origen en modelos moros. Pero tampoco estamos antes temas castellanos defectuosos, como los romanceros de Rodrigo, Bernardo del Carpio, Fernán González, los infantes de Lara y El Cid. Muchos de ellos fueron escritos por gente de condición humilde, los auténticos poetas del pueblo, los últimos representantes de los juglares que cantaban o recitaban los cantares de gesta [43].

---

[43] Junto a la colección de romances ya aludida, que representa las fuentes típicas del tema, Martín Nucio y Esteban de Nájera publicaron otras colecciones en Amberes y Zaragoza, respectivamente, a mediados del siglo XVI. El lector puede también consultar *Primavera y Flor de Romance,* de Wolf y Hofman, cuya reimpresión fue publicada por Menéndez y Pelayo, la colección de Deeping en dos volúmenes (Leipzig, 1844), y las traducciones inglesas de Lockhart y Bowring.

James Fitzmaurice Kelly es el crítico moderno mejor informado y más familiarizado con los romanceros. Hace referencia al romancero en unas cuarenta animadas páginas de su admirable libro *Chapters on Spanish Literature,* una serie de deliciosas excursiones por las provincias más interesantes de la literatura española, que destaca por su perspicacia crítica y la brillantez de sus conclusiones. Tomando como base de comentario la obra de Lockhart, llamada *Spanish Ballads,* Kelly se lanza a una viva crítica del autor escocés. El lector angloparlante no puede encontrar un plan mejor de iniciación a los misterios del romancero, ya que hay pocas personas que no conozcan la obra de Lockhart, uno de los más pertinaces libros de las bibliotecas de los salones victorianos. Siguiendo, por tanto, el hilo conductor de Kelly, y sin afán de imitarle, tomemos como base de estudio la obra de Lockhart y examinemos sus traducciones más interesantes, no sólo por su temática, sino también por sus defectos y excelencias, comparándola también con las traducciones de Bowring y otros autores. Al igual que Deeping, Lockhart divide las baladas en tres tipos: históricas, moras y románticas. Ya hemos hecho referencia a los dos primeros tipos al hablar de Bernardo del Carpio y de don Rodrigo.

«El tributo de la doncellas»

La primera que nos encontramos es la llamada *El Tributo de la Doncella,* que trata de la petición del rey moro Abderramán al rey cristiano de un suministro anual de cien doncellas vírgenes. El rey Ramiro se negó a satisfacer tan infamante solicitud y marchó contra el moro. Se libró una dura batalla en las cercanías de Alveida y, al finalizar el primer día de hostilidades, los castellanos quedaron gravemente diezmados por la superior disciplina de los sarracenos. Durante la noche, Santiago, patrón de España, le prometió al rey Ramiro, en una visión, que le ayudaría al día siguiente en la batalla. Al amanecer se reanudó la lucha y el santo, fiel a su palabra, guió las tropas castellanas, derrotando a los sarracenos. Nunca más hubo que pagar el tributo de las doncellas.

La balada de Lockhart, o mejor dicho su traducción, no realza precisamente el original. Su versificación es de lo más vulgar, y tiene reminiscencias de los pantomímicos días de nuestra juventud. Kelly se contenta con decir que no merece apenas comentarios.

El conde Fernán González

La escapada del Conde Fernán González, basada en la vieja *Estoria del noble caballero Fernán González,* transcripción popular de la *Crónica general* (1344), es posterior a las dos baladas que Kelly, entre otros, considera que representan la epopeya perdida que fue reflejada en la *Crónica* en cuestión. Este caballero está, sin duda, rodeado de un halo de leyenda y protagoniza un rosario de romanceros. ¿Pero tenemos que pensar que siempre que una balada cristaliza en un gran personaje nos enfrentamos a los añicos de una epopeya desintegrada y remendada luego en una canción popular? ¿Tenemos una prueba irrefutable de que semejante proceso se haya producido alguna vez? Los poetas prácticos (si es que un poeta puede ser práctico) no se inclinan por esta hipótesis. Reconocen las diferencias genéricas entre el espíritu de la epopeya y el de la poesía popular y prefieren creer que cuando los dos se han centrado en el mismo tema ha sido más una fortuita coincidencia que una evolución necesaria.

Fernán González de Castilla debe gran parte de su reputación romántica a su esposa, que le libró del cautiverio en dos ocasiones. En la balada más célebre desempeña el papel de fiel heroína. González, capturado por sus enemigos, es llevado a una fortaleza de Navarra. Un caballero normando, que iba de paso por el lugar, le pidió al gobernador del castillo una audiencia con el cautivo, que aceptó gracias a un sustancioso soborno. Finalizada la entrevista, el caballero partió y se dirigió al castillo del rey García de Navarra, carcelero de Fernán. Uno de los cargos contra el prisionero parecía ser que éste le había pedido al rey García la mano de su hija, que le amaba en secreto. Avanzada la noche, la infanta se levantó y se dirigió al castillo, en el que estaba confinado González, sobornando al gobernador con tal suma de dinero que éste dejó en libertad al caballero. Pero el héroe estaba todavía encadenado y la pareja se encontró a un sacerdote que iba de caza y les amenazó con delatarles al rey, a no ser que la infanta le pagase una suma de dinero. González no estaba capacitado para castigarlo como se merecía, pero cuando el malvado abrazó a la princesa, ésta le agarró del cuello y Fernán pudo coger la lanza que se le cayó al sacerdote de la mano y clavársela. Poco después se encontraron a los hombres de armas de Fernán, con lo que su aventura nocturna llegó a su fin.

Los infantes de Lara

Pocos romanceros españoles giran en torno a incidentes tan trágicos o memorables como los de la masacre de los siete infantes de Lara por orden de su traicionero tío, Rodrigo de Velázquez. Kelly piensa que éste en concreto fue herencia de una epopeya perdida entre 1268 y 1344. Es extraño que *todas* estas epopeyas se perdieran. Kelly se queja de que Lockhart debería haber elegido otra balada más enérgica para ilustrar la leyenda, pero yo creo que, de hacerlo, habría ido en detrimento de la acertada traducción de la venganza de Mudarra:

> «A mí dicen don Rodrigo,
> y aun don Rodrigo de Lara,
> cuñado de Gonzalo Gustos,
> hermano de doña Sancha;
> por sobrinos me los hube
> los siete infantes de Lara,
> espero aquí a Mudarrillo,
> hijo de la renegada;
> si delante lo tuviese
> yo le sacaría el alma.»

Al leer estos versos, recuerdo un gran salón en el que se podían divisar, a través de una estrecha ventana, los jardines que tenían un toque mágico gracias a las sombras amarillentas de esa hora tan

192

especial en la que muere la tarde, pero no ha nacido todavía la noche. Sobre una mesa de palo santo había una copia de *Spanish Ballads* con la encuadernación repujada y labrada, típica de esa época, en la que se regalaba ese tipo de libros como objeto de adorno. Yo era un niño de diez años, que estaba en ese Elíseo perfumado de olor a rosas, y que, abriendo el libro al azar, me topé con los versos arriba citados. Estos versos se grabaron en mi memoria. Repasé el libro hasta que cayó la noche y no pude encontrar nada mejor. Ya me había acercado la copa a los labios y mis noches y mis días se convirtieron en una búsqueda de palabras engarzadas en la música. Tuve que leer bastante más hasta encontrar algo que me gustase más o que, por lo menos, igualase el ritmo de «La Venganza de Mudara». Los años me trajeron otros descubrimientos que harían palidecer de insignificancia a estos versos, aventuras de carácter mucho más sutil que me provocaron escalofrío de estupor, pero ninguno tuvo la fuerza de la revelación que imprimieron en mí esas páginas inolvidables de un libro inolvidable.

La primera de las baladas en las que Lockhart trata el tema de los infantes de Lara —la primera que hemos estado discutiendo la sigue en orden— se titula «Las Siete Cabezas» y detalla las circunstancias de la masacre de los infelices príncipes. En la *Historia de España* de Juan de Mariana (1537-1624) nos dice el autor que el año 986 Ruy Velázquez, señor de Villarén, celebró su matrimonio con doña Lombra, mujer de alta cuna, en Burgos. Los festejos gozaron de un gran esplendor y entre los invitados estaba Gustio González, señor de Salas de Lara, y sus siete hijos. Estos jóvenes, cuya sangre procedía de varios condes de Castilla, eran famosos por su valor y habían sido armados caballeros el mismo día.

Por desgracia, el menor de los siete hermanos se peleó con un tal Alvar Sánchez, pariente de la novia. Doña Lombra se sintió insultada y, con el fin de vengarse, ordenó, durante su viaje al castillo de su marido, que arrojasen a González, que iba en la comitiva junto con sus hermanos, un pepino empapado en sangre: un terrible insulto de acuerdo a las costumbres españolas de la época. No importa cuál pudiese ser el significado de tal insulto. Fuese cual fuese el significado, y, haciendo una concesión a la rudeza de esa época, la dama se hizo un mayor desprecio a sí misma que a su enemigo al perpetrar un acto tan cruel y vulgar. El esclavo que había llevado a cabo la hazaña corrió a refugiarse junto a su señora, pero no le sirvió de nada, ya que los iracundos infantes le mataron.

A Ruy Velázquez le hirvió su sangre latina por lo que consideró un insulto a su esposa, y por tanto a sí mismo, y resolvió vengarse. Pero ocultó arteramente sus intenciones ante los jóvenes y se comportó con ellos como si nada hubiera pasado. Poco después envió a Gustio González a Córdoba con el objeto aparente de recibir, por mediación suya, un tributo del rey moro. Le entregó a Gustio una carta en árabe, para que no la pudiese leer, en la que en realidad le pedía al rey moro que ejecutase a su portador. Pero el infiel demostró más humanidad que el cristiano y se contentó con encarcelarlo.

Continuando con su plan, Velázquez simuló una incursión en territorio moro, a la que le acompañaron los infantes con doscientos de sus hombres. Con fingida ingenuidad consiguió conducirles a una emboscada. Rodeados por sarracenos por todas partes, decidieron vender sus vidas al precio más alto, antes que rendirse. Lucharon hombro con hombro, causando grandes bajas a los moros, y terminaron cayendo uno a uno asesinados pero inconquistados. Sus cabezas le fueron enviadas a Ruy Velázquez como señal de la hazaña del rey moro, que las colocó frente al afligido padre que había sido liberado ese día para que Velázquez pudiese contemplar su pena. Una vez satisfechos sus deseos de venganza el señor de Villarén le permitió al conmocionado padre regresar a su hogar.

Pero Ruy Velázquez no estaba destinado a permanecer impune. Mientras Gustio González estuvo prisionero en los calabozos del rey moro tuvo relaciones con la hermana del monarca, con la que tuvo un hijo llamado Mudarra. Cuando el joven llegó a la edad de catorce años su madre le animó a que fuese en busca de su padre. Cuando se reunió con él   nciano, se enteró de que sus hermanos habían muerto a traición. Decidido a vengar tan cobarde acción se encontró con Velázquez durante una partida de caza y le mató con su propia mano. Rodeado de un puñado de hombres leales asaltó el castillo de Villarén, vengándose en la hija de doña Lombra, a la que lapidó y luego quemó. Más tarde fue adoptado por la esposa de su padres, doña Sancha, que le declaró su heredero.

Ya he manifestado la conmovedora naturaleza de la balada en la que Mudarra se venga de los asesinos de sus hermanos. La balada que la antecede en la colección de Lockhart, en la que el agonizante padre contempla las cabezas de sus siete hijos, tiene menos fuerza.

> Sacaron ocho cabezas — todas son de gran linaje.
> Respondió Gonzalo Gustos: — Presto os diré la verdad.
> Y limpiándoles la sangre, — asaz se fuera a turbar;
> dijo llorando agramente: — ¡Conóscolas por mi mal!
> la una es de mi carillo, — ¡las otras me duelen más!
> de los infantes de Lara, — son, mis hijos naturales.
>
> . . . .
>
> ¡Mejor fuera la mi muerte — que ver tan triste jornada!
> Al duelo que el viejo hace, — toda Córdoba lloraba.
> El rey Almanzor cuidoso — consigo se lo llevaba,
> y mandó a una morisca — lo sirviese muy de gana.
> Ésta le torna en prisiones, — y con hambre le curaba.
> Hermana era del rey, — doncella moza y lozana;
> con ésta Gonzalo Gustos — vino a perder su saña,
> que de ella le nació un hijo — que a los hermanos vengara.

La boda de doña Teresa

Esta balada semihistórica nos habla de la boda forzosa de una dama cristiana y un noble adorador de Mahoma. Alfonso, rey de León, deseoso de reforzar su alianza con el infiel, sacrificó a su hermana doña Teresa a sus necesidades políticas. Camufló su traición, simulando que Abdalla, rey de los moros, se había convertido al cristianismo, convenciendo a su hermana de los beneficios que conllevaría su unión con el pagano. Totalmente convencida, doña Teresa consintió y fue transportada a Toledo donde se casó con el moro con todo el esplendor. Pero el día de la boda fue informada de la perfidia de su hermano y, cuando estuvo a solas con su nuevo esposo, le repudió, diciéndole que nunca sería su esposa más que de nombre hasta que abrazase la fe cristiana junto con su pueblo. Abdalla se rió de sus escrúpulos y se aprovechó de su desprotección. Tal y como la dama había profetizado, varias calamidades cayeron sobre la cabeza del infiel, como consecuencia de su malvada acción. Aterrado, envió a Teresa de regreso con su hermano con enormes tesoros y doña Teresa entró en el convento de San Pelagio en León, donde pasó el resto de sus días en devota oración.

> Mucho a la infanta le pesa
> en se ver tan denostada,
> de la casar con un moro,
> siendo la infanta cristiana.
> No aprovechan con el rey
> las lágrimas que lloraba,
> ni los ruegos que le ruegan
> para revocar la manda.

Esta balada no es anterior al siglo XVI y parece estar basada en un hecho histórico real. Kelly apunta que se confunde a Almanzor con Abdalla, gobernador de Toledo, por un lado, y al rey Alfonso V de León con su padre Bermudo II, por el otro, lo que lleva a errores cronológicos.

Pasando por alto la balada del Cid, a la que ya hemos hecho amplia justicia, llegamos a la balada de García Pérez de Vargas.

García Pérez de Vargas

Fitzmaurice Kelly la despide en dos palabras, aunque en mi opinión merece una cierta atención. De Vargas se distinguió en el sitio de Sevilla en el año 1248. Un día, mientras paseaba a orillas del río acompañado de un camarada, fue atacado por una partida de siete moros a caballo. Su compañero huyó, pero Pérez, cerrando la visera de su casco, se enfrentó a los paganos. Al ver que les estaba esperando, huyeron velozmente hacia sus líneas. Al retornar al campamento Pérez se dio cuenta de que se le había caído un guante y volvió de inmediato a buscarlo. Penetró a caballo en territorio enemigo, pero los moros continuaron evitándole y el caballero pudo regresar al campamento sano y salvo. Según la balada, Pérez recuperó el guante de manos de los moros, que lo habían encontrado y lo habían pinchado en su lanza.

La traducción inglesa del último verso nos muestra la gran influencia de Scott en Lockhart, tanto por el espíritu como por el estilo de la composición.

Pedro el Cruel

Ahora llegamos a las baladas que nos cuentan la historia viva y sanguinaria de don Pedro el Cruel. Se ha intentado por varias vías demostrar que don Pedro no fue el monstruo inhumano que nos cuentan las baladas. Pero parece que los hechos estaban más de parte de los cantantes de baladas que del lado de los historiadores modernos, que se han esforzado constantemente por limpiar su nombre de su fama de ferocidad. Su primera atrocidad nos la relata la balada titulada «El Maestro de Santiago», que hace referencia a su hermano ilegítimo. A la muerte de su noble padre, su hermano, conocedor del temperamento vengativo de Pedro, huyó a Coimbra en Portugal. Pero creyendo en las palabras de Pedro, que aseguró que no tenía intención de causarle mal alguno, aceptó su invitación a Sevilla, ciudad en la que iba a tener lugar un gran torneo. Sin embargo, nada más llegar fue asesinado en secreto (1358) y se cree que fue a instancias de la famosa doña María de Padilla, amante de Pedro.

> Aún no lo hubo bien dicho,
> la cabeza le han cortado;
> a doña María de Padilla

en un plato la han enviado,
qu'así hablaba con ella
cual si viva hubiera estado.
Las palabras que le dice
d'esta suerte está hablando:
«Así pagaréis, traidor,
lo de antaño y lo de hogaño,
y el mal consejo que diste
al rey don Pedro tu hermano.»

La balada nos cuenta cómo Pedro, apiadándose, encarceló a la falaz María de Padilla, pero no hay evidencia alguna de que ella instigara el crimen o sufriera castigo por él. Fitzmaurice Kelly piensa que el poder dramático del romance es innegable. Si lo hubiese calificado de melodramático yo también hubiera estado de acuerdo con él.

«De lo que no hay duda es de que Pedro fue cómplice de la muerte violenta de la joven e inocente princesa con la que se había casado y a la que abandonó inmediatamente después de la boda», afirma Lockhart, refiriéndose al matrimonio de Pedro con Blanca de Borbón. Pero tanto si Pedro mató a su esposa como si no, su compañera, María de Padilla, era inocente en este asunto, aunque la balada la acusa de ser la instigadora de tan horrible hazaña. Es evidente que los poemas que hacen referencia a ella fueron escritos por siniestros motivos políticos.

Mariana, que es lo suficientemente fiable, asegura que la conducta de Pedro con la reina enfureció a muchos de sus nobles, que lo demostraron en sus escritos. Su temperamento fiero y homicida le hizo estallar, por considerarlo una inadmisible interferencia en su vida privada, por lo que dio la orden inmediata de envenenar a su infortunada esposa, confinada en prisión. Según los poemas, tanto Pedro como su amante eran cómplices en la muerte de la desdichada reina, expresándolo en la cruda manera que solían hacerlo en todo el mundo.

Doña María Padilla,
n'os mostréis tan triste vos,
que si me casé dos veces
hícelo por vuestro pro,
y por hacer menosprecio
a esa Blanca de Borbón,
que a Medinasidonia envío
a que me labre un pendón.
Será el color de su sangre,
de lágrimas la labor.
Tal pendón, doña María,
yo lo haré hacer para vos.

Con el ejemplo de varios deliciosos pasajes de baladas de su propio país, que contienen alusiones no menos recónditas, se podría haber esperado una mejor traducción de esta última copla por parte de Lockhart. Dudo que la poesía popular haya captado mejor alguna vez el ritmo que en los exquisitos primeros cuatro versos de «El Jardinero», o haya descrito una nota más aguda de angustia que en el último cuarteto. Para mí el escocés antiguo es la lengua de las baladas por antonomasia, gracias a su sutileza, su fina trama y el colorido poder expresivo del idioma, que escapa de su cámara del tesoro con una profusión de ricas gemas, más variadas y mágicas que todo el oro español. Lockhart consigue, en cierta medida, dar un baño de oro al botín poético castellano, pero hay puntos en los que cae en el fraude poético de su época, descendiendo a los niveles de Rogers y Southey y adoptando el tono plañidero tan del gusto de las damas de entonces. Sin embargo, en otros momentos logra ser brillante.

La traducción de la siguiente balada es, sin duda, obra de Walter Scott. Podemos considerar «La Muerte de don Pedro» como una limosna, una moneda gastada y abollada, que sacó del gran tesoro de su cerebro (que lamentablemente se consumió, al estar siempre al servicio de editores y amigos). Sólo el último verso conserva algo de su antigua brillantez.

El autor de «Bonnie Dundee» tuvo que sentir cómo la sangre le corría más deprisa y la pluma se estremecía en sus manos como la flecha en un arco tensado. Dos reales hermanos, puñal en mano, luchan con odio por arrebatarle la vida al otro. Pedro, prisionero de Enrique de Trastamara, su hermano natural, es insultado por el victorioso noble y replica lanzándose a su cuello como un animal salvaje. Mudos ante la pelea a muerte del monarca y el usurpador, los aliados de Enrique, entre ellos Du Guesclin, miran la pelea. Pedro arroja a Enrique de Trastmara al suelo y su daga resplandece mientras se eleva. Du Guesclin se dirige al escudero de Enrique y le dice: «¿Vas a permitir que muera tu señor, tú que comes de su pan?» El escudero se abalanza sobre Pedro, le agarra los brazos y le tumba. Gracias a su ayuda Enrique se levanta y, buscando una hendidura en la armadura del rey, le clava la daga en el corazón. El asesino, el amigo de sarracenos y judíos, ha muerto. Su cabeza es clavada en una pica y miles de pies aplastan su orgulloso cuerpo. Es, sin lugar a dudas, como un motivo de un cuadro pintado con las pinceladas rojas de la sangre y el odio.

> Los fieros cuerpos revueltos
> Entre los robustos brazos
> Está el cruel rey don Pedro
> Y don Enrique, su hermano.
>
> No son abrazos de amor
> Los que los dos se están dando:
> Que el uno tiene una daga
> Y otro un puñal acerado.

Deberían haber dejado a la balada tranquila los dos de Abbotsford. Desde luego no me parece demasiado conmovedora, como manifiesta Kelly, pero con sus ropajes castellanos es lo suficientemente dramática y excitante.

La proclamación de don Enrique retoma la historia allí donde acababa la anterior balada. En mi opinión Lockhart ha estado mucho más acertado en la traducción de esta balada. De todos modos, juzgo imposible que una pluma inglesa pueda traducir adecuadamente el digno ritmo castellano que viste el romancero. Pero el segundo verso es realmente fino y expresivo, y asciende toda una escala en su realización. ¿Están muertos estos tristes ojos? ¿Puede ser imaginaria la amenaza que desvelan? Mis manos están húmedas de la sangre de mi hermano, pero sólo un golpe del destino ha impedido que no haya sucedido al revés. Los versos son terriblemente elocuentes y nos hablan del momento, mortalmente frío, que sigue al asesinato: simple, espantoso y desesperadamente trágico. La loca aflicción de la amante del rey muerto está dibujada casi con igual maestría.

> Cómo acrecienta el dolor
> la envidia del bien ajeno,
> y al ver a los enemigos
> con favorable suceso;
> así la triste señora
> llora y se deshace, viendo
> cubierto a Pedro de sangre
> y Enrique de oro cubierto.

El moro Reduán

Saltémonos «El Señor de Buitrago» y «El Rey de Aragón» y centrémonos en la balada de «El Moro Reduán», una obra basada en el asedio de Granada, último bastión moro, y la primera en la que Lockhart nos habla de los romanceros fronterizos, que, como hemos destacado antes, están influenciados por ideas moras, más o menos directamente prestadas. Kelly nos dice al realizar la crítica de este romancero: «No se le puede culpar a Lockhart de traducir la balada tal y como la encontró en el texto. Cualquier traductor hubiera estado tentado de hacer lo mismo hoy en día si se atreviera a acometer la traducción del poema, pero hubiese considerado aconsejable reflejar en una nota el análisis crítico, que se desconocía en la época de Lockhart. Actualmente parece probado que Pérez de Hita unió dos romanceros en uno y que los versos

> Por esa puerta de Elvira sale muy gran cabalgada

es parte de una balada de la expedición de Boabdil contra Lucena en 1483.» Pero esto es sólo parcialmente correcto. Lockhart sabía perfectamente que la obra no era homogénea. De hecho comentó: «Lo que sigue es una versión de determinadas partes de dos baladas.» Pero parece que no se dio cuenta de que una de ellas era de la expedición de Boabdil. Esta parte nos proporciona, con mucho, los mejores elementos de la composición.

> ¡Cuánto del hidalgo moro! — ¡Cuánto de la yegua baya!
> ¡Cuánto de la lanza en puño! — ¡Cuánto de la adarga blanca!
> ¡Cuánto de marlota verde! — ¡Cuánta aljuba de escarlata!
> ¡Cuánta pluma y gentileza! — ¡Cuánto capellar de grana!
> ¡Cuánto bayo borceguí! — ¡Cuánto lazo que le esmalta!
> ¡Cuánto de la espuela de oro! — ¡Cuánta estribera de plata!

Reduán promete tomar la ciudad de Jaén para ganar la mano de la hija del rey moro. Estos versos están llenos de una musicalidad que no se encuentra con frecuencia en la poesía británica de 1823:

> Reduán, bien se te acuerda — que me diste la palabra
> que me darías Jaén — en una noche ganada.
> Redúan, si tú lo cumples, — daréte paga doblada,
> y si tú no lo cumplieres, — desterrarte he de Granada;
> echarte he en una frontera — do no goces de tu dama.
> Reduán le respondía — sin demudarse la cara:
> Si lo dije, no me acuerdo, — mas cumpliré mi palabra.
> Reduán pide mil hombres — el rey cinco mil le daba.

El pecado principal de Lockhart es que tiñe sus mejores esfuerzos de erudiciones, que confunde, evidentemente, con la simplicidad de la balada. Si la memoria no me falla, ninguna de las baladas inglesas tiene este tipo de vulgarismo.

Capítulo X

LOS ROMANCEROS O BALADAS (II)

En la ciudad de Granada grandes alaridos dan;
unos llaman a Mahoma, otros a la Trinidad;
por un lado entraban cruces, de otro sale el Corán;
donde antes oían cuernos, campanas oyen sonar.

LOCKHART nos ofrece en este colorido poema, cuyos dos primeros versos son especialmente logrados, un esquema conmovedor de la confusión y el tumulto imperantes durante la huida de los moros de Granada, último bastión de los moros en España, que cayó a manos de las tropas victoriosas de Isabel y Fernando el 6 de enero de 1492, el año del descubrimiento de América. El resto de la balada no es mucho mejor que el original, bastante poco musical, de Jorge de Sepúlveda. Es una pena que esta balada, que empieza tan brillantemente, se pierda después en una sarta de tonterías:

Justo es que como mujeres lloren y estén acuitados
los que como caballeros no defendieron su estado;
que más ganara en ser muerto en Granada peleando,
que no salir vivo d'ella, tan pobre y desheredado.

Don Alonso de Aguilar

Tras la caída de Granada el fervor católico de Isabel y Fernando les llevó a insistir en la conversión de todos los moros de la provincia. Muchos de los paganos aceptaron, por lo menos de cara al exterior, el real decreto, pero, en la sierra de la Alpujarra, se concentró un grupo de infieles que se negó a recibir el bautismo de manos de los curas que fueron allí enviados a tal efecto. Un real decreto posterior obligaba a efectuar la ceremonia por la fuerza de las armas. Durante un tiempo los moros resistieron con la tenaz valentía de su raza, pero a la larga fueron sometidos y casi exterminados. Pero la decadencia conllevó importantes pérdidas en el bando de los aspirantes a convertir a los moros, de los cuales el más notable fue Alonso de Aguilar, hermano de Gonzalo Fernández de Córdoba, el Gran Capitán. Pero la balada no parece coincidir con los hechos reales. De hecho nos habla de que Aguilar muere antes de la rendición de Granada, cuando en realidad su muerte tuvo lugar en 1501. Fitzmaurice Kelly piensa que esto nos lleva a la conclusión de que el romance no se escribió hasta mucho después de que se produjese el evento, cuando ya se habían olvidado los hechos. ¿Pero por qué culpar a todo un pueblo de lo que pudo ser un mero *lapsus memoriae* de un autor de baladas? Por otra parte Kelly puede pedirnos, en justicia, que le indiquemos una sola balada de origen popular que se adapte a las circunstancias históricas.

Lockhart, como es habitual en él, termina con un adorno:

> Estando el rey don Fernando en conquista de Granada
> donde están duques y condes y otros señores de salva
> con valientes capitanes de la nobleza de España,
> desde la hubo ganado, a sus capitanes llama.

Hasta aquí todo va bien. Ahora viene el final y debo reseñar que, tal y como cabía esperar, la traducción no se parece en nada al original.

Llorábale una cautiva, una cautiva cristiana,
que de chiquito en la cuna a sus pechos le criara,
A las palabras que dice, cualquiera mora lloraba:
Don Alonso, don Alonso, Dios perdone la tu alma
que te mataron los moros, los moros de la Alpujarra.

Lockhart omite en su colección esta bella balada que empieza así:

Río verde, río verde
Tinto vas en sangre viva;
Entre ti y sierra Bermeja
Murió gran caballería.

Murieron duques y condes
Señores de gran valía
Allí muriera Urdiales
Hombre de valor y estima.

Quiero destacar cuán libremente han manipulado las obras originales los autores ingleses que se han atrevido a traducir los versos castellanos. Y como ya he dicho antes, sospecho que se debe a su falta de conocimiento del idioma. De hecho, resulta obvio en la mayoría de las traducciones inglesas que más que comprender el sentido original lo han intuido.

Vamos a dejar a un lado la balada «La Partida del Rey Sebastián», que nos recuerda en cierto modo el ritmo irregular de las baladas escocesas, y vamos a adentrarnos en las baladas moras.

Las baladas moras

Ya hemos discutido si estas baladas tienen carácter moro o no. Por tanto hablemos simplemente de su calidad como baladas. La primera, «Ganzul en las fiestas de Almanzor», es una balada famosa. Nos describe la destreza de Ganzul, un noble moro, en los ruedos y no carece, desde luego, de un evidente colorido morisco.

Estando toda la corte de Almanzor, rey de Granada,
celebrando del Bautista la fiesta entre moros santa,
con ocho moros vestidos de negro y tela de plata,
que llevan ocho rejones y en ellos mil esperanzas,
seguros de su ventura, de muchas pruebas pasadas,
y más en el fuerte brazo que ha dado al mundo fianzas,
que algunas veces la suerte suele a los hombres de fama
llevarlos por los cabellos a la fortuna contraria;
entra valiente Ganzul señoreando la plaza,
que con ir sólo por ella toda la ocupa y levanta.

Ganzul mató a todos los toros a los que se enfrentó, exceptuando uno, «Harpado», una bestia furiosa y sagaz. Los versos que la describen están muy logrados:

Vayo en color encendido
Y los ojos como brasa
Arrugada frente y cuello
La frente vellosa y ancha.

Pero el orgulloso «Harpado» tuvo que terminar cediendo ante el caballero moro, sobre el que se han escrito otros muchos cuentos, sobre todo los referentes a sus amores con una dama de su raza.

La novia cegrí

Esta obra nos relata la feroz enemistad entre los dos bandos moros de Granada, los cegríes y los abencerrajes, los Capuletos y los Montescos de la última ciudad mora, cuya lucha aceleró, sin duda, su caída. La balada tiene un ritmo muy atractivo.

Conforme a lo que sabemos, el joven cegrí estaba llamado a la acción y no a las cabalgatas y procesiones. De hecho había camuflado su armadura y su caballo para poder adentrarse en territorio enemigo sin ser visto.

Lisaro llevaba en el casquete un ramo de laurel que le había dado Zayda, su señora. Cada noche pasaba ante el balcón de su señora, pensando que podría ser la última vez que la viera, ya que estaba seguro de que su destino le depararía pronto la muerte. Sin embargo, finalmente vive y consigue desposar a su novia.

Las nupcias de Andella

Esta balada está teñida de brillantes colores orientales:

> Ponte a las rejas azules,
> deja la manga que labras,
> melancólica Jarifa,
> verás al galán Andella,
> que nuestra calle pasea
> en una yegua alazana,
> con un jaez verde oscuro,
> color de muerta esperanza.
> Si sales pronto, Jarifa,
> verás cómo corre y para,
> que no lo iguala en Jerez
> ningún jinete de fama.

Sin embargo, la dama no miró por la ventana, ya que Andella estaba a punto de casarse con otra y le había sido desleal. Las baladas no son precisamente un informe de la constancia humana. En la tierra de las baladas el porcentaje de amantes infieles, blancos o negros, patanes o caballeros, es altísimo. Me pregunto si el primero que formuló la ley referente al incumplimiento de promesas fue un estudiante de las tradiciones populares de las baladas. Fuese como fuese, pareció poner fin a la composición de baladas, quizá porque acabó con la condiciones idóneas que las sustentaban.

Los pendientes de Zara

Esta intrigante balada lleva impresa su carácter popular. Puede que proceda de una obra mora, pero a veces las apariencias engañan. En cualquier caso merece la pena leerla.

La dama pierde los pendientes, que le había entregado Muza el día de su partida, en una fuente de Granada junto a la que se distrajo charlando con una amiga. Zara no se atreve a confesarle a Muza la pérdida. Pero, finalmente, la dama decide hacer lo mejor: decir la verdad. Existe una serie de romances sobre Muza que pareció ser un moro tenido en muy alta estima, lo mismo que Celin o Selim, su sucesor en las colecciones de Lockhart y Deeping. Veamos ahora unos versos del primer poema sobre Celin, de una musicalidad que te arrastra.

> Las soberbias torres mira
> A los lejos las almenas
> De su patria dulce y cara
> Celin, que el rey le destierra;
> Y perdida la esperanza
> De jamás volver a vella
> Con suspiros tristes dice:
> «¡Del cielo luciente estrella,
> Granada bella,
> Mi llanto escucha, y duélate mi pena!»

Baladas románticas

Pasamos ahora a estudiar las baladas románticas, la tercera y última sección de la colección de Lockhart. De ellas hemos leído ya «El Moro Calaínos» y sus seguidoras «Gaiferos» y «Melisendra». La balada que sigue se llama «El Sueño de doña Alda», calificada por Lockhart como una de las baladas españolas más admiradas. No es, sin embargo, mi favorita. Puede que la juzgue injustamente, pero me parece inferior, y prefiero con mucho la de «El Almirante Guarinos» que le pisa los talones, espoleada por la impaciencia del ritmo guerrero.

Guarinos era almirante de Carlomagno. Durante mi infancia los avatares de la Armada Británica eran un tema periodístico recurrente, y yo me dedicaba a especular sobre la terrible situación por la que había tenido que pasar la flota franca durante la ausencia de

su jefe, trasladado a tierras moras tras ser capturado en Roncesvalles por los sarracenos. El rey Marlotes le trató como a un príncipe
y le prometió concederle la mano de sus dos hijas si se convertía al
islamismo. Pero Guarinos se mantuvo firme y se negó a aceptar la
fe de Mahoma. Cegado por una pasión, que parece ser privilegio
especial de los potentados orientales, el rey Marlotes le mandó
encarcelar en el calabozo más profundo del castillo.

Los moros tenían por costumbre sacar a la luz a los cautivos
tres veces al año para divertimiento del pueblo. En una de dichas
ocasiones, la fiesta de San Juan concretamente, el rey mandó insta-
lar un blanco que los caballeros moros debían alcanzar con su lanza. Pero era tan alto que ninguno de ellos logró tener éxito y el rey,
disgustado, no permitió que el banquete comenzara hasta que
algún caballero diese en el blanco. Guarinos aseguró que él podría
realizar la proeza. El rey le dio su permiso y le llevaron su armadura y su caballo gris que no veía desde hacía siete años.

> Marlotes de que esto oyera — de allí lo mandó sacar;
> por mirar si en caballo — él podría cabalgar,
> mandó buscar su caballo — y mandáraselo dar,
> que siete años son pasados — que andaba llevando cal.
> Armáronlo de sus armas, — que bien mohosas están.

Guarinos susurró unas palabras al oído de su caballo, que
reconoció la voz de su amo.

> Marlotes desque lo vido — con reír y con burlar
> dice que vaya al tablado — y lo quiere derribar.
> Guarinos con grande furia — un encuentro le fue a dar,
> que más de la mitad dél — en el suelo fue a echar.
> Los moros de que esto vieron — todos le quieren matar;
> Guarinos como esforzado — comenzó de pelear
> con los moros, que eran tantos, — que el sol querían quitar.
> Peleara de tal suerte — que él se hubo de soltar,
> y se fuera a su tierra — a Francia la natural:
> grandes honras le hicieron — cuando le vieron llegar.

Parece que hay ciertas conexiones entre esta balada y el romance francés de «Ogier el danés», y Erman nos cuenta que se cantaba en la Siberia rusa en 1828.

La balada «La Dama de los Árboles» nos cuenta cómo una princesa fue raptada por las hadas y un caballero, al que ella llamó en su rescate, hizo oídos sordos. Más tarde, cuando la princesa recuperó su posición social, despreció al caballero. La balada que sigue, «La Falsa Reina», es un mero fragmento, pero «El Infante Vengador» es una obra completa y viva. Fitzmaurice Kelly declara que la versión de Gibson de esta última balada es muy superior a la de Lockhart. Yo, sin embargo, prefiero la versión del último. El primer verso de Gibson es desmañado y cacofónico y la inversión que realiza en el segundo verso es intolerable y pueril. Los versos restantes son buenos pero no mejoran en nada a los de Lockhart. Sin embargo, en su conjunto tiene un ritmo más vivo, aun cuando en el primer verso dicho ritmo se vuelve tosco, a causa de la crudeza de la yuxtaposición de tantas sibilantes.

> Helo, helo por do viene — el infante vengador,
> caballero a la jineta — en un caballo corredor,
> su manto revuelto al brazo — demudada la color,
> y en la su mano derecha — un venablo cortador;
> con la punta del venablo — sacarían un arador,
> siete veces fue templado — en la sangre de un dragón
> y otras tantas afilado — porque cortase mejor.

Es una pena que el romanticismo rara vez se tiña de sentido del humor. Un infante vengador que puede sonreír contento mientras clava la cabeza de su enemigo en la punta de su lanza no parece encajar muy bien en la sedosa atmósfera de la corte. Y después llega a casarse con la infanta y el rey le honra y le nombra caballero. Posiblemente viese en él un alma afín, si es cierto todo lo que leemos en los romances de reyes e infantas.

> A los primeros encuentros — Cuadros en tierra cayó.
> Apeárase el infante, — la cabeza le cortó

y tomárala en su lanza — y al buen rey la presentó.
De que aquesto vido el rey — con su hija le casó.

El conde Arnaldos

Esta bellísima balada, recogida en el *Cancionero* de Amberes (1555) nos cuenta cómo el conde Arnaldos oyó un día, mientras paseaba por la orilla del mar, la mística canción de un marinero.

¡Quién hubiese tal ventura — sobre las aguas del mar,
como hubo el conde Arnaldos — la mañana de San Juan!
Con un falcón en la mano — la caza iba a cazar,
vio venir una galera — que a tierra quiere llegar.
Las velas traía de seda, — la ejércia de un cendal,
marinero que la manda — diciendo viene un cantar
que la mar facía en calma, — los vientos hace amainar,
los peces que andan 'nel hondo — arriba los hace andar,
las aves que andan volando — en el mástil las face posar.
Allí fabló el conde Arnaldos, — bien oiréis lo que dirá:
Por Dios te ruego, marinero, — dígasme ora ese cantar.
Respondióle el marinero, — tal respuesta le fue a dar:
Yo no digo esta canción — sino a quien conmigo va.

Longfellow escribió una balada, bastante floja, sobre el episodio de Arnaldos, llamada «The Seaside and the Fireside», en la que incorpora varios de sus versos. Yo publiqué una adaptación hace años, cambiando el entorno y la métrica, que creo puede ilustrar la manera en que «se hace este tipo de cosas».

«La Canción de la Mañana del Día de San Juan Bautista» tiene poco de balada, por tanto la pasaremos por alto, como haremos con el fragmento de «Julián», perteneciente al grupo de Gaiferos. Creo que «La Canción del Galeón», «demasiado dulce» en opinión de Kelly, es una traducción muy pobre del original.

A la fina «Canción del Caballero Errante» hemos hecho ya alusión. «Minguillo» nos habla de un tema recurrentemente en todo el mundo: el protagonista besa a una moza y desde ese día su madre la recrimina duramente por ello. La moza, entonces, le ruega a Minguillo que le devuelva el beso que le robó.

Es un tópico un tanto manido desde Caithness a Capo d'Istria. Por su parte, «Serenata», perteneciente al *Romancero General* de 1604, no es, evidentemente, la obra de un campesino. Lockhart merece ser alabado en este caso por su buena traducción. Su musicalidad tiene reminiscencias de la obra «Skylark» de Kelly, aunque carece de la viveza de esta canción, mucho más mágica.

Para hacer justicia a Lockhart, hay que reconocer que amaba las letras en sí mismas. Era modesto por naturaleza y se contentaba con cantar en la sombra; no se puede recordar su fino y probo espíritu, su labor y sus sacrificios, sin agradecérselo y alabarle por ello. En el fondo creo detectar en el Lockhart real a un hombre con corazón de niño.

«El Castigo de Minguela» nos relata la aflicción de una campesina, destruida por su amor. «El Romance del Prisionero» nos relata las penas de un caballero encarcelado que no puede ver las estaciones del año pasar o crecer la Luna:

> Por el mes era de mayo
> cuando hace la calor,
> cuando canta la calandria
> y responde el ruiseñor,
> sino, yo, triste, cuitado,
> que vivo en esta prisión,
> que ni sé cuándo es de día
> ni cuándo las noches son,
> sino por una avecilla
> que me cantaba al albor;
> matómela un ballestero:
> ¡Déle Dios mal galardón!

Una mano cruel mató al mirlo, único consuelo del pobre prisionero. Pero el rey escuchó su lamento al pasar un día frente a su calabozo y le liberó.

No entraremos a analizar la balada «Valladolid», un tanto sepulcral, que nos cuenta la visita de un caballero a la tumba de su amada en dicha ciudad. «La Malcasada» nos cuenta las penas de una dama, cuyo esposo le es infiel, y que se consuela con otro caballero. Su marido les sorprende y ella le pregunta ingenuamente: «¿Es que debo morir hoy?» y pide ser enterrada en el jardín de los naranjos. El romance no nos dice si se cumple su última petición o, incluso, si se le perdonó la vida, aunque con toda probabilidad esta última alternativa era inaceptable en el siglo XVII.

«Dragut» es la historia de un famoso corsario, cuya nave es hundida por un barco de los caballeros de Malta. Dragut consiguió salvarse nadando hasta la orilla. Pero los cristianos cautivos que transportaba en su embarcación murieron todos ahogados, excepto uno, al que los malteses arrojaron una cuerda.

La colección de Lockhart acaba con el cuento del conde Alarcos, al que ya hemos hecho mención. Pero no debemos ceñirnos sólo a Lockhart para encontrar buenas traducciones de los romanceros españoles. La aportación de John Bowring a la traducción al inglés de la lírica castellana menos conocida tiene un valor indudable. Su traducción de la famosa balada «Fonte Frida» es, quizá, la mejor versión en lengua inglesa. Sin embargo no hay traducción que pueda hacer justicia a la bella lírica de esta balada:

> Fonte frida, fonte frida
> Fonte frida, y con amor
> Do todas las avezicas
> Van tomar consolación,
> Sino es la tortolica
> Que está viuda y con dolor,
> Por ay fuesse a pasar
> El traydor del ruiseñor
> Las palabras que el dezía
> Llenas son de traición:
> «Si tu quisiesses, señora,
> Yo sería tu servidor.»

Ticknor tiene mucha razón cuando afirma lo siguiente sobre las baladas españolas: «Para captar su auténtico valor y poder debemos leer un gran número de ellas, y leerlas, incluso, en su lengua nativa; los originales tienen una frescura, procedente de los viejos romanceros, que se nos escapa a la hora de traducirlas, tanto si lo hacemos literal o libremente.»

El romancero denominado «Sale la estrella de Venus» nos cuenta una trágica historia. Un guerrero moro huye de la ciudad de Medina Sidonia a causa de la crueldad de su amada, que le ha concedido su mano a otro caballero; las rocas y montes le devuelven el eco de sus lamentos. El caballero lanza una amarga maldición contra la orgullosa dama que le ha traicionado. Enloquecido, va en busca del palacio del alcalde, al que su infiel señora desposará esa noche. El edificio resplandece a la luz de las antorchas y se escucha una alegre música. El caballero se confunde entre los invitados y traspasa el pecho del alcalde con su lanza.

Ya hemos examinado los diferentes tipos de baladas españolas. Observamos que la nota común es su gravedad y romanticismo, fruto del orgullo y la imaginación del pueblo español. Tampoco podemos olvidar la nota nacional que resuena en todos los poemas: el individualismo y el espíritu de raza. «Pobre España». ¿Cuántas veces hemos escuchado esta expresión en boca de un británico? No vamos a decepcionarles. Pero, ¿qué implica la pobreza material frente al tesoro de la imaginación de todo un pueblo? Nada de pobre España, hay que exclamar: ¡Opulenta España! Arca que contiene el tesoro de la moneda acuñada por la Historia y de las joyas del romance, el drama y la canción.

Capítulo XI

LOS ROMANCES MORICOS DE ESPAÑA

ÁS que romances compuestos por los moros, son más bien romances de estilo moro; son cuentos profundamente enraizados en el folclore popular que hacen referencia a temas sarracenos, antes que obras de ficción sacadas de antiguos manuscritos árabes. La literatura árabe de España era más didáctica, teológica y filosófica que romántica. La ficción era la parte del poeta errante que contaba historias, costumbre que aún pervive en Oriente. Pero no podemos poner en duda que muchas leyendas moras calaron en el campesinado español, especialmente en el del Sur de la Península. Sin embargo, los compiladores las han olvidado en su mayoría y, por este motivo, disponemos de escasos ejemplares. A pesar de ser escasas en número, son ricas en calidad, dada su magia y belleza. Quizá no exista una obra sobre las tradiciones de los moros en España que pueda igualar a «Los Cuentos de la Alhambra», de Washington Irving. Según sus propias palabras, se limitó, diligentemente, a dar forma y a remendar diversos fragmentos que fue recogiendo en el transcurso de sus viajes, al igual que un anticuario descifra un documento histórico a partir de viejas cartas mutiladas. Por tanto, la primera leyenda que voy a relatar procede de las páginas encantadas de este gran americano, mago de las palabras, pidiendo disculpas a su espíritu por las alteraciones que he tenido que introducir en el lenguaje, para adaptarlo a los lectores modernos. De hecho he ajustado totalmente la historia a los gustos del siglo XX.

El astrólogo árabe

Aben Habuz, rey de Granada, se había merecido en su vejez un justo descanso. Pero el joven y ardoroso príncipe de los territorios que colindaban con los suyos no concebía que su avanzada edad le alejase de los peligros de la guerra y, aunque el rey tomó todas las precauciones para asegurar sus posiciones contra posibles incursiones, ciertos fanáticos amenazaban constantemente con atacar sus dominios, lo que llenó de desasosiego e irritación sus últimos años.

Perplejo y hostigado, el rey buscó un consejero que le ayudase a fortalecer sus posiciones, negándose a elegirlo entre los sabios y nobles de su corte, ya que su frío egoísmo y su falta de fervor patriótico no les hacía dignos de hacerse cargo de asuntos de estado de tanta importancia. Mientras meditaba sobre su desdichada situación, le anunciaron la llegada a Granada de un sabio árabe, famoso en todo Oriente por su comprensión y sabiduría. El erudito se llamaba Ibrahim Ebn Abu Ajib, y se murmuraba que existía desde los tiempos de Mahoma, y que, incluso, había sido amigo de su hijo. De niño había acompañado a Egipto al ejército de Amru, el general profeta, donde permaneció durante generaciones, empleando su tiempo en el estudio de las ciencias ocultas, tema en el que los sacerdotes egipcios eran maestros. A pesar de sus años —su apariencia era de lo más venerable—, anduvo todo el camino desde Egipto a pie, ayudado sólo por un bastón, labrado con jeroglíficos misteriosos. Su barba le llegaba al cinturón, sus penetrantes ojos denotaban una inteligencia sobrehumana y su porte era más grave y majestuoso que el de cualquier *mullah* de Granada. Se comentaba que poseía el secreto del elixir de la vida eterna y había prolongado su vida doscientos años, pero como lo conoció ya a una avanzada edad, tuvo que contentarse con seguir con su avejentado aspecto exterior.

El rey Aben Habuz, feliz de poder ofrecer su hospitalidad a un visitante de tal altura, le recibió con gran boato. Pero el sabio rechazó todas las comodidades y se estableció en una cueva, en la

216

ladera del monte sobre el que luego se construiría la Alhambra. Modificó la caverna de tal manera que terminó por parecerse a los interiores de los templos de Egipto, donde tanto tiempo había pasado. Le ordenó al arquitecto de la corte que horadase la roca viva que le servía de techo, de modo que pudiese contemplar las estrellas, incluso al mediodía, desde su sombría caverna, ya que Ibrahim era un profundo estudioso de los cuerpos celestes, es decir de la noble ciencia de la astrología, a la que todos los sabios consideraban la más noble de las ciencias y la auténtica fuente de saber divino, despreciando toda la erudición posterior. La sobrenatural y sinuosa escritura de la lengua de los sabios cubría las paredes de la caverna del astrólogo, entremezclada con símbolos, no menos misteriosos, del antiguo Egipto. Ibrahim, rodeado de estos jeroglíficos y provisto de un primitivo telescopio, se dedicaba a descifrar el curso de los acontecimientos futuros, como si estuviesen escritos en las relucientes páginas del cielo.

Es lógico que el afligido Aben Habuz recurriera a la sabiduría y la capacidad visionaria del astrólogo. De hecho, Ibrahim se convirtió en un colaborador indispensable, al que consultaba ante cualquier contingencia. El sabio respondía cortésmente a todas las preguntas del rey y puso al servicio del acosado monarca todo su maravilloso conocimiento. En una ocasión Aben Habuz se quejó amargamente de la constante vigilancia que se veía forzado a mantener para evitar los ataques de sus incansables vecinos. El astrólogo se perdió durante un rato en sus pensamientos. Luego replicó: «Majestad, hace años contemplé una maravilla en Egipto, construida por un sabio sacerdote de ese país. Colocó la imagen de un carnero en la cima de la montaña, junto a la ciudad de Borsa, y encima del carnero la figura de un gallo, formando una efigie que giraba alrededor de un pivote. Si el país sufría una amenaza de invasión, el carnero giraba en dirección al enemigo y el gallo cantaba. De este modo los habitantes de Borsa podrían tomar medidas defensivas con tiempo.»

«Si pudiéramos construir algo así en Granada», afirmó el rey fervientemente, «podríamos descansar en paz.»

El sabio se sonrió ante la seriedad del rey y le dijo: «Ya os he dicho, majestad, que he pasado varios años en Egipto aprendiendo la sabiduría oculta de ese misterioso país. Un día, mientras estaba sentado a la orilla del Nilo, hablando con un sacerdote, mi compañero me señaló las poderosas pirámides que proyectaban su sombra sobre el lugar en el que estábamos sentados. "Hijo mío", me dijo el sabio, "estás contemplando estas montañas de piedra, levantadas en memoria de reyes que murieron cuando la civilización griega estaba en la cuna y la romana no existía siquiera; todas las tradiciones que podemos enseñar son como una gota de agua en el océano, comparadas con los secretos que contienen estos monumentos. En el corazón de la Gran Pirámide hay una cámara mortuoria que contiene la momia del gran sacerdote que diseñó y mandó construir este fantástico monumento. Tiene sobre su pecho un libro maravilloso que contiene los secretos mágicos de gran poder: el libro que recibió Adán tras ser expulsado del Paraíso y gracias al que Salomón construyó el templo de Jerusalén." Desde que escuché esas palabras no pude dormir. Decidí entrar en la Gran Pirámide y apropiarme de dicha obra. Reuní a un grupo de soldados del victorioso ejército de Amru y a muchos nativos egipcios y me dediqué a la tarea de perforar el sólido muro que tapaba la entrada a tan inefable tesoro, hasta que un día llegué a uno de los pasadizos secretos. Pasé mucho tiempo deambulando por el laberinto de la vasta pirámide, hasta que llegué a la cámara sepulcral. Finalmente, tras andar a tientas en esa profunda oscuridad, envuelto por el crujido de las vendas de las momias faraónicas, llegué al lugar en el que se encontraba la momia del gran sacerdote. Abrí el sarcófago y desanudando los voluminosos vendajes, encontré el misterioso tomo sobre el pecho marchito, rodeado de especias y amuletos. Lo cogí y corrí a través de los oscuros corredores, sin detenerme hasta que vi la luz del día y el verde del lánguido río.»

«¿Pero cómo me puede ayudar a mí esto a solucionar mi problema, oh hijo de Abu Ajib?», preguntó el rey en tono quejumbroso.

«Os he contado esto, majestad, porque gracias al libro podré convocar a los espíritus del cielo y de la Tierra, para que me ayuden a construiros un talismán como el de Borsa.»

El astrólogo cumplió su palabra. El rey puso a su disposición todos los recursos del reino para construir una gran torre al pie de la colina de Albayan. A una palabra del mago, espíritus poderosos trajeron grandes piedras de las pirámides de Egipto y con ellas se construyó el edificio. En la cumbre construyó un salón circular, cuyas ventanas miraban a todos los puntos cardinales, y colocó ante cada ventana una mesa, parecida a un tablero de ajedrez, en la que se reproducía un ejército que tenía a la cabeza la efigie, tallada en madera, del señor que gobernaba en las tierras situadas en dicha dirección. Junto a cada mesa había una lanza repleta de caracteres mágicos. Cerró dicha sala con una puerta de latón, cuya llave sólo tenía el rey. Sobre la torre colocó la estatua de un caballero moro, fundida en bronce, fijada a un pivote giratorio. Llevaba una armadura y una lanza que sujetaba perpendicularmente. La imagen miraba hacia la ciudad, pero cuando se acercase algún enemigo, el caballero apuntaría en su dirección y colocaría su lanza en actitud de atacar.

Reacio como era Aben Habuz a la guerra, estaba impaciente por comprobar las virtudes del talismán. No tuvo que esperar mucho tiempo, ya que una mañana fue informado de que el rostro del caballero de bronce miraba hacia la montaña de Elvira y que dirigía su lanza hacia el paso de Lope. El rey ordenó que tocasen las trompetas de alarma, pero Ibrahim le aconsejó que no molestase a sus ciudadanos, ni reuniese a sus tropas y se limitase a seguirle hasta el salón secreto de la torre.

Al entrar comprobaron que la ventana que miraba hacia el paso de Lope estaba abierta. «Ahora, majestad», dijo el astrólogo, «observad los misterios de la tabla.» Aben Habuz contempló el tablero cubierto de pequeñas figuras de caballos y soldados y vio, atónito, que todas estaban en movimiento, los guerreros blandían sus armas y los caballos relinchaban, pero el sonido era como el zumbido de una colmena.

«Majestad», comentó el astrólogo, «si deseáis que cunda el

pánico y la confusión entre el enemigo, sólo tenéis que golpear el extremo de la lanza, pero si queréis sembrar la muerte y la destrucción, golpead entonces la punta.»

Aben Habuz empuñó la pequeña lanza y derribó algunas figuras, golpeando otras con el extremo. Las primeras cayeron como muertas y las segundas cayeron unas encima de otras en total confusión. Los exploradores enviados para informar de la destrucción de los invasores, volvieron con la noticia de que el ejército cristiano habían avanzado hasta el paso de Lope, pero allí habían dirigido sus armas contra sus propios compañeros, retirándose a la frontera en gran confusión.

El rey, encantado, le dijo a Ibrahim que pidiese la recompensa que quisiera. «Mis necesidades son escasas», replicó el astrólogo, «me conformo con que mi caverna tenga las comodidades necesarias para un filósofo.»

Sorprendido por su moderación, el rey reunió a sus tesoreros y les ordenó que tomasen nota de todas las necesidades del sabio. Éste les pidió que excavasen unas habitaciones en la roca y las decorasen con lujosa magnificencia. Colocaron magníficos divanes y principescas otomanas en cada esquina, cubrieron las húmedas paredes de lujosas sedas de Damasco y los suelos con alfombras de Ispahan. Construyeron baños, repletos de seductores perfumes orientales. Colgaron innumerables lámparas de plata y cristal, cebadas con un aceite mágico y fragante, que duraba eternamente.

Asombrados por el desenfreno del astrólogo, los tesoreros elevaron sus quejas al rey que, al haber dado su palabra, no quiso interferir en el asunto, esperando únicamente que la decoración de la caverna acabase pronto. Cuando la morada del sabio estaba ya repleta de tesoros de tres continentes, los tesoreros le preguntaron si necesitaba algo más.

«Sólo tengo una sola petición más», dijo, «desearía unas cuantas danzarinas.»

Los tesoreros cumplieron las instrucciones del sabio, bastante escandalizados, e Ibrahim se recluyó en su retiro a disfrutar de todas sus posesiones. Mientras tanto, el rey se entretenía en la torre desarrollando batallas simuladas, y, dado que el sabio no estaba presente para moderar sus propensiones guerreras, se divertía aniquilando ejércitos y batallones con un toque de su lanza mágica. Sus enemigos, aterrorizados con el resultado de sus expediciones, dejaron de molestarlo y, durante meses, el caballero de bronce permaneció inmóvil. Aben Habuz empezó a impacientarse. Una gloriosa mañana le trajeron la noticia de que el caballero de bronce había apuntado su lanza hacia las montañas de Guadix.

El rey acudió a la torre, pero el tablero mágico situado en la dirección indicada por el caballero de bronce estaba tranquilo. Ni un solo caballero se movía ni relinchaba caballo alguno. Aben Habuz, perplejo, envió un grupo de exploradores que a los tres días le informaron que no había señales de batalla. Lo único que encontraron fue una dama cristiana que dormía junto a una fuente, a la que hicieron prisionera.

Aben Habuz mandó que la trajesen ante él. Su distinguido porte y sus lujosas ropas denotaban su alto rango. En respuesta a las preguntas del rey, le dijo que era la hija de un príncipe godo, a cuyo ejército había destruido en las montañas, gracias a sus artes mágicas.

«Cuidaos de esta dama, majestad», le aconsejó el astrólogo, «puede ser una bruja que ha venido hasta aquí a causaros daño. Tened cuidado.»

«Calla, Ibrahim», le espetó el rey, «eres muy sabio pero poco versado en asuntos de mujeres. ¿Cuál de ellas no es una bruja? Esta mujer me agrada.»

«Majestad», replicó Ibrahim, «os he concedido muchas victorias, pero poco he recibido del botín que habéis logrado gracias a mí. Dadme a la cristiana cautiva, que según veo porta una lira de plata, y que me acompañará con su dulce música en mi retiro. Si es una bruja, como sospecho, conozco hechizos para contrarrestar su magia. Pero si vos la metéis en vuestro palacio os dominará rápidamente.»

«Por las barbas del Profeta, que eres un extraño ermitaño», gritó el rey. «Esa dama no es para ti.»

«Así será», contestó el astrólogo, «pero temo por vos, Aben Habuz. Os lo repito, tened cuidado de ella.» Y se retiró a su morada subterránea.

Aben Habuz se enamoró locamente de la bella hija del godo y, en su deseo de complacerla, agotó las reservas de su reino hasta el límite. Le ofreció lo más lujoso y exquisito de sus tesoros y almacenes. Organizó cientos de espectáculos y festejos, tales como desfiles, corridas de toros y torneos. La orgullosa dama lo aceptó con indiferencia. De hecho, parecía que animaba al monarca a realizar mayores dispendios y a organizar festejos más extravagantes. Pero fuese cual fuese el regalo que le hiciese Aben Habuz, se negaba a escuchar una sola palabra de amor de sus labios, y cuando éste intentaba hablarle de amor, ella tocaba las cuerdas de su lira y sonreía enigmáticamente. Cuando esto sucedía, el rey caía en un profundo sopor y la dulce música le sumergía en un sueño, del que, por lo general, se despertaba más fresco y vigoroso.

Sin embargo, sus súbditos no estaban nada contentos con la marcha de los acontecimientos. Irritados por la prodigalidad de sus gastos y por la práctica esclavitud en la que había caído a manos de una mujer enemiga, acabaron rebelándose. Pero, al igual que el rey Sardanápalo de Babilonia, el rey abandonó sus frívolas diversiones y, a la cabeza de su guardia, acabó con el brote antes de que estallase. Inquieto, sin embargo, por el episodio, recordó las palabras de Ibrahim acerca del mal que la princesa goda le traería.

Fue a la caverna en busca del astrólogo y le pidió consejo. Ibrahim le aseguró que su posición no estaría segura hasta que la princesa se marchase de su casa. Aben Habuz se negó a escucharlo y le pidió que le buscase un lugar de retiro donde poder pasar junto a la princesa el resto de sus días.

«¿Cuál será mi recompensa si os encuentro dicho lugar?», preguntó Ibrahim.

«La que tú desees, Ibrahim», replicó el anciano rey.

«¿Habéis oído hablar de los jardines de Irem, la joya de Arabia?»

«En fábulas. ¿Me estás tomando el pelo?»

«No, mi señor. Yo he visto con mis propios ojos ese delicioso paraíso. Cuando era joven tropecé con los jardines, un día que iba en busca de los camellos de mi padre. Sheddad, hijo de Ad, tataranieto de Noah, encontró la capital del territorio de los additas y decidió levantar un palacio, rodeado de jardines, que se pareciese al Paraíso. Pero la maldición divina cayó sobre su cabeza a causa de su presunción. Tanto él como sus súbditos fueron barridos de la tierra y su palacio y jardines fueron ocultados a la vista humana mediante un encantamiento. Al recuperar el libro de Salomón, volví a visitar esos jardines y los espíritus que los guardan me contaron el secreto del hechizo que los hace invisibles al ojo humano. Yo puedo, mediante mi magia, construirte un retiro como ése aquí, en los montes de tu reino.»

«Sabio filósofo», exclamó Aben Habuz, «he hecho mal en dudar de ti. Haz lo prometido y pide tu recompensa.»

«Todo lo que pido es la primera bestia que traspase las puertas de ese paraíso con su carga incluida», dijo Ibrahim, «una petición muy moderada.»

«En verdad es moderada», exclamó el rey, pensando ya en su feliz futuro, «te la concederé de inmediato.»

El astrólogo se puso manos a la obra. Construyó una poderosa torre con una enorme puerta en la cima de la montaña, en la que se encontraba su caverna, y dibujó una gran llave en la piedra angular de la entrada. A la entrada había una torreta de vigilancia en la que grabó una mano gigantesca. Una noche muy oscura subió al monte y realizó unos encantamientos. A la mañana siguiente fue a ver a Aben Habuz y le informó que había terminado su obra y que el paraíso sería invisible para todo el mundo menos para él y su amada.

Al día siguiente el rey ascendió la colina, acompañado de la princesa, que montaba un caballo blanco. A su lado caminaba el astrólogo, apoyado en su bastón cubierto de jeroglíficos. Llegaron al arco y el sabio señaló la llave y la mano. «Ningún poder mortal podrá levantarse contra el señor de este paraíso, hasta que aquella mano coja la llave.»

Mientras hablaba, el caballo con la princesa traspasó el portal.

«Mirad», exclamó, «¿no habíamos quedado en que el primer caballo que pasase por la puerta sería mío junto con su carga?»

Aben Habuz se sonrió, pensando que era una broma del sabio, pero cuando comprobó que hablaba en serio se enfureció.

«Astrólogo presuntuoso», gritó, «¿te atreves a pretender a la mujer que yo he elegido entre todas las de mi reino?»

«Habéis dado vuestra real palabra», replicó Ibrahim, «reclamo a la princesa en virtud de la promesa que me hicisteis.»

«Perro del desierto», gritó el rey, «todo el peso de mi furia caerá sobre ti.»

«Perdonad que me ría, majestad», replicó el astrólogo burlonamente, «no hay mano mortal que pueda hacerme daño. Adiós. Quedaos con vuestro paraíso y seguid reinando sobre vuestros territorios.» Con estas palabras cogió las bridas del caballo de la princesa, hundió su bastón mágico en el suelo y desapareció llevándose a la princesa. La tierra se cerró sobre ellos, sin dejar rastro de alguna hendidura por la que pudieran haberse esfumado.

Cuando Aben Habuz se recuperó de su sorpresa, mandó llamar a varios obreros para que cavasen en dicho lugar. Pero el agujero parecía llenarse de tierra tan pronto como lo vaciaban. También había desaparecido la entrada de la caverna del sabio. Y, para mayor desdicha, el talismán que había entregado el astrólogo para asegurar la paz de Granada se negaba a funcionar, comenzando de nuevo los asedios.

Un buen día se presentó un campesino ante Aben Habuz y le comentó que mientras deambulaba por el monte había encontrado una fisura en la roca, por la que se introdujo hasta ver un salón subterráneo, en el que estaba el astrólogo, sentado en un magnífico diván, escuchando las notas de la lira de plata de la princesa. Sin embargo, el monarca no pudo encontrar la hendidura, ni pudo tampoco entrar en el paraíso que le había construido su rival. La cima del monte estaba, aparentemente, pelada y recibió el nombre de «El Paraíso del Loco». Los últimos días del desafortunado monarca se vieron ensombrecidos por las incursiones guerreras de sus vecinos.

Ésta es la historia del monte de la Alhambra, el palacio que reproduce las delicias de los jardines de Irem. La puerta encantada pervive todavía y se llama «Puerta de la Justicia». Se dice que el astrólogo vive todavía debajo de esa puerta, en su mansión subterránea, mecido por la lira de la princesa. Los dos permanecerán, de hecho, cautivos hasta que la mano mágica agarre la llave mágica y se deshaga el encantamiento.

Cleomades y Claremond

Sabemos casi con seguridad que este maravilloso cuento es de origen moro en cierto sentido. M. Paulin París comenta en el prefacio de la obra de Adenès, *Berte aux grans Piés* (París, 1832): «Me inclino a pensar que el original de esta leyenda es español o moro. Todos los personajes pertenecen a dichos pueblos y, mientras que el escenario en que se desarrolla es español, el tipo de ficción es igual al de las leyendas orientales.» Keightley cree que Blanca de Castilla, esposa de Luis VIII de Francia, conoció el cuento en España y se lo narró luego al poeta francés Adenès, que le dio forma literaria.

Ectriva, reina de la España meridional, celebró un gran torneo en Sevilla, en el que Marchabias, príncipe de Cerdeña, destacó de tal manera que conquistó su corazón. Concedió su mano al joven paladín y su feliz unión se vio bendecida con tres hijas y un hijo. El hijo se llamó Cleomades y las hijas Melior, Soliadis y Máxima.

Cleomades comenzó a viajar desde una temprana edad. Tras viajar por diversos países extranjeros, fue llamado a la corte para asistir a la boda de sus hermanas, a punto de desposar a tres grandes príncipes, todos ellos famosos por sus poderes ocultos. Sus nombres eran Melicandus, rey de Berbería, Bardagans, rey de Armenia, y Croppart, rey de Hungría. Este último monarca era jorobado y tenía una lengua viperina y un corazón perverso.

Los tres nobles señores se encontraron poco antes de llegar a Sevilla y acordaron ofrecer un regalo a los reyes de tal valor que les obligara a regalarles algo en contraprestación. Melicandus les regaló una estatua en oro de un hombre, el cual llevaba una trompeta en la mano que sonaba si se acercaba algún traidor. Bardagans les regaló una gallina y seis polluelos de oro, hechos con tal habilidad que picoteaban el grano y parecían estar vivos. Croppart les entregó un magnífico caballo de madera labrada que podía trotar por tierra y mar a cincuenta leguas por hora.

Los reyes, agradecidos, invitaron a sus futuros yernos a pedirles cualquier cosa que estuviese en su mano concederles. Melicandus pidió la mano de la princesa Melior, Bardagans la de Soliadis y Croppart la de Máxima. Las dos hermanas mayores estaban contentas con sus pretendientes, amables y atractivos, pero, cuando Máxima vio a su deformado novio, corrió hasta su madre para rogarle que la librase de semejante monstruo.

Cleomades le comentó a su padre el mal que había hecho al aceptar dicha petición. Pero Croppart insistió en que el rey había dado su palabra y no podía romper su promesa. Cleomades, intentando encontrar algún argumento, le dijo al rey de Hungría que se había comprobado el valor de los regalos de Melicandus y Bardagans, pero nadie sabía si la historia del caballo de madera era verdadera o una mera fábula. Croppart se ofreció a demostrar los poderes del caballo. En ese momento la estatuilla hizo sonar su trompeta, pero estaban todos tan interesados en el caballo, que no se dieron cuenta. El príncipe montó la bellamente adornada cabalgadura, Croppart giró un resorte en su cabeza y el corcel voló por los aires a tal velocidad que pronto desapareció de la vista.

Los reyes, indignados, le comentaron a Croppart que debería de haberles enseñado a manejar el caballo de madera antes de lanzarlo por los aires. Mientras tanto Cleomades cabalgó millas y millas. Su extraña montura seguía cruzando el cielo a una terrible velocidad, y al caer la noche no parecía haber perdido fuerza. Cleomades continuó volando toda la noche y tuvo tiempo suficiente para ponderar su miserable situación. Al descubrir que el caballo tenía en su ancas unos resortes parecidos al de la cabeza decidió probar sus efectos. Comprobó que al girar uno de ellos a la derecha o la izquierda, el caballo tomaba esa dirección y que al girar el otro el caballo perdía velocidad y descendía. Al amanecer descubrió que estaba sobre una gran ciudad. Manipulando hábilmente los resortes logró aterrizar en una torre que estaba en los jardines de un magnífico palacio.

Descendió por una trampilla que había en el tejado y entró en una espléndida habitación, en la que una dama dormía sobre un suntuoso diván. Cuando entró la dama se despertó y gritó: «¿Cómo has osado entrar en mi habitación? ¿Eres acaso el rey Liopatris a quien mi padre me ha prometido en matrimonio?

«Sí, soy el rey», replicó Cleomades, «¿puedo hablar contigo?», continuó al comprobar que se había enamorado apasionadamente de ella.

«Vete al jardín y allí te encontraré», le respondió.

El príncipe obedeció. Al poco tiempo la princesa se reunió con él. Pero poco después apareció el rey Cornuant de Toscana, padre de la princesa, y denunció a Cleomades como impostor, condenándole a muerte. El príncipe le rogó que le permitiese enfrentarse a su destino montado en su caballo de madera. El rey consintió y mandó traer la montura. Cleomades cabalgó y girando el resorte se elevó por los aires mientras le aseguraba a la princesa que le permanecería fiel.

Al poco tiempo regresó a Sevilla con gran alivio de sus parientes que le dijeron a Croppart que abandonase el país. Pero éste no tenía la menor intención de marcharse y permaneció en la ciudad disfrazado de médico oriental. Las dos princesas mayores se casaron con Melicandus y Bardagans. Cleomades, que no podía olvidar a la bella princesa, volvió a montar el caballo mágico para dirigirse al reino de su padre.

Esta vez programó su viaje de modo que llegó de noche al palacio. Guiándose a través del jardín llegó hasta la habitación de Claremond, a la que encontró semidormida. La despertó con dulzura y le comunicó su nombre y procedencia, jurándole amor eterno y poniéndose a su merced.

«¡Cómo!», dijo la princesa. «¿Eres Cleomades, conocido como espejo de la caballerosidad?» El príncipe se lo confirmó y le entregó un brazalete que llevaba su retrato y el de su madre, en prenda de la veracidad de sus palabras. La princesa le confesó su amor y montó con él en el caballo mágico. Al elevarse, Cleomades vio al rey en el jardín, rodeado por sus cortesanos. Le aseguró que no temiera por su hija y, dirigiendo su montura hacia Sevilla, se lanzó al vuelo.

Al divisar un palacete campestre a cierta distancia de Sevilla, Cleomades dejó allí a la princesa para que se recuperase y fue a contarle la aventura a sus padres. Tras refrescarse, Claremond paseó por los jardines, ya que estaba un poco tensa después del viaje. Para su desgracia Croppart, disfrazado de médico indio, la vio y entró en el jardín con el pretexto de ofrecerle atención médica, pero con el fin real de espiar.

Al ver el caballo y oír el nombre de Cleomades de labios de la princesa, desarrolló inmediatamente un plan para raptar a la dama. Se aproximó a ella y se ofreció a llevarla ante Cleomades a lomos del caballo encantado. Ella, no sospechando peligro alguno, aceptó montar el corcel. Croppart pulso el resorte y el caballo subió a una velocidad vertiginosa. Al principio Claremond no sospechaba las aviesas intenciones de su raptor, pero al pasar el tiempo empezó a asustarse, y al mirar hacia abajo sólo divisó tenebrosos bosques y desiertas montañas en vez de populosas ciudades. Le pidió a Croppart que volviesen al palacete, pero él se rió sin compasión de su ruego, y ella se desmayó.

Bajaron junto a una fuente, donde Croppart roció la cara de la princesa con agua para reanimarla. Después le comunicó su intención de hacerla reina de Hungría. La princesa le contestó que era simplemente una esclava que Cleomades había comprado a sus padres. Con su treta sólo consiguió que Croppart la tratase con menos respeto que antes, por lo que ella consintió en casarse con él en la primera ciudad a la que llegasen, con el fin de evitar su trato violento.

Tras arrebatarle a Claremond su promesa, Croppart, que estaba sediento, bebió copiosamente en la fuente. El agua estaba tan fría que cayó al suelo, casi inerte. Claremond, agotada por la fatiga y el miedo, se durmió. En ese estado les descubrió Mendulus, rey de Salerno, que se enamoró rápidamente de la princesa y la llevó a su palacio, donde la alojó en una suntuosa habitación. Tan grave fue la enfermedad que contrajo Croppart al beber el agua helada, que expiró al poco tiempo.

Claremond le dijo al rey que era una pobre huérfana, llamada Trouvée, que acompañaba a Croppart, un médico errante, de un pueblo a otro, en busca de una supervivencia precaria. Eso, sin embargo, no evitó que él le ofreciese su mano y su corona. Con el fin de salvarse Claremond fingió estar loca. Representó su papel de manera tan convincente que el rey no tuvo más remedio que confinarla, dejándola al cuidado de diez damas.

Entre tanto la corte española estaba sumida en la mayor de las confusiones. Cleomades volvió al palacio de verano con sus padres y, al no ver ni rastro de Claremond, tuvo que ser llevado a la capital en un estado rayano en la locura. Al recuperarse marchó hacia Toscana con la esperanza de obtener noticias de su señora. Cabalgaba solo, cuando llegó a un castillo en el que encontró y venció a dos caballeros que no le permitían el paso. Allí se enteró de que cuando el príncipe Liopatris, prometido a Claremond, llegó a la corte de Toscana, tres de sus caballeros acusaron a tres de las damas de la princesa de haber sido cómplices del secuestro. Los caballeros, comprometidos con dos de las damas, habían retado a sus detractores, pero Cleomades había herido a uno de ellos y ahora no podían luchar en igualdad de condiciones. Cleomades se ofreció gentilmente a ocupar el lugar del herido y marchó hacia la corte del rey Cornuant con el otro caballero.

A la mañana siguiente tuvo lugar el combate. Los tres acusadores fueron derrotados y las damas declaradas inocentes, de acuerdo a las leyes de la caballería. Cloemades y su nuevo compañero de armas se llevaron a las damas de regreso al castillo de donde habían venido. Cuando el príncipe errante se quitó la armadura las señoras le reconocieron. Grande fue su pena al enterarse de la suerte de Claremond. Pero una de ellas le dijo a Cleomades que buscase la ayuda de un famoso astrólogo que vivía en Salerno y era capaz de desentrañar los mayores secretos. Cleomades se puso en camino de inmediato para consultar al sabio, despidiéndose de sus amigos.

Una vez en Salerno, Cleomades paró en una hostería y preguntó por el astrólogo.

«Desafortunadamente, señor», le explicó el posadero, «hace ya un año que se marchó. No hemos vuelto a necesitarle. Sirvió a nuestro rey que le pidió que le devolviese la razón a la más bella muchacha que he visto jamás.» Le contó a Cleomades la historia de como Mendulus encontró a la muchacha y al caballo. Al mencionar el corcel de madera, Cleomades lo comprendió todo y le dijo al posadero que tenía un remedio incurable para la locura. Le pidió al hombre que le condujese hasta el rey y se disfrazó con una barba y la vestimenta de un médico, con el fin de que sus armas no levantaran sospechas.

Fue llevado a la presencia del rey, que al enterarse de sus aptitudes le condujo hasta el lugar de confinamiento de Claremond. Cleomades llevó consigo un guante, perteneciente a su señora, relleno de hierbas, y se lo colocó en la mejilla de su amada, con el pretexto de que su poder la curaría. Al reconocer su guante, ella contempló atentamente al médico y descubrió su disfraz. Pero siguió simulando estar loca y pidió que la llevasen hasta el caballo de madera, de modo que pudiese competir con el erudito doctor. Les llevaron al jardín, donde estaba el caballo, y ella aseguró que sólo podría curarse si la montaban en él junto al médico. Mendulus asintió y en cuanto estuvieron sobre la cabalgadura Cleomades presionó el resorte y, en un momento, se elevaron como una flecha lanzada por un arco.

A la mañana siguiente llegó la feliz pareja a Sevilla, donde se casaron de inmediato. El rey Liopatris contrajo matrimonio con Máxima, de modo que nadie tuvo nada que lamentar.

Las tres bellas princesas

La leyenda nos cuenta que, cuando Mohamed el Haygari, también llamado el Zurdo, reinó en Granada, se encontró con una comitiva de caballeros que volvían de una incursión en tierras cristianas. Entre las damas cautivas se fijó en una muy bella, ricamente ataviada, que resultó ser la hija del comandante de una fortaleza fronteriza tomada y saqueada durante la expedición. A la dama le acompañaba su dueña y Mohamed ordenó que condujesen a ambas a su harén.

Día tras día le pidió a la dama que fuese su esposa, pero la familia de la cristina se opuso, tanto por la fe como por la edad del esposo. El rey, perplejo, logró convencer a la dueña de que le ayudase a obtener los favores de su joven señora. La dueña le comentó a su señora que era absurdo languidecer en un palacio como cautiva, pudiendo ser la reina de todo el reino al casarse con Mohamed. Al final sus argumentos convencieron a la dama española, que consintió en unirse al monarca moro y se convirtió, al menos aparentemente, a la religión de su esposo, religión que acabó abrazando también la dueña, en un acto de proselitismo, recibiendo el nuevo nombre de Kadiga.

En el curso del tiempo la reina dio a luz a tres hijas trillizas. Los astrólogos de la corte estudiaron el futuro de las niñas y le previnieron al padre que tuviese mucho cuidado cuando llegasen a la edad de casarse.

Poco después murió la reina y Mohamed, al que todavía le rondaba en la cabeza la advertencia de los astrólogos, decidió encerrar a sus hijas en el castillo de Salobreña, una plaza muy segura que miraba el Mediterráneo, donde nadie podría hacerles mal alguno.

Pasaron los años y las doncellas alcanzaron la edad de casarse. Aunque habían sido criadas por la discreta Kadiga con sumo cuidado, y habían estado siempre juntas, tenían caracteres muy distintos. Zayda, la mayor, era intrépida y tomaba la iniciativa en todo. Zorayda, la segunda, tenía un gran sentido de la estética, debido, quizá, a que pasaba gran parte de su tiempo contemplando el espejo o las aguas de las fuentes que cantaban en los patios del castillo. Zorahayda, la más joven, era suave y tímida y muy dada a la ensoñación. Las tres eran extremadamente bellas y cuando la vieja Kadiga las contemplaba, movía la cabeza y suspiraba. Cuando las princesas le preguntaban el porqué, se zafaba de la cuestión con una carcajada y dirigía la conversación a otros temas menos peligrosos.

Un día estaban sentadas las princesas junto a una ventana, desde la que divisaban las ensoñadoras aguas del Mediterráneo, azul como el cielo, escuchando el musical murmullo de las palmeras que cubrían las playas, al pie de la colina sobre la que se alzaba Salobreña. Era una de esas tardes en que es difícil creer que no somos más que meros viajeros en un mundo de vagas delicias, ya que todo es tan bello que parece irreal. La bruma moría en el rosado atardecer como si fuese incienso de las urnas del crepúsculo, ocultando la distancia entre el mar y el cielo. Entre las cortinas de la bruma marina emergió una embarcación de blancas velas, que se deslizaba hacia la costa, en la que ancló. Un grupo de soldados moros descendió hasta la playa, conduciendo a varios prisioneros cristianos, tres caballeros españoles ricamente ataviados. Aunque iban cargados de cadenas no perdieron en ningún momento su porte distinguido y las princesas no pudieron evitar contemplarles con intenso interés y conteniendo el aliento. Nunca habían visto con anterioridad unos jóvenes de tan noble aspecto, ya que se habían limitado a ver esclavos negros y rudos pescadores, que les habían causado tan poca impresión que la visión de los bravos caballeros las conmocionó.

Las princesas permanecieron allí hasta que los prisioneros desaparecieron de su vista. Después se sentaron, entre largos suspiros, en su otomanas, donde quedaron pensativas y meditabundas. Al verlas así, la discreta Kadiga les pidió que le contaran lo que habían visto y, en respuesta a sus preguntas, les relató un cuento de la vida caballeresca en la España cristiana, que sólo sirvió para aumentar la curiosidad que los caballeros habían despertado. La pobre anciana no tardó en darse cuenta del error cometido y, llena de temor, envió un esclavo al rey con un simbólico mensaje, consistente en una cesta llena de hojas de vid y de higuera, sobre las que descansaban un melocotón, un albaricoque y una nectarina, que Mohamed, conocedor del lenguaje de las flores y las frutas de

Oriente, interpretó correctamente. El mensaje rezaba que sus hijas habían llegado a la edad de casarse. El rey volvió a recabar el consejo de los astrólogos, que le recomendaron que llevase a sus hijas a la corte, para lo cual mandó habilitar una de las torres de la Alhambra. Él mismo partió hacia Salobreña para llevárselas consigo, y al verlas y comprobar lo bellas que eran, se alegró de haber decidido llevarlas a la corte sin pérdida de tiempo. Tan consciente era del peligro que semejante belleza podría ocasionar, que envió heraldos con la orden de que el camino por el que iba a pasar la comitiva estuviera totalmente despejado de gente, so pena de ser sentenciado a muerte. Escoltado por un batallón de los esclavos negros más horribles que encontró emprendió viaje hasta la capital.

Cuando la comitiva se estaba aproximando a Granada alcanzó a ver un pequeño grupo de soldados moros con un convoy de prisioneros. Como era demasiado tarde para retirarse, los moros se arrojaron cara al suelo, ordenando a los cautivos que hiciesen lo mismo. Entre los prisioneros estaban los tres cristianos que las princesas habían visto desde la ventana del castillo de Salobreña y éstos, demasiado orgullosos como para humillarse ante el enemigo pagano, se quedaron de pie.

El flagrante desafío a sus órdenes enfureció al rey Mohamed que, tomando su cimitarra, estaba a punto de decapitar a los desafortunados cautivos, cuando sus hijas le rodearon y le imploraron clemencia. El capitán de la guardia le explicó que no podía sentirse demasiado injuriado, ya que los caballeros eran de muy alto rango y habían luchado como leones bajo el estandarte del rey de España. Más tranquilo, el rey envainó su espada y dijo: «Les concedo la vida, pero merecen un castigo por su osadía. Llevadlos a la Torre Bermeja.»

Con la agitación del momento, el viento levantó los velos de las damas dejando ver su radiante belleza. En aquellos románticos tiempos era muy común el amor a primera vista y los tres caballeros quedaron prendados de los encantos de las principescas damas que habían suplicado tan elocuentemente por sus vidas. Curiosamente, cada uno de ellos se prendó de una princesa diferente, pero sería impertinente e ilógico preguntar la razón de esa astuta destreza de la Madre Naturaleza, ya que el romance la representa como mucho más juiciosa de lo que en realidad es.

La comitiva real siguió su camino mientras los cautivos eran conducidos a la prisión de la Torre Bermeja. La residencia de las princesas tenía todos los lujos que uno pueda imaginar. Estaba situada en una torre, algo alejada del palacio principal de la Alhambra. A un lado se extendía un jardín tan bonito, que parecía el primer paso hacia el paraíso, y al otro, un barranco umbroso y profundo que separaba la Alhambra del Generalife. Pero las princesas estaban ciegas a la belleza del lugar. Las princesas languidecían visiblemente y nadie se percataba mejor de ello que Kadiga, que intuía la causa sin gran dificultad. Apiadándose de ellas, les dijo que, al pasar la noche anterior por la Torre Bermeja, había oído cantar a los caballeros, después de un día de trabajo, acompañados de una guitarra. A instancia de las princesas, acordó con el carcelero que al día siguiente llevase a los prisioneros a trabajar al barranco, bajo la ventana de las damas.

Así lo hizo el carcelero y, mientras los guardianes dormían al calor del mediodía, los caballeros cristianos tomaron la guitarra y cantaron una canción española. Al escucharla, las princesas descubrieron que era una declaración de amor. Las damas replicaron con otra canción, acompañada de un laúd que tocaba Zorayda, cuyo mensaje rezaba así:

> La rosa se oculta tras una pantalla de hojas,
> Pero la canción del ruiseñor perfora la armadura.

Los caballeros trabajaron en el barranco día tras día y mantuvieron un intercambio de mensajes con las princesas, no menos cautivas que ellos, a base de romances que inflamaron sus corazones. Más tarde, las princesas se asomaron al balcón, mientras los guardianes dormían la siesta. Pero al final sus amores se vieron interrumpidos, ya que las familias de los jóvenes pagaron el rescate e hicieron los preparativos del viaje de vuelta. Los caballeros se acercaron a la vieja Kadiga y le rogaron que les ayudase a huir a España con las tres princesas. La dama comunicó la propuesta a sus tres jóvenes señoras y, comprobando que lo aceptaron con presteza, ideó un plan de huida. La colina sobre la que se alzaba la Alhambra estaba horadada por varios túneles subterráneos que conducían desde al fortaleza a diversos puntos de la ciudad, y Kadiga consintió conducir a las damas por uno de dichos túneles hasta una puerta, situada en las murallas de Granada, en la que les esperarían los tres jóvenes montados en veloces corceles para traspasar con ellas la frontera.

Llegó la noche acordada y, cuando la Alhambra estaba sumida en el más profundo de los sueños, las princesas, acompañadas de su dueña, bajaron de su habitación hasta los jardines, descendiendo por una escalera de cuerda, exceptuando a Zorahayda, la más joven y timorata, que en el último momento no pudo soportar la idea de abandonar a su padre. Kadiga y sus hermanas se vieron obligadas a huir sin ella, ya que se acercaba la guardia nocturna que vigilaba el palacio. Buscando el camino a través del intrincado laberinto de túneles, lograron alcanzar la puerta que estaba en las murallas. Los caballeros españoles las estaban esperando. El amante de Zorahayda se sumió en la desesperación cuando se enteró de que su dama se había negado a abandonar la torre, pero no había tiempo para lamentaciones. Las dos princesas montaron a la grupa, detrás de sus amantes y Kadiga detrás del otro caballero, partiendo al galope.

No se habían distanciado mucho, cuando oyeron sonar la señal de alarma en las almenas de la Alhambra, y un misterioso fuego alumbró la torre más alta de la fortaleza. Espoleando frenéticamente a sus caballos, lograron alejarse de sus perseguidores, logrando alcanzar, finalmente, la ciudad de Córdoba, gracias a que se internaron por senderos desconocidos y barrancos salvajes. En Córdoba las princesas fueron recibidas en el seno de la Iglesia católica y se unieron a sus respectivos amantes.

Mohamed estuvo a punto de enloquecer por la huida de sus hijas y tomó medidas para redoblar la vigilancia. La desafortunada

Zorahayda, tan estrechamente vigilada, se arrepintió de su vacilación y, según nos cuentan, muchas noches subía a las almenas de la torre en la que estaba confinada mirando en dirección a Córdoba. Las leyendas, que nunca son muy compasivas con sus heroínas y sus lectores, aseguran que la princesa murió joven y su melancólico destino fue fuente de muchas tristes baladas, tanto moras como cristianas, logrando, por lo menos, inspirar una canción, cosa que no consiguieron sus afortunadas hermanas.

La historia del príncipe Ahmed

La vieja ciudad de Granada es, una vez más, el escenario de la historia que vamos a relatar. Pero, por razones que explicaremos más adelante, se cree que la leyenda es de origen persa. Nos cuenta la historia del príncipe Ahmed, llamado Al Kamel o El Perfecto, por su belleza y la bondad de su temperamento. A su nacimiento, los astrólogos predijeron que tendría una carrera de singular fortuna, salvando un solo obstáculo, que era, sin embargo, lo suficientemente importante como para entristecer el corazón de su padre, el monarca. No puede sorprendernos que el rey se sintiera pesimista, cuando los sabios le contaron que su hijo debería mantenerse apartado de los atractivos del amor hasta alcanzar la edad viril, con el fin de evitar su cruel destino.

El rey actuó como suelen hacerlo los padres en los romances, es decir, confinó a su hijo desde su más tierna infancia en un delicioso palacio, que mandó construir cerca de la Alhambra. Ese edificio, conocido actualmente como Generalife, estaba rodeado de altos muros. El joven príncipe fue cuidado por Eben Bonabben, un sabio árabe de formidables cualidades.

Bajo la tutela de su grave preceptor, el príncipe cumplió los veinte años ignorando por completo la pasión amorosa. Por esa época se produjo un cambio en el príncipe, que, abandonando su habitual docilidad, en lugar de escuchar atentamente las charlas del sabio, abandonó sus estudios y se dedicó a deambular por los jardines de los alrededores. Su instructor, consciente de que su latente ternura estaba empezando a despertar, redobló su cuidado, y le encerró en la torre más remota del Generalife. Con el fin de interesarle en algo que le hiciese apartarse de pensamientos peligrosos, le enseñó a su pupilo el lenguaje de los pájaros, cosa que aprendió el príncipe con maestría. Tras probar su habilidad con una lechuza, un halcón y un murciélago, con idénticos resultados, se detuvo a escuchar el canto de los pájaros de su jardín. Era primavera y cada alado cantante estaba inflamado por el éxtasis del amor, repitiendo la palabra una y otra vez.

«¿Qué significa la palabra amor?», preguntó por fin un día el príncipe a Eben Bonabben, que sintió un gran peso en el corazón, pero decidió no eludir la pregunta. Le informó que el amor era uno de los grandes males que tenía que soportar el hombre, que incitaba a hermanos y amigos a luchar entre sí, y había causado la ruina de más de un gran hombre. Después se alejó preocupado, dejando al príncipe sumido en sus pensamientos.

Pero Ahmed observó que los pájaros que cantaban sobre el amor eran felices y dudó de los argumentos de su preceptor. A la mañana siguiente, mientras estaba tendido en la cama intentando desentrañar el enigma, entró por la ventana una paloma que, perseguida por un halcón, cayó al suelo. El príncipe tomó en sus manos al aterrorizado pájaro y acarició su plumaje. Pero parecía desconsolada, y, cuando el príncipe le preguntó la razón de su aflicción, le respondió que era a causa de verse separada de su esposo, al que amaba con todo el corazón.

«Dime bella paloma, ¿qué es eso que se llama amor y que cantan los pájaros en el jardín constantemente?»

«El amor», repuso el pájaro, «es uno de los grandes misterios de la vida. Cada criatura tiene su compañero. ¿Es que has desperdiciado tantos preciosos días de juventud sin experimentarlo? ¿No ha habido ninguna bella princesa o dulce dama que haya ganado tu corazón?»

Bonabben se dio cuenta de que era inútil buscar otro subterfugio y le reveló al príncipe las predicciones de los astrólogos y la consecuente necesidad de tomar precauciones. Luego le aseguró al príncipe que si su padre llegase a saber cómo había defraudado su confianza lo pagaría con su cabeza. El príncipe, horrorizado al enterarse, prometió no desvelar el secreto, tranquilizando los miedos del filósofo.

Estaba el príncipe en el jardín, poco después de este episodio, cuando su amiga la paloma se posó sin miedo en su hombro. Le preguntó de dónde venía y ella le respondió que de un país lejano, en el que había conocido a una bella princesa que, al igual que él, había sido recluida entre los altos muros de un palacio secreto, desconociendo lo que era el amor. La noticia de que el sexo opuesto existía encendió como una chispa su corazón. Entonces escribió una apasionada carta dirigida «a la bella desconocida del cautivo príncipe Ahmed» y se la confió a la paloma, que prometió llevársela al objeto de su adoración sin tardanza.

Ahmed esperó día tras día el regreso de su mensajera de amor, pero fue en vano. Por fin, un día la paloma entró en su habitación y, cayendo al suelo, expiró. La flecha de algún arquero le había traspasado el corazón, pero había luchado hasta cumplir su misión. Ahmed recogió su cuerpecillo y vio que estaba rodeado por un collar de perlas, del que colgaba un retrato que representaba a una bella princesa en la flor de la juventud. El príncipe se llevó el retrato a los labios en un acto de fervorosa pasión, y decidió ir en busca del original del retrato, fuesen cuales fuesen los obstáculos o peligros que pudiesen entorpecer su propósito.

Buscando el consejo de la sabia lechuza, a la que no había hablado desde que era un principiante en el estudio del lenguaje de las aves, recogió todas sus joyas y se descolgó por el balcón, saltando por los muros del Generalife, y, acompañado por el viejo y sabio pájaro, que aceptó servirle de cicerone, se dirigió a Sevilla, con el propósito de buscar un cuervo que conocía la lechuza y que era un gran nigromante y podría ayudarle en la búsqueda. Llegaron a la puerta del sur de la ciudad y buscaron una alta torre en la que habitaba el cuervo. Éste les dijo que se dirigiesen a Córdoba y buscaran la palmera del gran Abderramán, situada en el patio de la mezquita principal, al pie de la cual encontrarían a un peregrino que les daría información sobre el objeto de su búsqueda.

Siguiendo las instrucciones del cuervo, se dirigieron a Sevilla y quedaron confundidos al comprobar que al pie de la palmera había una gran multitud, que escuchaba atentamente la charla de un loro, con un plumaje de un verde intenso, cuyos ojos reflejaban una gran sabiduría.

«Pobre chico», exclamó, «¿eres otra víctima del amor? Has de saber que el retrato que has visto es el de la princesa Aldegonda, hija del rey de Toledo.»

«Ayúdame, buen pájaro», rogó Ahmed, «y te proporcionaré un puesto destacado en la corte.»

«Lo haré de corazón», dijo el loro, «sólo pido un cargo lucrativo, ya que me disgusta el trabajo duro.»

Ahmed, acompañado del loro y la lechuza, emprendió camino a Toledo en busca de Aldegonda. Su marcha a través de los escarpados desfiladeros de Sierra Morena y las llanuras de La Mancha, castigadas por el sol, fue lento, pero, finalmente, llegaron a la ciudad de Toledo, a cuyos pies corría el Tajo tumultuosamente. El loro les señaló el lugar donde Aldegonda estaba cautiva, un majestuoso palacio rodeado de bellos jardines.

«¡Ay, Toledo!», suspiró la lechuza extasiada. «Toledo, ciudad de magia y misterio. Qué hechizos, qué encantamientos de viejos brujos no han sido recitados entre tus sombras esculpidas. Ciudad de sabiduría, de extraños milagros y de miles de profundidades.»

«Toledo», pió el loro, «tregua para el arrobamiento de viejos filósofos», añadió, desplegando sus alas e imitando a la lechuza. «Ciudad de nueces y vino, higos y aceite, banquetes, torneos y encantadoras señoritas. ¿No queréis, príncipe, que vuele hasta la princesa Aldegonda para informarla de nuestra llegada?»

«Sí, hazlo», añadió el príncipe entusiásticamente. «Dile que Ahmed, peregrino del amor, ha llegado a Toledo en su busca.»

El loro desplegó sus alas de inmediato y voló a cumplir su misión. Vio a la princesa reclinada en un diván y se le acercó con aires de cortesano.

«Bella princesa», dijo, haciendo una reverencia, «vengo como embajador del príncipe Ahmed de Granada, que ha venido hasta Toledo a bañarse en la luz de tus ojos.»

«Qué buenas noticias», gritó la princesa, «empezaba a dudar de la constancia de Ahmed. Vuela hasta él, todo lo deprisa que te permitan tus verdes alas, y dile que su poema ha alimentado mi alma y sus palabras están grabadas en mi corazón. Pero, desgraciadamente, deberá demostrar su amor con la fuerza de las armas. Mañana cumplo diecisiete años y mi padre, el rey, ha organizado un gran torneo en mi honor, el premio para el vencedor será mi mano.»

Ahmed se quedó encantado con las noticias que le trajo el loro, pero la felicidad que le embargó al enterarse de que la princesa permanecía fiel a su amor, se ensombreció por la noticia de que tendría que luchar por ella, ya que no había sido entrenado en los clásicos ejercicios de caballería. En su confusión le pidió consejo a la sabia lechuza, que, como siempre, le aclaró la cuestión, comentándole que en una montaña cercana había una caverna en la que, desplegadas sobre una mesa de hierro, se encontraban una armadura mágica y un caballo encantado, que habían estado allí durante generaciones. Después de mucho buscar, encontraron la caverna. La sombría oscuridad de la cueva estaba iluminada por la solemne luz de una lámpara, alimentada por un aceite que no se consumía jamás, gracias a la cual encontraron rápidamente el caballo y la armadura, tal y como había anunciado la lechuza. El príncipe se puso la cota de malla y montó a lomos del caballo, que se despertó y relinchó suavemente, y se lanzó al galope, sobrevolando su cabeza el loro y la lechuza.

A la mañana siguiente el príncipe se dirigió al lugar del torneo, situado en una amplia llanura, cerca de la ciudad. La escena tenía una brillantez incomparable, había cientos de nobles caballeros y hermosas damas allí congregados para probar su habilidad y mostrar su belleza. Pero la belleza de Aldegonda, que parecía la luna entre las estrellas, eclipsaba a todas las demás señoras. La aparición de Ahmed, que fue anunciado como el «Peregrino del Amor», causó un gran impacto, dado que tenía un aspecto resplandeciente con su brillante armadura y su casco cubierto de joyas. Pero, al informarse de que sólo los príncipes podían tomar parte en el torneo, tuvo que dar su nombre y rango. Al enterarse de que se trataba de un príncipe musulmán, los caballeros cristianos se burlaron de él y Ahmed, enfurecido, retó al caballero que más cruelmente le había demostrado su enemistad. Empezó el combate y el fornido burlador fue derribado de su silla. Ahmed se dio cuenta de que, una vez en acción, no podía controlar su demoníaco caballo y su armadura. El corcel árabe cargó contra el grueso de la multitud. Los oponentes de Ahmed caían uno tras otro, antes de que pudieran siquiera colocar su lanza en posición de ataque, de modo que, en breve, el recinto estaba sembrado de cuerpos yacentes. Pero a mediodía se agotaron los poderes mágicos del caballo, que cruzó la llanura al galope, saltó la barrera, se lanzó al Tajo y nadó hasta llevar al príncipe, vengado y sin aliento, de nuevo a la caverna, donde se paró, como una estatua, junto a la mesa de hierro, sobre la que Ahmed colocó la armadura.

La situación de Ahmed no era precisamente envidiable, ya que uno de los muchos caballeros a los que había derribado de su montura era el propio rey, el padre de Aldegonda, que al ver el lamentable estado de sus invitados había corrido en su ayuda. Lleno de ansiedad envió a sus alados mensajeros a recabar noticias. El loro volvió con un montón de cotilleos. Según le dijo, Toledo estaba sumida en la consternación, habían tenido que llevarse a la princesa de vuelta al palacio sin sentido y la opinión general era que el moro, más que un príncipe era un mago o un demonio de los muchos que habitaban las cavernas de las montañas.

Ya era por la mañana cuando regresó la lechuza. Había entrado en el palacio por una ventana y había visto a la princesa besando la carta de Ahmed entre lamentaciones. Después la condujeron a la torre más alta del palacio, colocando una estrecha vigilancia en todas sus entradas. Pero la dama había caído en una devoradora melancolía y, pensando que era víctima de un hechizo, el rey había ofrecido la mejor joya de su tesoro a aquel que la curase.

La lechuza sabía que el tesoro real contenía cierto cofre de madera de sándalo, cerrado con bandas de acero, que tenía unas inscripciones místicas que pocos eruditos sabían descifrar. Dicho cofre albergaba la alfombra de seda de Salomón el Grande, traída a España por exiliados judíos. El príncipe caviló durante largo rato. Al día siguiente cambió sus lujosos ropajes por los de un árabe del desierto, tiñéndose la cara y las manos de oscuro. De esta guisa se dirigió al palacio donde fue, finalmente, aceptado. Cuando el rey le preguntó a qué se dedicaba, le aseguró que él tenía la capacidad de curar a la princesa, que estaría seguramente poseída por un demonio, al que podría exorcizar mediante el poder de la música, como hacían comúnmente los de su tribu.

El rey, al verle tan seguro de sí, le condujo a la torre en la que estaba la princesa, cuyas ventanas abiertas daban a una terraza desde la que se divisaba la ciudad y las tierras de los alrededores. El príncipe se sentó en la terraza y comenzó a tocar su flauta, pero la princesa permaneció insensible a la música. Después, como si recitase un exorcismo, empezó a recitar los versos que le había dedicado, declarándole su pasión. Ella, emocionada, los reconoció rápidamente y rogó que le trajesen al hombre a su presencia. Ahmed fue conducido a la cámara pero los amantes, conscientes del peligro, fueron discretos y se contentaron con intercambiar miradas de amor más elocuentes que las palabras. Las pálidas mejillas de la princesa recuperaron su color rosado y el rey, feliz, le dijo a Ahmed que eligiese la joya más preciada de su tesoro. El príncipe, simulando modestia, replicó que él desdeñaba las joyas y sólo quería una vieja alfombra, encerrada en un cofre de sándalo, que un día llevaron los moros a Toledo. Le trajeron al momento el cofre, desplegando ante sus ojos la alfombra.

«Esta alfombra», dijo el príncipe, «perteneció en su día a Salomón el Grande y merece estar bajo los pies de una beldad.»

El rey le pidió a su hija que siguiese el consejo del árabe y se subiese a la alfombra, cosa que ella hizo. Entonces Ahmed se colocó a su lado y girando la cabeza hacia el atónito padre comentó:

«Sabed, majestad, que vuestra hija y yo nos amamos desde hace tiempo. Soy el Peregrino del Amor.» Nada más pronunciar estas palabras la alfombra se elevó en el aire y, ante la consternación general, los amantes desaparecieron.

La alfombra mágica aterrizó en Granada, donde Ahmed y la princesa contrajeron matrimonio con gran esplendor. Tiempo después Ahmed reinó, larga y felizmente, en Granada. Aunque se había convertido en rey, no olvidó los servicios de sus amigos los pájaros. Nombró a la lechuza su visir y al loro su maestro de ceremonias, con lo que todos los detalles reales y domésticos fueron atendidos con sabiduría y magnificencia.

Esta conmovedora historia fue fabricada a partir de diversos elementos originales por separado: los amantes destinados a desconocer el amor a causa de las profecías de su nacimiento; el viejo tema del lenguaje de los pájaros; la alfombra mágica. Este último tópico es una mera adaptación de la idea de que un mago podía trasladarse por los aires de manera fuera de lo normal, habilidad que parecieron heredar las brujas de la Edad Media que sustituyeron el caballo volador por escobas [44]. La aparición de la alfombra voladora en este cuento prueba que es de inspiración persa, el país en el que se tejieron alfombras por primera vez, mientras que en pueblos más primitivos se usaban otros medios sobrenaturales de vuelo.

La promesa del pagano

Una singular historia que nos muestra la tolerancia, incluso la generosidad, que se puede encontrar ocasionalmente entre moros y cristianos en la España medieval, que se cuenta en conexión con las proezas de Narváez, comandante de la guarnición de Medina Antequera, una plaza mora que cayó en manos de los españoles.

---

[44] Creo que el culto a las brujas de Europa está relacionado con este caballo. De cuando en cuando las brujas asisten al *sabbat* en sus caballos voladores. Una de las pruebas a que era sometida una bruja consistía en mirarla a los ojos para ver si se reflejaba la imagen de un caballo. Incluso hoy en día, en Escocia existe una «Sociedad de Jinetes» que tiene unos ritos semiocultos y extraños de iniciación.

Narváez hizo de la ciudad su centro de operaciones, desde el que lanzaba incursiones a los distritos vecinos de Granada, con el propósito de obtener provisiones, saqueando a los desafortunados habitantes.

En una de esas ocasiones, Narváez envió a un grupo de caballeros a recorrer las tierras de alrededor. Iniciaron su cabalgada cuando todavía estaba oscuro, de modo que al amanecer ya habían penetrado en territorio enemigo. El oficial de la expedición cabalgaba unas cabezas por delante y, para su sorpresa, se encontró a un joven moro que se había perdido en la oscuridad e intentaba regresar a casa. Aunque el moro se enfrentó al oficial español con valentía, éste le derrotó rápidamente. Entonces se enteró de que estaba en una zona casi desierta, abandonada por sus habitantes, que se habían llevado todo consigo. Decidió regresar a Antequera y llevarse al cautivo para presentarlo ante Narváez.

El prisionero, un joven de unos veintitrés años, era hermoso y de apariencia digna. Vestía una amplia capa de seda de múltiples colores, decorada al modo árabe, y montaba un magnífico corcel de pura raza árabe. Narváez intuyó que era un personaje importante y preguntó por su nombre y linaje. Le respondieron que era hijo del alcaide de Ronda, un moro distinguido y un implacable enemigo de los cristianos. Pero cuando Narváez le interrogó personalmente, el moro fue incapaz de contestar. Las lágrimas bañaron su cara y los sollozos entrecortaron sus palabras, que parecían brotar de un corazón inundado de pena.

«Me maravilla ver esto», dijo Narváez, «que un joven como tú, caballero de alcurnia e hijo de un noble valiente como tu padre, se ponga a llorar como una mujer. Conociendo los avatares de la guerra y la apariencia que debe tener un soldado valiente y un buen caballero, excede a mi comprensión.»

«No lloro porque me hayas capturado», replicó el joven, «las lágrimas brotan de mis ojos por una pena mucho más profunda, comparada con la cual mi apresamiento es una nadería.»

Impresionado por la seriedad del joven y compadeciéndose de su situación, Narváez le animó con simpatía a que le confiase la causa de su tristeza. El caballero, conmovido por la amabilidad del comandante, suspiró hondamente y replicó:

«Señor gobernador, amo desde hace tiempo a la hija del alcaide de una fortaleza y he luchado varias veces en su honor contra hombres de tu raza. Con el tiempo me gané el amor de la dama, que me confesó que desearía ser mi esposa. Me dirigía a encontrarme con ella, cuando, por mi mala fortuna, me encontré a tus hombres y caí en sus manos. Con ello no sólo he perdido mi libertad, sino la felicidad que creía tener al alcance de la mano. Si esto no te parece motivo suficiente para llorar, no sé con qué propósito le han sido dados los ojos al hombre, o cómo hacerte comprender la pena que estoy sufriendo.»

La triste historia conmovió a Narváez, hombre de buenos instintos y corazón generoso, que intentó hacer todo lo posible para aliviar al prisionero de sus penas.

«Eres un caballero de buena familia», alegó, «y si me das tu palabra de que volverás, te daré permiso para que vayas a ver a tu amada para contarle la razón por la que no acudiste a la cita.»

El moro, feliz por la indulgencia de su carcelero, le prometió a Narváez que regresaría, y esa misma noche llegó al palacio de su dama. Al entrar en el jardín dio la señal que indicaba su presencia y ella se reunió de inmediato con él. Ella le expresó su sorpresa por no haber acudido puntualmente a la cita, tal y como le había prometido, y él le explicó el motivo de su retraso. Al enterarse de la noticia la dama se sumió en una profunda pena, y mientras su amado intentaba por todos los medios consolarla, el amanecer le recordó la promesa que había hecho a Narváez, al que había dado su palabra de soldado y caballero de retornar a su lugar de cautiverio.

«No tengo más remedio que volver», dijo, «he perdido mi libertad y no quiera Dios que, queriéndote como te quiero, te lleve a un lugar donde puedas correr peligro. Debemos esperar pacientemente hasta que obtenga el rescate, entonces volveré a ti.»

«Me has dado muchas muestras de que me amas», repuso la dama, «pero ahora me lo estás demostrando más que nunca, al cuidar de mi seguridad; sin embargo, sería una ingrata si no fuese contigo a compartir tu cautiverio. Te acompañaré a la prisión cristiana. Si tu destino es ser un esclavo, el mío también.»

La dama le dijo a la sirvienta que la acompañaba que le trajese el cofre de las joyas, y después montó tras su amado y marchó con él. Cabalgaron toda la noche, llegando por la mañana a Antequera, donde se presentaron ante Narváez, que quedó muy sorprendido, tanto de la constancia de la dama, como de la fidelidad del joven caballero moro, y les concedió la libertad de inmediato. La pareja le entregó varios regalos en señal de agradecimiento y le pidió permiso para volver a su tierra. Narváez les hizo escoltar por su tropa para asegurarse de que llegaban sanos y salvos.

Esta aventura fue muy aplaudida por los nobles sarracenos de Granada, por el amor de la dama, la lealtad del noble moro y, sobre todo, la generosidad del cristiano. Fue cantada por los poetas más distinguidos y transcrita en numerosas crónicas. Y aunque la historia participa de la naturaleza del romance, tiene el mérito adicional de ser verdadera.

El sueño del rey Alfonso

Esta misteriosa historia nos cuenta que don Alfonso, rey de Galicia, una de las provincias cristianas que luchaba contra los moros, tenía un sueño que le perseguía noche tras noche y que nadie lograba interpretar, hasta que se vio forzado a recurrir a la ayuda de las ciencias ocultas del enemigo, que le lanzaba una advertencia desde sus visiones.

En el año 1086 un gran ejército de almorávides, que venidos de África amenazaron el centro y el Norte de España, invadió los territorios de Alfonso y de otros soberanos cristianos. Alfonso estaba sitiando Zaragoza, cuando se enteró del avance moro, pero en vista del peligro decidió unirse a sus aliados en Toledo para plantar cara a los invasores, que, además de ser por sí ya numerosos, habían recibido refuerzos de otros jefes mahometanos de España. Antes de abandonar Toledo, Alfonso tuvo una de sus terribles visiones nocturnas, que, según nos cuenta la leyenda, profetizaban la rendición de las naciones. El aparecía montado en un elefante y a su lado había un tambor moro que golpeaba con sus propias manos. Pero el ruido que producía el instrumento era tan fuerte y terrorífico, que se despertaba al instante aterrado. En un principio se burló del sueño, considerándolo una simple pesadilla, pero cuando se sucedió noche tras noche durante su estancia en Toledo, empezó a pensar que contenía alguna horrible advertencia. Noche tras noche se despertaba empapado en sudor y con el eco del tambor atronándole los oídos, hasta que al final, profundamente inquieto, decidió pedir consejo a los sabios de su corte.

Con este objeto reunió a todos los sabios y eruditos de su séquito, al igual que a los sacerdotes y obispos e, incluso, a los rabinos judíos que eran sus vasallos y tenían una gran habilidad para desentrañar o interpretar los sueños de cualquier cristiano. Una vez que estuvieron todos ante él, les relató su sueño, que describió minuciosamente, concluyendo su explicación con estas palabras: «Lo que más me confunde y alarma es la peculiaridad del elefante, que es un animal que no ha sido criado ni visto nunca en nuestro país. Del mismo modo el tambor tampoco tiene la forma de los nuestros, ni es conocido tampoco en España. Decidme lo que consideráis que puede significar sin tardanza.»

Los sabios se retiraron y, tras analizar el sueño, se presentaron ante el rey. «Señor», dijeron, «pensamos que vuestro sueño os dice que venceréis al ejército moro, destruiréis sus campamentos y saquearéis todas sus riquezas, ocupando sus territorios, para regresar luego victorioso y cubierto de honor y gloria. Además, pensamos que vuestro triunfo será conocido en todo el Oriente, ya que vuestro elefante no puede ser otro que Juzef Aben Taxfin, rey de los musulmanes y de los vastos territorios de África, que ha sido criado en el desierto como dicho animal. La extraña forma del tambor la interpretamos como la de vuestra fama, que recorrerá todo el mundo, poniendo en conocimiento de todos los pueblos vuestra victoria.»

Alfonso les escuchó con la máxima atención y, cuando concluyeron, dijo: «Creo que habéis ido mucho más allá de la auténtica interpretación de mi sueño, dado que la interpretación que me da mi corazón es bien diferente, ya que sólo me anuncia acontecimientos que me producen terror y consternación.»

Tras estas palabras el rey giró su cabeza hacia algunos caballeros moros, que eran vasallos suyos, y les preguntó si conocían algún sabio de su raza que fuese un hábil interpretador de sueños. Le replicaron que conocían a uno que estaba precisamente en Toledo en ese momento, enseñando en una mezquita, y que interpretraría su visión a la satisfacción del rey.

Alfonso ordenó que le trajesen al sabio y, al poco tiempo, los caballeros moros volvieron con el hombre del que habían hablado, llamado Faki Mohamed Aben Iza, quien, sin embargo, se negó a interpretar el sueño de un infiel, incluso a poner los pies en su palacio. Los caballeros moros le comentaron a Alfonso que los escrúpulos religiosos de Faki no le permitían aparecer en una corte cristiana y el rey, que conocía bien los pormenores de la ley mahometana, se contentó con que le asegurasen que le proporcionarían la interpretación del sueño. Después le presionaron a Faki para que lo considerara y éste repuso: «Decidle a Alfonso que va a padecer aquí mismo una gran derrota y que habrá una terrible matanza. Él huirá con unos pocos de los suyos, y la victoria estará de parte de los Hijos del Profeta. Decidle que esta declaración procede del Corán: "¿No te das cuenta de que tu Dios te previene del elefante? ¿Que has traído sus fuerzas para nada y que tus perversas intenciones son inútiles? ¿No ves que ha arrojado los buitres de Babel contra ti?" Estas palabras predijeron la caída de Ibrahim, el rey de los abasidas, cuando marchó con su ejército contra Arabia, montado en un gran elefante. Pero Dios le destruyó lanzando contra él los buitres salvajes de Babel, que arrojaron bolas de fuego contra su ejército, convirtiendo su pompa en abatimiento. En cuanto al tambor que describe Alfonso, significa que se aproxima la hora de la desolación.»

Los caballeros moros, obligados por el deber, regresaron ante el rey y le contaron lo que había profetizado el Faki. Al oír estas palabras palideció y exclamó: «Por mi Dios que Al Faki ha de temblar si me ha mentido, ya que os juro que si así lo ha hecho me vengaré».

Poco después el rey Alfonso reunió a sus huestes, una innumerable multitud de soldados de a pie y más de ochenta mil caballeros, de los cuales treinta mil eran árabes. Marchó al encuentro con el rey Taxfin y sus aliados, enfrentándose con él cara a cara cerca de Badajoz, en los llanos de Zalacca, a unas doce millas de la ciudad. Los ejércitos estaban separados por el río. Taxfin envió un insultante mensaje al rey Alfonso, ordenándole que abjurase de su fe cristiana o fuese su vasallo. Cuando Alfonso leyó la misiva, la tiró al suelo con rabia, y girando hacia el mensajero con arrogancia le dijo: «Ve y dile a Taxfin que no se oculte en la batalla, y que si no lo hace, nos veremos cara a cara.»

Había ciertas circunstancias que afectaron al combate. El viernes era el día sagrado de los moros, el sábado el de los judíos, muchos de los cuales estaban entre las filas cristianas, y el domingo el de los cristianos. Alfonso le pidió a Taxfin que se respetasen esos días, a lo que él asintió. Pero Alfonso consideró que era justo atacar al amanecer del viernes y se puso en marcha al mando de sus tropas. El rey moro de Sevilla le había pedido a su astrólogo que le leyese el horóscopo, con el fin de conocer el destino de ese día, y, cuando se enteró que le era totalmente desfavorable, los moros se sintieron descorazonados. Pero tras lograr resistir la primera embestida de Alfonso, el estudioso de las estrellas volvió a consultar el horóscopo, y en esta ocasión los auspicios fueron favorables. El rey de Sevilla, animado por la nueva profecía, entró en su tienda y, tomando pluma y pergamino, le envió este mensaje a su aliado Taxfin:

> La ira de Dios caerá sobre las hordas cristianas,
> que padecerán una cruel matanza,
> mientras que las estrellas nos favorecen
> y anuncian la victoria musulmana.

Taxfin, reconfortado por estas palabras, cabalgó ante sus tropas para infundirles coraje, pero no tuvo mucho tiempo para ello, ya que Alfonso, a la cabeza de un inmenso ejército, lanzó contra él toda la caballería cristiana. El combate que siguió fue muy sangriento. Los moros conservaron sus posiciones con valentía, pero las poderosas tropas cristianas les aplastaron por todos los flancos. Después entraron en acción las tropas moras de los cristianos, rodeando a los árabes de Andalucía; las crónicas musulmanas nos cuentan que la masa de caballos y caballeros era tan grande, que los que luchaban entre sí no podían casi verse y luchaban tropezándose unos con otros como en una noche oscura. A final las fuerzas de Taxfin comenzaron a retirarse en desorden, presionadas de cerca por la caballería cristiana. Los únicos que mantuvieron sus posiciones fueron los moros del rey de Sevilla. Taxfin se colocó al frente de sus reservas y, cargando furiosamente, lanzó a sus columnas directamente contra la tienda del rey Alfonso, que estaba débilmente defendida y cayó fácilmente en manos de los moros con todas sus riquezas. Alfonso, al notar el avance de Taxfin se enfrentó a él y ambos jefes se enzarzaron en un violento combate. El monarca moro exhortó a sus hombres a la constancia, gritando que la recompensa por su valor sería la corona del paraíso. Como resultado de las constantes cargas, las tropas cristianas empezaron a plegarse y, ante el nuevo ataque de los aliados de Taxfin, que habían sido vencidos con anterioridad, huyeron precipitadamente. Al comprobar la derrota, Alfonso cabalgó, acompañado de quinientos hombres, contra los moros. Tuvo dificultades para escapar hacia Toledo, donde llegó con un grupo de cien hombres.

Alfonso no se recuperó de su derrota y, años después, cuando se enteró de la muerte de su hijo y de que su pueblo había sido derrotado por los infieles, enfermó y murió. De este modo se cumplió la profecía de Faki.

El príncipe que cambió las coronas

Durante la larga guerra entre godos y árabes en España nacieron y cayeron muchos reinos pequeños de ambos bandos, cuyos nombres se olvidaron hace ya tiempo. Quizá doscientos años después que los moros pisasen la Península, pudieron existir dos reinos diminutos en el centro del país, que vivían codo con codo, conservando celosamente la nacionalidad española el que estaba situado más al Norte, mientras que el que estaba más al Sur guardaba con igual cuidado las costumbres moras. En aquel período el reino español estaba gobernado por un príncipe sabio y hábil, llamado don Fernando. Había sido educado, naturalmente, en el desprecio y la desconfianza hacia sus vecinos moros. Según sus preceptores era una raza de hombres que carecía de humanidad y honor, eran crueles, maliciosos y vengativos. No nos puede extrañar, por tanto, que sintiese por ellos la máxima repugnancia.

La cadena de bajas colinas que dividía los dos reinos favorecía, más que impedía, las constantes incursiones de moros y cristianos en territorio enemigo, ya que constituía una tierra de nadie, en la que las tropas de unos y otros podían ser organizadas cuidadosamente para la incursión. Fernando llegó a tomar parte en alguna de ellas, ya que se entendía como imprescindible que el príncipe de un Estado que vivía en guerra constante, estuviese familiarizado con las prácticas militares. Durante una de las constantes menores invasiones, las tropas comandadas por Fernando se adentraron en territorio moro sin encontrar resistencia, y marcharon sin tomar demasiadas precauciones, encontrándose de pronto con una emboscada enemiga, que les atacó por un flanco, penetrando entre sus filas y dividiendo las tropas en dos. Los dos grupos cristianos huyeron en dirección opuesta y Fernando, acompañado exclusivamente por un grupo de caballeros, espoleó a su caballo de regreso a su tierra en vista del peligro inminente.

El camino que se vieron forzados a tomar para llegar a sus propios dominios les obligaba a desviarse mucho y, después de que sus compañeros y él hubiesen cabalgado todo el día, el cansancio de sus caballos les impedía avanzar mucho. Para su consternación comprobaron que una avanzadilla del ejército enemigo les pisaba los talones. Ante tal dilema decidieron que era mejor entregar sus vidas, como buenos caballeros cristianos, y dispuestos a desmontar para buscar un lugar que les ofreciera cierta ventaja en la batalla, divisaron un poco más allá un tosco edificio de piedra situado sobre una colina. «En ese lugar podremos defendernos convenientemente», dijo Fernando, «vamos a asegurar nuestras posiciones y a aprovecharnos de la protección que nos ofrece.»

Obligando a sus desfallecidos caballos a realizar un último esfuerzo, ganaron la cima de la pequeña colina. Fernando desmontó y buscó la entrada, pero cuando estaba a punto de entrar, se sorprendió al ver a un hombre arrodillado sobre las losas de piedra, sumido en una profunda oración. Por su larga barba, sus ropas y su apariencia en general dedujo que era un ermitaño moro, uno de aquellos que se retiraban del mundanal ruido para entregarse a sus austeras prácticas religiosas en paz. Fernando estaba a punto de pedirle con rudeza que abandonase el lugar, cuando el hombre santo, al oír sus pasos, le miró y le preguntó lo que quería.

«Quiero que te marches», le espetó Fernando, «ya que vamos a defender esta plaza hasta la muerte contra tus hermanos infieles.»

El ermitaño se sonrió y dijo: «Joven, ¿qué posible defensa esperas conseguir en este pobre lugar, que en breve estará rodeado por un gran número de soldados? Tu espada y las de tus compañeros serán poco más o menos tan inútiles como estos muros de piedra, que están prácticamente en ruinas. Hay una defensa contra la violencia mejor que la piedra y el acero.»

«No sé de lo que mes estás hablando, anciano», dijo Fernando, «pero yo, como soldado, he aprendido a confiar en esas cosas que desprecias.»

«Desgraciadamente, seguro que ha sido así», replicó el ermitaño. «¿No te han enseñado en tu tierra que Dios es una defensa más segura para aquellos que confían en Él que todos los baluartes, vanos y materiales, que los hombres sanguinarios erigen contra otras razas? Confía en Dios, te digo, y Él te socorrerá.»

«Si hablas del Dios de los cristianos», repuso Fernando, «estoy de acuerdo con tus sabias palabras, pero si lo haces por boca de un infiel, sólo se trata de una blasfemia.»

«Caballero», dijo el ermitaño, «todavía eres joven, pero cuando crezcas comprenderás que Dios es el mismo en cualquier parte y que la división de Su personalidad es una de las tretas del demonio para crear enemistad entre los hombres buenos. Te ruego que no sigas discutiendo y que prestes atención a mis palabras. Estas piedras derrumbadas son los restos del torreón de una vieja fortaleza, bajo la cual hay un laberinto de mazmorras; por tanto, podrás escapar de tus perseguidores y estar de vuelta en tu tierra a la caída de la noche.»

Uno de sus camaradas le avisó: «Tened cuidado Fernando. Este infiel intenta tendernos una trampa para que sus compatriotas puedan matarnos a todos a placer.»

«No lo creo», replicó el príncipe, «puedo ver que este hombre, santo y bueno, tiene buenos propósitos, y yo me pongo gustosamente bajo su cuidado. Guíanos, buen hombre, a ese lugar oculto del que nos hablas.» El ermitaño les dijo que entrasen en el edificio, y les señaló un oscuro pasadizo por el que introdujeron a sus caballos. Apenas se habían ocultado en sus oscuras sombras, cuando oyeron el clamor de los infieles que les perseguían a caballo. El jefe le preguntó al ermitaño si había visto pasar algún caballero cristiano. «Te aseguro que ningún cristiano ha pasado de camino, hijo mío», le dijo el santo, «vete en paz.» El capitán moro se despidió con gravedad y montó de nuevo su caballo marchándose a toda prisa.

El ermitaño regresó hasta los caballeros cristianos y les dijo que en un par de horas sería de noche. «Entonces podréis volver sanos y salvos a vuestro país.»

«¿Cómo puedo recompensarte?», le preguntó Fernando, conmovido por la amabilidad del anciano.

«Hay una manera de hacerlo, joven caballero», repuso el ermitaño, «intenta formarte una mejor opinión de los hombres de mi raza.»

«Me pides algo muy difícil», dijo el príncipe con tristeza, «si te he de ser sincero he oído hablar más de lo malo que de lo bueno de los moros.»

«Eso no me sorprende», dijo sonriendo el ermitaño, «dado que tendrás que admitir que sólo te has encontrado con ellos con una espada en la mano, o con prisioneros invadidos de un amargo sentimiento de derrota. Abre tu alma y reza para que sus puertas, cerradas hasta ahora, dejen entrar los rayos de la sabiduría celestial. Busca lo mejor de tu enemigo y te aseguro que lo encontrarás.»

Al oír sus palabras Fernando sintió que las puertas de su espíritu, hasta entonces oxidadas de prejuicios, se abrían. «No olvidaré tu consejo», exclamó, «ya que nada malo puede provenir de un hombre tan noble y bueno como tú», y con un respetuoso gesto de despedida montó su caballo y se alejó, acompañado de sus caballeros.

Llegó a salvo a la capital de su reino al amanecer y, tras bañarse y refrescarse, se dirigió a su sala de audiencias donde les contó a sus ansiosos ministros su aventura.

«Habéis tenido mucha fortuna, majestad», le dijo uno de sus consejeros, «si no hubiese sido por la ayuda de ese buen hombre ahora estaríais, con toda seguridad, prisionero en la cuidadela de los enemigos. Seguro que pocos espíritus como el del anciano residen en los cuerpos moros.»

«¿Por qué?», exclamó el príncipe. «¿Es que no puede ser de otra manera? ¿Qué sabemos de los moros fuera del conocimiento que extraemos de nuestra lucha constante con ellos? ¿No sería bueno intentar conocerles mejor?»

«¡Cómo!», gritó otro consejero. «¿No sabemos que son unos perros infieles, que lanzan perjuras blasfemias y adoran a un falso dios? No quiera el cielo que tengamos más conversación con ellos que las de los heraldos, que nos sirven para reunirnos con ellos en el mismo campo de batalla, de modo que podamos hincar nuestras lanzas en sus cuerpos infieles.»

«Esas palabras no son ni buenas ni sabias», replicó Fernando, «y os digo, señores, que, mientras cabalgaba de vuelta a casa esta mañana, he decidido conocer mejor a los moros, viajando a su país para estudiar sus costumbres y su fe, viéndoles como hombres y no como enemigos.»

«Es una locura», gritó el canciller, «la palabra de un joven príncipe sin experiencia.»

«No es ésa mi opinión», replicó Fernando, «pero con el fin de no correr ningún peligro me disfrazaré de moro. Como sabéis conozco perfectamente la lengua árabe y las costumbre de nuestros vecinos. He tomado esta decisión y no pienso permitir que me disuadáis.»

«Vuestra palabra es ley, majestad», replicó el consejero, que vio en la decisión del príncipe una buena oportunidad para ampliar su poder personal. Otros hicieron todo lo posible por alejarle de su pretensión, utilizando todos los argumentos en su mano, pero sin éxito. Fernando realizó rápidamente todos los preparativos y en tres días partió, vestido de musulmán, durante la noche hacia la frontera enemiga.

Al entrar en su país decidió dirigirse en primer lugar a la capital, una ciudad de considerable importancia. Al llegar, desmontó su corcel árabe y se dirigió a un *khan,* u hostería. Allí se encontró con viajeros de toda clase y condición. Los mercaderes estaban sentados a la mesa con los *mullah,* o sacerdotes, y los soldados compartían la comida con los peregrinos. Lo primero que notó Fernando al ver a esa gente fue su gran abstinencia y moderación. Comían poco y no bebían nada más que agua o leche. La atmósfera de gravedad le sorprendió. Esos hombres, oscuros y sobrios, estaban, en su mayoría, sentados con los ojos bajos, no gesticulaban y hablaban en voz baja y con tono decoroso. Si se les hacía una pregunta, no contestaban de inmediato y parecían rumiar la respuesta, que era invariablemente cortés y agradable. Su conducta era digna y decente. Fernando observó que guardaban una gran limpieza, no sólo en relación a sus ropas, sino que también practicaban constantes abluciones, tanto durante las horas estipuladas para la oración, como en los baños públicos.

Por otro lado, el príncipe pudo comprobar que esa raza se guiaba por un poderoso formalismo que limitaba sus ideas, lo que era dolorosamente evidente por su lenguaje y sus maneras. No parecía haber espacio para la individualidad en su sistema de vida. Trabó conversación con uno de los *mullahs,* que se había retirado a una esquina para leer mejor el Corán. Al principio notó que tenía poca propensión al diálogo, pero al comprobar que el príncipe quería intercambiar ideas con él, centró la conversación en el tema de la ley musulmana que estaba estudiando, parándose en tales nimiedades que el pobre Fernando se arrepintió de habérsele acercado.

Fernando hace comparaciones

Esa noche, mientras estaba en la cama, Fernando repasó las impresiones del día.

«Esta gente me parece demasiado formal y convencional», pensó, «pero frente a ello hay que destacar el carácter garrulo y chillón de las razas europeas, la gran familiaridad de sus maneras y su falta de dignidad. Ese *mullah* me pareció demasiado prolijo, ¿pero no tenemos nosotros también nuestros defectos, y muchos? ¿No es cierto que en todas partes del mundo la introspección egoísta y la soberbia erudición convierten con frecuencia a un hombre en estorbo público? Me da la sensación que la humanidad actúa imitando a sus congéneres, aquí y allá, y que uno puede encontrarse pocas personas de una destacada individualidad.»

Al levantarse a la mañana siguiente visitó la gran mezquita de la ciudad. Nada más entrar en ese lugar de adoración de los moros, le impactó su ambiente, tan parecido al de las catedrales cristianas. Se notaba el mismo profundo silencio. Aquí y allá había *mullahs* que enseñaban los rituales y las leyes musulmanas, mientras que en las iglesias de su país raras veces te enseñaban de forma directa los dogmas de la fe cristiana. Otra cosa que observó fue la manifiesta erudición de los que hablaban, que le pareció mucho más avanzada que la de los monjes de su tierra, pocos de los cuales sabían escribir, y quedó muy impresionado al comprobar que en un anexo de la mezquita había una habitación dedicada a la escritura, en la que un número de *mullahs,* jóvenes y viejos, escribían con rapidez copias en árabe del Corán y de otros libros religiosos.

Fernando se dirigió de la mezquita a la Universidad y se perdió en el mundo de riqueza intelectual que allí florecía. Un profesor, ataviado de blanco, estaba dando una conferencia en una sala sobre medicina, con una precisión y un conocimiento sin par. Su conocimiento de las drogas y los fármacos y de las propiedades de las plantas y de las hierbas le pareció muy extenso, y cuando Fernando recordó las múltiples sanguijuelas a las que tenían que someterse anualmente sus súbditos, se sintió avergonzado de que los atezados y estudiosos extranjeros les pudiesen eclipsar tan fácilmente, tanto en la teoría como en la práctica. Pero su agudeza le permitió darse cuenta de que el conferenciante hablaba del arte de la medicina como algo cuyos principios habían sido descubiertos mucho antes. Hablaba de experimentos del pasado y se refería constantemente a los grandes maestros del mundo, como Galeno, Hipócrates o Avicena. Si aludía a los maestros de sus días, lo hacía casi disculpándose y siempre peyorativamente. La antigüedad lo era todo para él y los dogmas de los grandes maestros de la medicina de la antigüedad le parecían tan sagrados como las palabras del Profeta.

En la clase de al lado Fernando estuvo escuchando a un profesor de astrología. Ese arte de la antigüedad siempre había ejercido cierta fascinación sobre él, y sabía de sobra que los moros eran sus mejores intérpretes. El conferenciante describía la influencia de los diferentes planetas sobre el destino de los hombres, la manera en que sus conjunciones y oposiciones afectaban a los asuntos humanos y el carácter de las personas nacidas bajo unas condiciones astrológicas determinadas. Esta ciencia le pareció, sin embargo, incapaz de llegar más lejos, de realizar nuevos descubrimientos, y se percató de que el orador no podía sustentar sus teorías con pruebas definitivas, ya que no sabía nada de la naturaleza de esos planetas, sus movimientos físicos o su relación científica con la tierra. En la clase de geografía comprobó que las directrices de enseñanza eran más modernas, gracias a que los árabes habían realizado muchos viajes por Asia y África. Se discutían las condiciones de la vida en diversos países del mundo, con mayor exactitud que en las escuelas europeas que él había visitado, donde, con frecuencia, se supeditaban los hechos a la suposición y donde se valoraba más lo extraordinario que lo probable.

Fernando abandonó la Universidad, cuyo patio bullía de estudiantes discutiendo sobre diferentes temas, y se dirigió a la atestada plaza del mercado, donde había una parte dedicada a la venta de manuscritos, que, según pudo observar, tenía más parroquianos que aquellas otras dedicadas a la venta de alimentos y ropa. Los espacios más despejados estaban llenos de malabaristas y saltimbanquis, que por lo general llevaban animales. En algunos lugares había grupos de hombres discutiendo los puntos más oscuros del Corán o de la ley mahometana, mientras que otros estaban sentados a la sombra, bebiendo perezosamente sorbetes o dormitando mientras se aplacaba el fuerte calor de la mañana. En las casetas que rodeaban la plaza vio todo tipo de artesanos, embebidos en su trabajo: carpinteros, herreros, fabricantes de sandalias, sastres. Pero descubrió que trabajaban muy lentamente y que sus herramientas eran mucho más anticuadas que las que utilizaban los artesanos de su país. La mano del tiempo parecía estar posada pesadamente sobre esa raza. En algunas cosas parecían haber hecho grandes avances, mientras que en otras parecían haberse quedado anclados en ideas primitivas. Sus progresos se centraban exclusivamente en el campo del pensamiento, pero incluso en este punto todo hacía referencia a conocimientos de la antigüedad.

A pesar de ello, Fernando pudo sentir, extrañado, que ese conservadurismo le tocaba una fibra de su naturaleza.

«¿No tiene esta gente razón», se decía a sí mismo, «al dejar las cosas como están, como dice el proverbio? Si han descubierto un estado de cosas que se ajusta a su raza, ¿no sería una locura embarcarse en una serie de experimentos que pueden ser incompatibles con ellos? Parecen razonablemente felices. ¿No se tornaría en desgracia su felicidad, si se les obligara por la fuerza a aceptar unas condiciones de vida como las de mi reino? Han debido de aprender, tras una larga experiencia, que su modo de vivir es el más conveniente para ellos. ¿Es posible que nos disgusten tanto, porque sus instituciones son tan diferentes de las nuestras? ¿Pero no es posible, por otro lado, que todo esto sea meramente superficial? Después de todo sus simpatías y antipatías son muy similares a las nuestras. Dependen enteramente de los cambios de estación y de la recolección para alimentarse; viven constantemente bajo el temor a la guerra; están sujetos a los mismos conflictos privados entre hombres y vecinos que nosotros, y también están sometidos a la autoridad como nosotros lo estamos. Las únicas diferencias son las que fijan las circunstancias y el lugar, y ninguno de estos individuos puede romper las tradiciones establecidas, como tampoco podemos los españoles. No nos diferenciamos de ellos en las cosas sobresalientes de la vida, sino sólo en los detalles superficiales. Su religión les enseña que los buenos serán premiados y los malos castigados, y que los hombres deben ser constantes en su amor a su patria y a su familia. Después de todo, si uno de ellos hubiera sido criado en España, a los veinte años hubiera tenido los mismos prejuicios que yo y no se distinguiría de un español ordinario.»

Fernando atravesó la puerta de la ciudad y se adentró en el campo, que se parecía mucho al de su propio reino, exceptuando que estaba cultivado con mayor cuidado. Aquí y allá se arracimaban grupos de granjas, blancas y ordenadas, y los espigadores y segadores invadían los campos, ya que era tiempo de cosecha. Fernando se unió a uno de los grupos y se sorprendió al ver que se diferenciaban muy poco de los campesinos de la España cristiana. A ratos descansaban, y los espigadores se sentaban en círculo y escuchaban la música que emitía la flauta de uno de ellos, que poseía una extraña melancolía. Fernando descubrió en ellos la misma sencillez y predisposición a la satisfacción que en sus propios súbditos. Compartieron el pan y el queso con él y le ofrecieron un trago de leche de cabra, que bebió con una mueca de asco, ya que, por lo general, los príncipes no están acostumbrados al fuerte olor de dicho brebaje. Una vez que se había refrescado se dedicó a pasear por los campos bajo el sol de la tarde, ya muy avanzada, descansando de cuando en cuando a la sombra de los árboles, que se alineaban junto a los caminos.

Había caminado una milla y media aproximadamente, cuando vio a un batallón de caballeros árabes haciendo prácticas militares en una amplia llanura. Su ojo de soldado se posó con gran interés en la escena y comprobó de inmediato que los movimientos de esos caballeros, que portaban armas ligeras, eran muy superiores a los de sus guerreros pesadamente pertrechados. A una palabra del comandante, el escuadrón cargó con una unidad y rapidez sorprendentes, y cuando se les ordenó parar lo hicieron instantáneamente, sin perder la alineación de sus filas. Uno de los escuadrones se acercó al príncipe en una de sus evoluciones y el comandante, tomándole por un peregrino, le saludó cortésmente.

«Presumo, señor», le dijo, «por el evidente placer con que contempláis la escena, que en su día fuiste un soldado.»

«Es cierto», replicó Fernando, «lo fui hace años y serví durante mucho tiempo en otra parte del país, pero ya no tengo nada que ver con la guerra, y ya no la aprecio por sí misma, como lo hice con anterioridad.»

«Pero la guerra es la única carrera a la que se puede dedicar un alma noble», exclamó el comandante, «eres todavía joven y has dejado el ejército demasiado pronto.»

«No», repuso el príncipe, «estoy listo para tomar de nuevo la espada si es necesario, pero sólo lo haría en caso de una invasión injusta o para evitar un grave mal. Como ya he comentado, no deseo por más tiempo la guerra.»

«¿Pero no querrás decir», aseguró el comandante sonriendo, «que no debemos prepararnos para un ataque enemigo, verdad? No sabemos en qué momento nos invadirán las crueles y salvajes tropas cristianas del Norte.»

«Tampoco saben ellos cuándo haremos nosotros una incursión en su territorio», repuso Fernando.

«Si nosotros lo hacemos, es sólo como medida de protección, después de todo, ya que somos conscientes de que nunca se reconciliarán con nosotros.»

«¿Hemos intentado descubrirlo alguna vez?», le preguntó Fernando. «Me temo que no. Hemos firmado tratados con ellos, pero parecen haber sido proyectados para ser rotos luego.»

«Desde luego», afirmo el comandante curvando sus labios, «esos españoles son unos perros traicioneros y no podemos confiar en la honestidad de su palabra. Han roto tratado tras tratado.»

«Si no me equivoco», dijo Fernando, «nosotros hemos hecho lo mismo, aunque nuestros gobernantes se han cuidado de no informarnos de nuestra deshonestidad nacional, diciéndonos que era necesario actuar de esta manera por la naturaleza poco fiable del enemigo. ¿Puedo preguntarte si has ido alguna vez a la España cristiana o has conocido a un cristiano que no sea un prisionero?»

El caballero negó con la cabeza: «Ahora que lo pienso no, he cruzado mi espada con muchos españoles y no pongo en duda que haya gente noble entre ellos, ya que, por mi propia experiencia, son valientes soldados, y eso sólo puede serlo un hombre honorable. Pero ahora te ruego que me excuses, no puedo quedarme más tiempo. Te deseo un buen viaje en nombre de Dios.»

Fernando encuentra a su «doble»

Fernando siguió su camino y lo que vio el primer día fue muy similar a lo que pudo observar durante el resto de su viaje. Estuvo recorriendo el territorio moro durante tres meses, estudiando sus instituciones y sus gentes, y formándose una impresión de primera mano de sus características. Al final de su recorrido había concebido tan buena impresión de sus antiguos enemigos, que se sentía apenado por tener que dirigir sus pasos de regreso a su reino del Norte. Antes de cruzar la frontera decidió pasar la noche en una pequeña posada situada en el lado moro de las colinas. Era un sitio pobre pero con una preciosa vista hacia un valle. Le entregó su caballo al posadero y entró. Para su estupor, el primer hombre que se encontró se parecía tanto a él que dio un paso atrás con sorpresa. El otro joven se detuvo también en seco y le miró fijamente, entonces sonrió y dijo entre carcajadas: «Veo que estás tan sorprendido como yo, pero espero que no te hayas enfadado porque Dios nos haya hecho tan parecidos, ya que he oído que las personas que se asemejan mucho pueden albergar una desconfianza mutua.»

«No tengas miedo de ello, amigo», dijo Fernando, «si Dios ha hecho nuestras almas tan similares como nuestros cuerpos, estoy convencido de que eres liberal y poco convencional» y riendo le señaló una mesa. «Lo lógico sería que compartiéramos el pan.»

«De acuerdo», exclamó el otro, «acepto tu invitación encantado.» Los dos jóvenes se sumieron al poco tiempo en un animada conversación. Y, si en un principio se habían sorprendido por su parecido físico, ahora estaban atónitos por la semejanza de sus gustos y caracteres. Estuvieron charlando durante horas. Al final el extraño le dijo: «Me siento como si te conociera de toda la vida, y como estoy seguro de que puedo confiar en ti plenamente, te voy a revelar un secreto. Tienes que saber que soy Muza, el príncipe de este país y que vengo del reino cristiano, donde he estado bastante tiempo estudiando su forma de ser y sus costumbres.»

«Me siento muy honrado por vuestra confianza en mí, majestad», repuso Fernando, «y podéis estar seguro de que no revelaré vuestro secreto. ¿Puedo preguntaros qué opinión os habéis formado de los cristianos españoles durante vuestro viaje?»

«Tengo una alta opinión de ellos», le dijo Muza, «regreso a mi país con gran pesar, ya que me he sentido mucho más identificado con ellos que con mi propio pueblo, y te aseguro solemnemente que preferiría gobernar a esos súbditos antes que a los míos.»

«Que se cumpla tu deseo, noble Muza», exclamó Fernando, «ya que no soy otro que Fernando, príncipe de los cristianos, que, impulsado por un deseo similar, he viajado a tus dominios, y me ha gustado tanto el carácter y las costumbres de tus gentes que no hay nada que me gustaría más que guiar sus destinos. Esto te demostrará que soy quien afirmo ser», y rebuscando en sus bolsillos, Fernando extrajo una cadena de oro de la que colgaba su emblema real. «Por lo que he podido comprobar», continuó, «sólo existe un obstáculo a nuestro plan, que es la diferencia de nuestras religiones».

«No, Fernando», replicó Muza, «yo no creo que sea un problema, ya que las diferencias son meramente externas. El espíritu interno de tu fe y de la mía es el mismo y sólo muestran divergencias en sus manifestaciones exteriores. Las dos religiones brotan de un mismo Dios, y si tú estás de acuerdo conmigo, no habrá mayor dificultad en abrazar la religión del otro que en asumir sus costumbres.»

«Estoy de acuerdo de todo corazón», dijo Fernando, «pero lo que temo es que no seamos capaces de convencer a nuestros respectivos pueblos de la pureza de nuestros motivos. Ellos no pueden conocer nuestro secreto.»

«Nuestra gran salvaguardia», aseguró Muza, «es nuestro enorme parecido, pero será necesario que nos instruyamos mutuamente en nuestra vida pasada para no levantar sospechas.»

«Hablas como un hombre sabio», replicó Fernando, «hagámoslo.»

Los dos jóvenes príncipes estuvieron sentados toda la noche contándose el uno al otro sus intimidades personales y, finalmente, al amanecer, montaron sus caballos y partieron, Fernando a la capital mora y Muza a la cristiana. Pero acordaron encontrarse en la posada a los tres meses para intercambiar opiniones.

Los meses pasaron rápidamente y los dos jóvenes volvieron a reunirse en la posada. Se saludaron con cierta tirantez.

«¿Qué tal te ha ido en el reino de mi padre, noble Muza?», preguntó Fernando.

«Desgraciadamente», contestó Muza, «debo reconocerte que me he sentido muy mal. Cada día tus consejeros me presentaban un plan nuevo de ataque contra mi propio reino y no había manera de contenerlos. Me criticaron acerbamente por lo que ellos consideraban una deslealtad.»

«A mí me ha ocurrido exactamente lo mismo», dijo Fernando, «debo decirte que tu raza no se parece en nada a la mía en lo que a libertad de miras se refiere, son extremadamente conservadores y difíciles de comprender.»

«Por otro lado», añadió Muza, «yo encuentro a tu gente demasiado activa y revoltosa, no me he encontrado la obediencia a la que estoy acostumbrado. Si puedo serte sincero hay cierta falta de dignidad.»

«Yo encuentro horribles algunas de vuestras costumbres», continuó Fernando, «vuestros acuerdos matrimoniales, por ejemplo.»

«Y vuestra ausencia de acuerdos», replicó Muza.

«Si resumimos la cuestión», puso Fernando de relieve, «es mejor que un hombre —incluso uno muy liberal— permanezca en el seno de su propio pueblo, sea cual sea su amplitud de miras, ya que entre extranjeros se agudizan los prejuicios y se generan odiosas comparaciones.»

«Estoy totalmente de acuerdo», asintió Muza. «Después de todo, ¿qué país se puede comparar a aquel en el que uno ha nacido?»

Los dos príncipes regresaron a sus respectivos países, pero, a pesar de las amenazas de sus consejeros, ninguno de ellos consintió que se invadiera el territorio del otro, y Fernando y Muza se encontraron ocasionalmente en la posada de la frontera con el exclusivo propósito de limar las diferencias que habían surgido entre sus Estados, un procedimiento antinatural que ellos mismos reconocieron que tarde o temprano acabaría en desastre político.

Capítulo XII

CUENTOS ESPAÑOLES DE MAGIA Y BRUJERÍA

E SPAÑA fue considerada por el resto de los países de la Europa occidental como el centro de la superstición, la magia y la brujería, posiblemente por la fama que adquirieron los descubrimientos de los alquimistas moros, primeros científicos europeos. Pero la llegada de la Inquisición marca un notorio descenso de la práctica de las ciencias ocultas, ya que la más mínima cosa que sonase a herejía era reprimida duramente por esa institución. Por ese motivo se perdieron parte de los usos populares y rurales, de las fascinantes leyendas españolas y de curiosas costumbres, para no recuperarse jamás. Los inquisidores, con su celo por mantener la pureza de la Iglesia, barrieron no sólo a la bruja, al mago y al demonio, sino también al hada inocente, a los espíritus del bosque y de las aguas, y a aquellos espíritus familiares que no hacían daño alguno y ayudaban al ama de casa.

La primera información que obtenemos sobre una campaña de las autoridades españolas contra todos los demonios, buenos y malos, es la recogida en la obra de Alfonso de Esperia, un franciscano castellano, que escribió entre 1458 y 1460 un libro especialmente dirigido contra los herejes y los no creyentes, en donde hay un capítulo dedicado a las prácticas populares que derivan de antiguas prácticas paganas. La creencia en brujas, que él llama *xurguine (jurguia)* o *bruxe,* parece importada de Dauphiné o Gascony.

265

Según nos dice, éstas se reúnen en grandes cantidades por las noches en una alta meseta, portando velas, con el fin de adorar a Satán, que se aparece en forma de verraco, más que en forma de macho cabrío, como suelen hacerlo en otras localidades.

Llorente constata, en su *Historia de la Inquisición en España,* que el primer auto de fe contra la brujería tuvo lugar en Calabarra en 1507, en el que treinta mujeres fueron quemadas por la Inquisición. En el primer tratado español de brujería, del monje franciscano Martín de Castanaga (1529), se dice que Navarra era la cuna de la brujería española y que desde allí se enviaron «misioneras» a Aragón para captar adeptas. Pero nos encontramos con que los teólogos españoles del siglo XVI eran mucho más eruditos que los de otros países y admitían que la brujería era un mero engaño, y el castigo que se imponía a aquellos que creían en ella se infligía más bien por la creencia, errónea por otra parte, de que era contraria a los dogmas de la Iglesia. Pedro de Valentín opina, en un tratado de 1610 sobre la materia, que los actos confesados por las brujas son imaginarios. Él los atribuye, en parte, al modo en que eran realizados los interrogatorios y al deseo de escapar del castigo de la gente ignorante que era interrogada, que decían todo aquello que querían oír los inquisidores, y, por otra parte, al efecto de las pócimas que estaban acostumbrados a tomar, compuestas por ingredientes que producían somnolencia y actuaban sobre la imaginación y las facultades mentales.

La brujería como religión

Los estudios de Charles Godfrey Leland, M. A. Murray y otros nos indican que el culto de la brujería no es en absoluto resultado de la imaginación. La señora Murray afirma que es el detrito de la antigua fe pagana que pervive en los tiempos modernos, y que tiene un clero y un ritual bien definido, conservando todavía la práctica del sacrificio de niños.

No cabe duda que esta concepción de la brujería es la correcta. Existen numerosas pruebas de que la brujería tiene un clero establecido y un ritual definido, y de que la imaginación desempeña un papel mínimo en las creencias de los adeptos a este culto [45].

La historia del doctor Torralba

En el siglo XVI España seguía siendo famosa por sus magos, que todavía retenían parte de la filosofía oculta de los doctores moros de Toledo y Granada. Quizá el más famoso entre todos los maestros de la magia fue el doctor Eugenio Torralba, médico de la familia del almirante de Castilla. Educado en Roma, pronto se convirtió en un escéptico, e intimó con un tal Maestro Alfonso, un judío que, tras convertirse al islam y luego al cristianismo, acabó siendo un librepensador. Otra de sus malas compañías fue un monje dominico, llamado fray Pedro, que le dijo a Torralba que tenía a su servicio al ángel Ezequiel, que no tenía igual en el mundo espiritual y que servía únicamente a los que tenían una fe absoluta en él y merecían su adhesión.

Todo esto excitó la curiosidad de Torralba. Era una de estas personas, afortunadas o no, en las que se había enraizado firmemente el amor por los misterios, y cuando Pedro le propuso generosamente cederle su espíritu familiar, él aceptó encantado la oferta. Tampoco Ezequiel opuso resistencia alguna al cambio y, convocado por Pedro, le aseguró a Torralba que estaría a su servicio el resto de su vida, e iría allí donde él fuese. No había nada sobrecogedor en la apariencia del espíritu, llevaba un hábito color carne, una capa negra, era joven y tenía una abundante cabellera rubia.

A partir de ese momento Ezequiel se le apareció a Torralba cada vez que cambiaba la Luna y siempre que el médico requería sus servicios, cosa que hacía por lo general para pedirle que le trasladase en poco tiempo a un lugar distante. El espíritu aparecía a veces vestido de ermitaño, otras de viajero, y siempre acompañaba

---

[45] El lector que quiera obtener más información sobre la materia puede consultar los artículos de M. A. Murray en la revista *Man*.

a Torralba a la iglesia, por lo que éste dedujo que era un espíritu benéfico y cristiano. Pero, por desgracia, el doctor Torralba acabó por descubrir que el hecho de asistir al oficio sagrado no implica necesariamente piedad.

Torralba continuó viviendo en Italia durante muchos años, pero en 1502 sintió un fuerte deseo de volver a su país de nacimiento. Así lo hizo, pero al año siguiente volvió a asentarse en Roma, donde se puso bajo la protección de su antiguo patrón el obispo de Volterra, que ya era cardenal. Gracias a su influyente señor pronto destacó por su gran reputación como médico. Pero ni el cardenal, ni ninguno de sus distinguidos pacientes sabían que recababa casi todos sus conocimientos médicos de su fámulo invisible, que le enseñó las virtudes secretas de nuevas plantas con las que otros doctores no estaban familiarizados. Sin embargo, Ezequiel no se dejaba corromper por el amor al dinero; cuando el médico cobraba fuertes honorarios, cosa a la que todo médico aspira, le reprendía, diciéndole que dado que había recibido sus conocimientos a cambio de nada, debía impartirlos gratuitamente. Pero por otro lado, si el médico necesitaba fondos, siempre encontraba dinero en su apartamento, que sabía implícitamente que le había proporcionado su espíritu familiar.

Torralba regresó a España en 1510 y vivió algún tiempo en la corte de Fernando el Católico. Un día le confió Ezequiel que el rey iba a recibir una noticia desagradable. Torralba se lo comunicó de inmediato a Jiménez de Cisneros, arzobispo de Toledo, y al Gran Capitán, Gonzalo Fernández de Córdoba. Ese mismo día llegó un mensajero de África que informó a su Majestad que la expedición contra los moros había sido un desastre y que su comandante, don García de Toledo, duque de Alba, había muerto.

De vuelta a Roma, Torralba tuvo el atrevimiento de convocar a Ezequiel para que apareciese ante su protector, el cardenal Volterra, que por fin se enteró de cómo había sido capaz su protegido de profetizar el desastre del ejército español, informando al arzobispo de Toledo de los medios por los que el médico había pronosticado la derrota. Torralba, ignorándolo, continuó haciendo predicciones políticas y de otro tipo, y pronto tuvo reputación de gran visionario. Ente otros, le consultó el cardenal de Santa Cruz, a quien se había quejado una tal doña Rosales de no poder dormir por aparecérsele un aterrador fantasma con aspecto de asesino. El médico de la dama, el doctor Morales, había pasado allí una noche y ella le señaló el punto exacto en que se le aparecía la terrible visión, pero él no fue capaz de distinguir nada.

Torralba acompañó a Morales a casa de la dama y permaneció esperando en la antecámara, alrededor de la medianoche la oyó gritar. Morales y Torralba entraron en la habitación y, mientras Morales tuvo que confesar de nuevo que no veía nada, Torralba percibió una figura parecida a un muerto, tras la que se distinguía una sombra de apariencia femenina. «¿Qué estáis buscando aquí?», le preguntó con voz firme, a lo que respondió el fantasma: «Busco un tesoro», y se esfumó de inmediato. Torralba consultó a Ezequiel y éste le aconsejó que cavara en los sótanos de la casa. Al hacerlo, apareció el cadáver de un hombre que había sido apuñalado. Una vez que el cuerpo recibió cristiana sepultura, las visiones cesaron.

Uno de los amigos íntimos de Torralba era don Diego de Zúñiga, pariente del duque de Béjar, hermano a su vez de don Antonio, gran prior de la orden de San Juan de Castilla. Zúñiga le consultó al erudito doctor la forma en que podría ganar dinero en el juego mediante la magia, y Torralba le informó que debería escribir ciertos caracteres en un papel, utilizando sangre de murciélago en lugar de tinta. Después debería colgárselo al cuello, con el fin de tener buena suerte en la mesa de juego.

En 1520 Torralba fue a Roma una vez más. Pero antes de abandonar España le dijo a Zúñiga que podría viajar cuando quisiera montado sobre el palo de una escoba, guiado por un nube de fuego. A su llegada a Roma se entrevistó con el cardenal Volterra y el gran prior de la orden de San Juan, que le rogaron encarecidamente que abandonara toda relación con su espíritu familiar. Torralba le pidió entonces a Ezequiel que se marchase, pero se encontró con una terca negativa por parte del espíritu. Éste le recomendó que se trasladase a España, asegurándole que obtendría la plaza de médico de la infanta Eleanora, reina de Portugal y más tarde esposa de Francisco I de Francia. Actuando según su consejo, Torralba navegó otra vez hacia su país de origen y obtuvo el cargo prometido.

En 1525 ocurrió un incidente que aumentó la celebridad de Torralba como vidente. El 5 de mayo de dicho año Ezequiel le aseguró que las tropas del emperador tomarían Roma al día siguiente. Torralba le pidió a su espíritu que le llevase hasta dicha ciudad para ser testigo del gran acontecimiento con sus propios ojos. Cuando Torralba abrió los ojos estaba en una alta torre de Roma. Era medianoche y, cuando comenzó a amanecer, fue testigo de los siguientes terribles acontecimientos: la muerte del condestable de Borbón, la huida del Papa al castillo de San Angelo, la matanza de los ciudadanos y el despiadado saqueo de la ciudad. De vuelta en Valladolid, por los mismos medios por los que había llegado a Roma, Torralba divulgó de inmediato lo que había presenciado y cuando, una semana más tarde, llegaron noticias de la toma y el saqueo de Roma, la corte española se quedó, naturalmente, muy sorprendida.

Muchas personas de alto rango habían sido cómplices del médico en su magia negra, y una de ellas, llena de remordimientos, notificó a la Santa Inquisición los tratos del doctor con lo sobrenatural. Incluso Zúñiga, que tanto se había beneficiado de los conocimientos ocultos de Torralba, se volvió contra él y le denunció ante el Santo Oficio de Cuenca, que le arrestó y le encarceló. El mago, aterrado, confesó al instante toda su relación con Ezequiel, al que insistía en considerar un espíritu bueno. Tuvo que hacer ocho declaraciones sobre su trato con lo sobrenatural y en algunas de ellas contradecía lo que había declarado en otras. Los inquisidores, insatisfechos, le sometieron a tortura y el infeliz nigromante confesó rápidamente la naturaleza demoníaca de su espíritu familiar. En marzo de 1529 los inquisidores suspendieron el proceso durante un año, práctica muy común en la Inquisición, con el objeto de debilitar la voluntad de sus víctimas. Pero para desgracia de Torralba hizo su aparición un nuevo testigo, que afirmó que durante su primera estancia en Roma el médico encarcelado Torralba ya estaba familiarizado con las ciencias ocultas. En enero de 1530 el médico fue procesado de nuevo. La Inquisición nombró a dos sabios teólogos para que realizasen la labor de su conversión. Torralba les prometió enmendarse en todo, excepto en renunciar al espíritu al que había estado unido tanto tiempo, ya que, según les aseguró, no tenía poder para apartar a Ezequiel de su lado. Finalmente, haciendo la pantomima de que arrojaba al espíritu y abjuraba de la herejía, fue liberado y entró al servicio del almirante de Castilla, que utilizó todas sus influencias para lograr su perdón. Inmortalizado en las páginas de *Don Quijote*, Torralba ha pervivido como arquetipo del mago español del siglo XVI.

Magia mora

Ninguna raza ha estudiado las ciencias ocultas con la perseverancia de los moros de España, y es raro que sólo hayan llegado a nuestras manos escasos fragmentos de sus obras. Numerosos historiadores europeos reiteran que eran famosos por sus conocimientos de magia y alquimia, pero la mayoría de ellos no ha descrito ninguno de sus métodos, y los propios moros han dejado tan pocos detalles de su trabajo en esta materia, que continuamos ignorando sus esfuerzos, y tenemos que limitarnos a recopilarlos de informaciones fragmentarias contenidas en la literatura árabe moderna y contemporánea.

El primer personaje de importancia con el que nos topamos en los anales moros del ocultismo es el famoso Geber, que vivió entre el 720 y el 750, y a quien se le atribuyen más de quinientas obras sobre la piedra filosofal y el elixir de la vida. Como el resto de sus camaradas alquimistas, fracasó estrepitosamente a la hora de descubrir esos preciosos elementos, pero aunque fue incapaz de encontrar la clave de la vida eterna y del poder infinito, descubrió para la humanidad el nitrato de plata y el ácido nítrico. Estaba convencido de que una disolución de oro podía curar todas las enfermedades de las plantas, los animales y los seres humanos. Sus obras, todas ellas en latín, no se consideran auténticas, pero su libro *Summa Perfectionis,* un manual para los estudiantes de alquimia, ha sido traducido frecuentemente.

Todos los alquimistas moros partían de la base de que los metales estaban compuestos, en variadas proporciones, por mercurio y azufre. Elaboraron múltiples drogas mediante la mezcla y la reacción de los pocos metales de los que disponían, pero, aunque creían en la teoría de la transmutación, no lograron llevarla a cabo en la práctica. Al fin y al cabo se trataba de una escuela de científicos artesanos experimentales. Lo más probable es que heredaran sus conocimientos de alquimia de Bizancio, que a su vez los heredó de Egipto, o puede ser que los árabes obtuvieran dichos conocimientos directamente de los hombres del Nilo, donde sin duda nació el gran arte de la alquimia.

Astrología

La astrología era una rama importante de las ciencias ocultas de los moros de España, para cuyo estudio precisaban grandes conocimientos de matemáticas y, sobre todo, de álgebra, nombre de origen árabe (*al* = el, *jabara* = calcular). Es muy probable que los árabes heredasen los conocimientos de la predicción mediante la posición de los planetas de los caldeos, que fueron los primeros estudiosos de la astrología. Como el lector podrá observar, la literatura española está repleta de alusiones a la astrología. Pero, a pesar de la alta estima en que la tenían los sabios moros, siempre estuvo supeditada a la grandeza del misterioso arte de la magia, con la cual se podía obligar a los espíritus del aire a realizar la voluntad del mago. Desgraciadamente, ignoramos por completo los dogmas de la magia mora, debido, probablemente, a la circunstancia de que era contraria al espíritu del islam. Pero sabemos que se basaba en la magia de Alejandría, reconociendo, por tanto, los principios establecidos por el gran Hermes Trismegisto, que no fue otro que el dios egipcio de la escritura, el cálculo y la sabiduría.

A finales del siglo X los eruditos europeos empezaron a encaminarse a España para estudiar las artes ocultas. Uno de los primeros en hacerlo fue Gerbert, después el Papa Silvestre II, que pasó varios años en Córdoba y que introdujo en la cristiandad los números árabes y el arte, no menos útil, de hacer relojes. Resulta extraño que no se combinasen ambos descubrimientos y que hoy en día haya todavía relojes con los números romanos. William de Malmesbury nos asegura que Gerbert descubrió varios tesoros valiéndose de artes mágicas, y nos cuenta que visitó su magnífico palacio subterráneo. La ignorante Europa tomó los diagramas matemáticos de Gerbert por símbolos mágicos, con lo que aumentó su reputación de ocultista y se marchitó su categoría moral. Se decía que el demonio le había prometido que no moriría hasta que celebrara una gran misa en Jerusalén. Un día Gerbert celebró los oficios en la iglesia de la Santa Cruz de Jerusalén, en Roma, y, sintiéndose enfermo, preguntó dónde se encontraba y comprobó que había llegado la hora presagiada por el diablo, expirando poco después. Ésta es la leyenda inventada por la ignorancia de la época, que enturbia la memoria de un erudito único y excepcional, como ocurrió con Michael Scot y Roger Bacon.

El deán de Santiago

En el *Conde Lucanor,* una colección de cuentos del siglo XIV, a la que ya hemos aludido, se relata la historia del deán de Santiago, que se fue a ver a Illán, un mago de Toledo, para ser instruido en la nigromancia. El mago puso un pero, diciendo que al ser el deán una persona influyente, que conseguiría una alta posición, se olvidaría de sus pasadas obligaciones. El deán, sin embargo, protestó, afirmando que alcanzase la eminencia que alcanzase nunca dejaría de ayudar a sus antiguos amigos y, por supuesto, a su tutor en materia sobrenatural. Satisfecho con sus promesas, el nigromante se llevó a su pupilo a una casa muy alejada, pidiendo a la patrona que comprase algunas viandas para la cena, pero que no las cocinase hasta que no recibiese las órdenes precisas.

Cuando el deán y su instructor se pusieron manos a la obra, llegó de pronto un mensajero con un recado para el deán de su tío el arzobispo, que le reclamaba junto a su lecho de muerte. Pero el deán no quería posponer las enseñanzas que iba a recibir y se excusó. Cuatro días más tarde llegó otro mensajero que le informó al deán de la muerte del arzobispo y que había sido nombrado para sustituir a su tío en el cargo. Al oír esto Illán reclamó la plaza de deán para su hijo, pero el deán prefirió nombrar a su hermano, invitando, eso sí, a Illán y a su hijo a acompañarle. Más adelante el deanato quedó de nuevo vacante e Illán volvió a solicitar la vacante para su hijo, pero el arzobispo prefirió favorecer a sus propios tíos. Dos años más tarde el arzobispo fue nombrado cardenal y fue llamado a Roma, dejando a su entera libertad la elección de un sustituto para ocupar su sede. La petición de Illán fue denegada de nuevo. Finalmente el cardenal fue elegido Papa e Illán, que le había acompañado a Roma, le dijo que ya no tenía excusa alguna para incumplir su promesa. El Papa, furioso, le amenazó con encarcelarle y dejarle morir de hambre por hereje y brujo. «Ingrato», exclamó el mago, «si me vais a dejar morir de hambre, caeré esta noche sobre las perdices que he mandado preparar para la cena de hoy.»

Con estas palabras agitó su capa y le dijo a la patrona que preparase las perdices. Instantáneamente el deán se encontró en Toledo de nuevo, siendo otra vez deán de Santiago, ya que los años que había sido arzobispo, cardenal y Papa habían sido una ilusión, y sólo habían existido en la imaginación del deán por sugestión del mago. Éste fue el método utilizado por el sabio para comprobar su carácter. Tan alicaído estaba el clérigo que no replicó nada ante los reproches de Illán, que le echó de allí sin permitirle probar las perdices.

Resulta extraño que los sacerdotes y los médicos sean tan notables héroes de las leyendas mágicas de España, ya que refleja la manera en que una masa de gente poco liberal y analfabeta valoraba a los eruditos. Torquemada nos habla de un joven que él conocía, muchacho de gran inteligencia, que luego fue médico del emperador Carlos V. Cuando era estudiante en Guadalupe, yendo de viaje a Granada, fue invitado por un viajero a vestir las ropas de un sacerdote y a montar en el caballo, detrás del extraño, que le llevaría a su destino. El caballo parecía un débil jumento, incapaz de transportar a dos hombres corpulentos, y el estudiante rehusó la propuesta, pero ante la insistencia del viajero terminó por aceptar. El extraño le dijo que no se durmiera sobre la silla y se pusieron en marcha, sin que pareciese que fueran a gran velocidad. Al amanecer, para sorpresa del estudiante, estaban en Granada, donde desmontó, maravillado de haber recorrido tan gran distancia en una sola noche.

Espectros y apariciones

Como podemos imaginarnos, la gran vena supersticiosa del carácter español, aunque subyugada en gran medida por los dictados del Santo Oficio, triunfó en otras esferas del ocultismo. Observamos, por ejemplo, una creencia muy extendida en la capacidad de los muertos de regresar al lugar que habitaron en su vida anterior. Esta superstición la ilustra perfectamente un pasaje, misterioso y escalofriante, de la obra de Goulart *Trésor des Histoires admirables* [46], en el que nos demuestra su habilidad para combinar las sombras con colores brillantes.

Nos cuenta la historia de Juan Vázquez de Ayala y otros dos jóvenes españoles que, de viaje a la universidad de París, al no encontrar acomodo en una determinada aldea, en la que deseaban pasar la noche, se vieron obligados a protegerse en una casa abandonada, que los habitantes del pueblo creían encantada.

El joven pidió prestados muebles y otros elementos domésticos a los vecinos de la aldea, con el fin de ofrecer una cálida recepción a los visitantes sobrenaturales que pudiesen aparecer. La primera noche, nada más dormirse, les despertó un ruido de cadenas que parecía provenir del primer piso de su vivienda provisional.

El joven Ayala se levantó de la cama sin miedo alguno, poniéndose sus ropas y bajando las escaleras en busca del origen del cla-

---

[46] Tomo I, pág. 543.

mor que les había despertado. En una mano llevaba la espada desenvainada y en la otra una vela. Al llegar a la puerta que daba al patio de la casa percibió un espectro espantoso, parecido a un esqueleto, que le impedía la salida. La horrible aparición estaba cargada de cadenas que producían un sonido sordo y melancólico. Sin embargo, el joven, sin inmutarse ante el espectáculo, levantó la punta de la espada y le preguntó al intruso la razón por la que había perturbado su sueño. El fantasma agitó sus brazos, sacudió su huesuda cabeza y le hizo una indicación de que le siguiera. Ayala expresó su voluntad de seguirle y el fantasma empezó a descender un tramo de escaleras, arrastrando sus piernas como si estuvieran trabadas por grilletes de hierro. Ayala le siguió sin miedo, pero, de pronto, su vela parpadeó y se apagó. «Detente», le gritó al fantasma. «Como ves mi vela se ha apagado. Si esperas a que la encienda, volveré rápido.»

Corriendo hasta una bujía que alumbraba la entrada, volvió a encender la vela y regresó al lugar en que había dejado a la aparición. Llegó hasta el jardín, donde vio una fuente, al lado de la cual entrevió al fantasma, que le indicó que continuase y luego desapareció.

Asombrado, el joven estudiante regresó a su habitación y les pidió a sus camaradas que le acompañasen hasta el jardín, pero por mucho que buscaron no vieron nada. Al día siguiente le contó lo ocurrido al alcalde de la aldea, que excavó el jardín. Como resultado de las excavaciones apareció, justo en el lugar que había ocupado el fantasma junto a la fuente, un esqueleto cargado de cadenas. Cuando el cuerpo fue enterrado debidamente los ruidos cesaron de golpe, pero el supersticioso español regresó a casa sin llegar al punto de destino de su viaje.

Este cuento es un importante ejemplo de la típica historia de fantasmas en su primera fase. No voy a extenderme mucho sobre el tema, ya que un libro sobre romances y leyendas de España no es el lugar adecuado para hacer disquisiciones sobre lo oculto. Pero estamos aprendiendo, de forma lenta y penosa quizá, a contemplar estas cuestiones desde un punto de vista diferente al de nuestros abuelos victorianos, cuyo materialismo les llevó a rechazar desdeñosamente todo lo sobrenatural sin intentar siquiera conocerlo. En cualquier caso yo soy uno de los que creo y quiero creer en ello.

Torquemada nos cuenta la horripilante historia de un tal Antonio Costilla, un caballero español que un buen día se marchó de su casa y emprendió viaje para solucionar un asunto personal. Había cabalgado varias leguas, cuando de pronto se hizo de noche, por lo que decidió regresar a casa. Pero la oscuridad era tan absoluta que, al ver una luz a lo lejos, cabalgó en esa dirección. Al acercarse comprobó que se trataba de una pequeña ermita y, entrando en la capilla, se puso a rezar. Cuando sus ojos se acostumbraron a la oscuridad, observó que no estaba solo, ya que tendidas sobre el suelo había tres personas envueltas en capas negras. Sin dirigirle la palabra le miraban fijamente con unos ojos salvajes y melancólicos. Aterrado, sin saber bien por qué, montó su caballo y se marchó al galope. Al poco tiempo salió la Luna y entonces vio que los tres hombres, que había creído dejar en la ermita, le precedían, montados en corceles negros. Con el fin de evitarlos, se desvió por un sendero, pero comprobó con horror que ellos seguían cabalgando delante de él. Espoleó salvajemente a su caballo, siempre precedido por las tres figuras, hasta que llegó a la puerta de su casa, donde desmontó y dejo el caballo en el patio. Allí se encontró a las tres negras figuras esperándole. Entró corriendo en su casa y se dirigió a la habitación de su esposa, reclamando su ayuda. Todo el servicio corrió inmediatamente en su socorro, pero, aunque él gritaba que había tres apariciones junto a su cama, nadie pudo verlas. Pocos días después el pobre Costilla murió, manteniendo hasta el último momento que junto a su cama se erguían tres figuras que le miraban fijamente, amenazándole con terroríficos gestos.

Es una pena que tengamos un conocimiento tan fragmentario y superficial de lo sobrenatural en España. Pero el pánico de sufrir el destino de las brujas y de ser torturado o quemado vivo fue lo suficientemente fuerte como para que se esfumaran todos los brujos, magos, hadas y fantasmas en todos los pueblos y ciudades de la Península.

Capítulo XIII

LOS ROMANCES HUMORÍSTICOS DE ESPAÑA

Cervantes, el atrevido acero de tu lanza
Destruye la torres del cristal del romance,
Que se desmorona en absoluta ruina
Sobre la aburrida planicie del sentido común.

L. S.

El *Don Quijote* de Cervantes

CERVANTES ha sido uno de los grandes humoristas del mundo, un hombre dotado de un particular sentido del ridículo. Él hubiera sido el primero en reírse de los críticos modernos que ven en él a un gran poeta. De hecho, al final de su vida, cuando escribió el libro *Viaje al Parnaso,* en el que se mofaba del heroísmo, admitió que no poseía ningún don poético. Pero cualquiera que lea su obra *Galatea* se dará cuenta de que tenía una prodigiosa imaginación. *Don Quijote* rebosa también de inventiva e imaginación, aunque ciertos pasajes de esta maravillosa sátira tienen reminiscencias de sus primeras páginas.

Para mí *Don Quijote* ha sido siempre uno de los libros más curiosos y preciados, pero, probablemente, por razones muy diferentes a aquellas que alega la mayoría de la gente, ya que lo valoro por toda la información que contiene sobre la literatura y las costumbres románticas. Me divierte tanto como a cualquiera, pero creo que muchos de sus pasajes son iconoclastas y que sus afirmaciones denostan no sólo los absurdos de la extravagancia caballeresca, sino todo el espíritu y la estructura del romance. Hubiera estado bien que Cervantes se hubiese limitado enteramente a su vena satírica, ya que cuando intenta emplear el auténtico vehículo literario, del que se burla, cae con frecuencia en la misma sensiblería que achaca a los escritores a los que critica.

Sus pastores, pastoras y sus monjas son prolijos y pedantes, y el autor estaba terriblemente influenciado por la aburrida fase arcadiana de la literatura europea, que culminó en la prosa pastoril que tenía sus raíces en falsas convenciones, poniendo en escena una falsa felicidad rural. Cervantes bailó durante mucho tiempo al son de la *Arcadia* de Sannazaro, aun cuando su gran sentido común tuvo que revelarle la fatuidad del modelo que seguía. Luis Gálvez de Montalbo, autor de *El Pastor de Filida,* fue muy amigo suyo, y en dicha obra obtenemos la prueba evidente de que hizo incursiones indiscriminadas en obras de segundo orden, como las de Hebrao y Alonso Pérez. Las obras de aquellos que siguieron la escuela seudoarcadiana no tienen nada del encanto de los delicados lienzos de Watteau o Fragonard. El paisaje de la novela pastoril española parece un escenario de cartón, iluminado por efectos teatrales. Sus campos están poblados de personajes intolerables, que en vez de ocuparse de sus rebaños, que era para lo que les pagaban, se abrumaban unos a otros, y al desdichado viajero que tuviese la mala suerte de toparse con ellos, con sus quejas amorosas y las interminables historias de su infortunio.

No es de extrañar que el originario sentido común de Cervantes retrocediera ante este sinsentido, afeminado e indigno. Pero resulta extraordinario que, aunque le dispensara tan despiadado trato al romance de caballerías, tuviera una cierta debilidad por folletines como Arcadia, del que nunca llegó a liberarse plenamente.

Las circunstancias de la carrera de Cervantes le ayudaron indudablemente a disciplinar sus ideas. Como recaudador de impuestos tuvo por fuerza que entrar en contacto con el lado más miserable de la vida, y gran parte de su tiempo lo tuvo que pasar en las posadas, donde se vio obligado a alojarse mientras trabajaba en el distrito que le había sido destinado. En estos lugares encontró a hombres y mujeres de carne y hueso y tuvo que enfrentarse a la cruda realidad. Esta experiencia debió resultar sin duda muy válida para un hombre de temperamento romántico e imaginativo con dotes de creatividad literaria. Esto templó su capacidad natural y amplió sus miras. Sin duda Cervantes se habituó a agasajar a sus compañeros de las posadas con pomposas historias de pastores y pastoras errantes. Me puedo imaginar el grado de hilaridad con que el rudo arriero, el franco soldado y el curandero recibieron toda esa sarta de tonterías. La crítica de dichas gentes debió ser demoledora. ¿Podemos dudar de que las carcajadas con que sus compañeros recibieron sus primeras rapsodias barrieron las telarañas del cerebro de Cervantes?

Ya hemos señalado que en la época en que vivió Cervantes el romance había caído en desfavor popular. Esto se debió, en parte a que cambió el entorno, y en parte al cambio de gustos literarios, impulsados por el drama, que hizo nacer un ideal literario completamente distinto. Puede ser que Cervantes, al comprobar que su audiencia no apreciaba los cuentos de estilo arcadiano, lo atribuyese a que sólo estaba de moda entre las clases altas, y retornase al romance para comprobar que se homenajeaba igualmente con carcajadas en el comedor de la posada. ¿Fueron las pullas y los ronquidos de su audiencia, la antítesis de los personajes románticos, las que le ayudaron a perfilar la idea de *Don Quijote* en su cerebro? ¿Es posible que gracias a las risas de esos hombres duros, pertenecientes a la clase media baja, se percatara de la popularidad que suscitaba la caricatura caballeresca? Así me lo parece.

Durante muchos años se huyó del romance de caballerías como de la peste. Los escritores serios y responsables tronaron contra él. De hecho había abotargado las mentes de esa parte de la población desacostumbrada a pensar por sí misma e incapaz de formarse una opinión racional respecto a sus fallos. En todos los países y todas las épocas dicha clase, fácilmente impresionable y gobernable, fue presa fácil del hachazo del escritor, proclive al sensacionalismo. El sensacionalismo insano en la literatura constituye un peligro real para el bienestar nacional. Aparta a la gente de sus obligaciones, les incapacita para las cosas serias de la vida, les hace más pretenciosos que independientes y les conduce a creer que ellos reflejan los vicios y virtudes de los absurdos héroes y heroínas de sus cuentos favoritos. El arma con que la parte más inteligente de la población puede combatir ese pernicioso estado de cosas es comparativamente ridícula, ya que por lo general procede de la racionalidad y el equilibrio. Pero el peligro existente radica en que la revulsión de los gustos literarios no sólo puede destruir las extravagancias y los absurdos, que obsesionaron a los zafios e irritaron a los inteligentes, sino que tiene un efecto demoledor e indiscriminado con respecto a las virtudes y a la grandeza de ciertas obras. Éste fue, de hecho, el destino común de los romances, joyas de la imaginación humana, que, a pesar incluso de los esfuerzos que realizó Cervantes por salvarlos, compartieron el naufragio y la ruina de la ficción, hasta que una moda ulterior les sacó de la fosa donde habían sido enterrados.

La figura de Don Quijote

Don Quijote, el protagonista de esta obra satírica, que dio su vida por la caballería, es la figura típica del romance que se leía en la época de Cervantes. Imaginativo hasta la locura, pierde el sentido de la existencia diaria. Vive en un mundo propio, que no tiene nada que ver con el de su tiempo, a cuyo espíritu no puede adaptarse. Los vicios de la imaginación están muy bien descritos en este caballero de la Mancha, pero no se reflejan las ventajas que la imaginación puede ofrecer al pueblo. Don Quijote habita en las alturas de un Parnaso caballeresco, una tierra poblada por sombras y espectros de los personajes que se encontró en los libros que llenan las estanterías de su biblioteca. Su imaginación no sólo es creativa, sino que llega al desvarío, y el caballero es tratado por sus vecinos como un amigable lunático sin importancia. Pero cuando el soñador entra en acción puede resultar terrible, en el caso de que sus visiones le hagan ponerse en funcionamiento e intente llevar a cabo sus pesadillas. Ésta es la situación de Don Quijote: no está lo suficientemente loco como para encerrarlo ni lo suficientemente cuerdo como para no resultar una molestia pública, aunque no una amenaza. Tipifica con precisión el tipo de persona que ha enloquecido a causa de los romances, al igual que un niño puede lanzarse a robar pequeñas cosas tras leer una novela de detectives, o una dama puede creerse la hija perdida de un misterioso noble.

Lo sintomático de dicha locura es que estimula el compañerismo. El caballero tiene que confiar sus ideas y aspiraciones por lo menos a un simpatizante; su vanidad debe tener una audiencia, aunque no sea la apropiada. Y Don Quijote encuentra en Sancho Panza a un extraño confidente. El desdichado campesino no es capaz de entender el punto de vista de su señor, pero le sigue en sus correrías, seducido por las magníficas promesas de prosperidad que el caballero le hace. La perspicaz esposa de Sancho puso violentas objeciones a que su marido participase en las aventuras del visionario Don Quijote, pero cuando se juntan un soñador y un zopenco, el sentido común debe morderse la lengua y contentarse con saber que sus consejos no serán escuchados hasta que no hayan arremetido contra los molinos.

Pero si Sancho era un zopenco al iniciar su viaje, dejó de serlo más adelante. Fue aprendiendo de sus experiencias y en cada página se ve cómo va aumentando su buen juicio. Conforme más loco se vuelve el caballero, más sabio se torna Sancho. Hasta que, al final, es capaz de guiar y dirigir al triste caballero. Podemos sospechar que la figura del escudero-campesino ha sido incluida para ilustrar los excesos de su señor y criticar sus absurdos. Sancho Panza es una figura conmovedora que posee una filosofía propia, rica en sabiduría cotidiana y llena de pragmatismo. En lo que al sentido del humor se refiere se parece a Falstaff, pero mientras que el humor de Falstaff es típicamente inglés, el de Sancho es universal. Es un payaso con pinta de filósofo.

La aventura de la posada

El auténtico carácter de Don Quijote se define en el capítulo que nos cuenta lo que ocurre en la posada, que él toma por un castillo. El lugar parece haber sido una posada española de lo más común. Los parroquianos eran gente sencilla del pueblo, a los que el caballero eleva a la categoría de castellanos, y Don Quijote convierte a la burda sirvienta, inmortalizada con el nombre de Maritornes, en la gran dama del castillo. Tras la fenomenal paliza que le dieron los arrieros, éste se siente feliz de poder descansar en una miserable hospedería del lugar, mientras Sancho les explica a los parroquianos las vicisitudes del caballero errante, que un día le arrastraba a padecer sus mismas duras vicisitudes y al otro le hacía soberano de diversos imperios. Estas explicaciones fueron secundadas por el propio caballero que, yaciendo en cama, entretenía a la posadera y a las sirvientas con un discurso tan grandilocuente que, perdidas en su elocuencia, le admiraron como a un hombre de otro mundo. Pero Don Quijote, ansioso por vengarse de las injurias, le pidió a su escudero que consiguiera que el «gobernador del castillo» les proporcionase un bálsamo mágico, cuya existencia conocía a través de algún libro de caballerías. Una vez que lo obtuvo, el caballero confeccionó una poción encantada que puso al fuego, musitando credos y padrenuestros. Después se bebió el horrible brebaje con lamentables consecuencias y Sancho, siguiendo su ejemplo, padeció una experiencia mucho más violenta, que su señor achacó a que el bálsamo no le sentaba bien porque no había sido nombrado caballero.

Montando su cabalgadura, el caballero decidió reemprender su viaje, agradeciendo antes al «gobernador del castillo» los honores que le habían sido prodigados bajo su techo. Pero el posadero sugirió que ya era hora de pagar la cuenta, a lo que Don Quijote respondió que era imposible, ya que ninguno de los caballeros errantes que él había conocido en los libros habían pagado jamás por su alojamiento. El posadero protestó violentamente, mientras el caballero espoleaba a su caballo «Rocinante» y se alejaba. Entonces el posadero intentó, sin resultado, que Sancho Panza abonase la deuda. De pronto otros viajeros que se hospedaban allí agarraron a Sancho y le tiraron sobre una manta. Al oír sus gritos, Don Quijote dio la vuelta e increpó a los parroquianos, pero éstos continuaron manteando a Sancho, hasta que, al final, se cansaron y le dejaron marchar.

La locura de amor de Don Quijote

En el espacio de que disponemos hubiera sido imposible seguir las aventuras de Don Quijote a través del falso romance paso a paso. Recordemos como Amadís añora a su amada en la isla Firme y sus aventuras al llegar a la Montaña Negra, ya que éste es el ejemplo que Don Quijote decide seguir. Antes de dejar su ciudad natal le mostró su afecto a una campesina, a la que dio el romántico nombre de Dulcinea del Toboso, y una vez en la Montaña Negra decidió dedicarse a meditar sobre las extraordinarias virtudes y la gran belleza de la dama. Tras instruir a Sancho sobre los deberes de un caballero errante con respecto a su dama, se enfureció con su escudero, debido a su incapacidad para comprender la razón de su ardor amoroso.

«Dígame, señor», preguntó Sancho, «¿qué es lo que hemos venido a hacer a este lugar olvidado del mundo?»

«Ya te he dicho», le respondió Don Quijote, «que intento imitar a Amadís en su locura, desesperación y furia. Y al mismo tiempo quiero imitar las extravagancias de Orlando Furioso, cuando enloquece y en su frenética desesperación arranca los árboles de cuajo, revuelve las aguas de las claras fuentes, mata a los pastores, destruye sus rebaños y comete cientos de extravagancias, que merecen ser registradas en el libro eterno de la fama.»

«Señor», exclamó Sancho, «me atrevo a deciros que los caballeros que hicieron esas penitencias tenían razón para estar locos. Pero ¿qué dama os ha ofendido a vos hasta tal punto?»

«Esa es la cuestión», gritó Don Quijote, «ya que en eso reside la singular perfección de mi acto. No tiene nada de extraño y meritorio que un caballero enloquezca con un motivo justo. Lo raro es volverse loco sin causa, sin necesidad alguna, así mi señora se percatará de lo grande de mi amor. No pierdas, por tanto, el tiempo en disuadirme de una imitación tan rara, feliz y singular. Estoy loco y seguiré loco hasta que vuelvas con una respuesta a la carta que le has de llevar a Dulcinea. Si es favorable, mi penitencia cesará, en caso contrario, seguiré rematadamente loco.»

«¡Ay, señor!», dijo Sancho. «¿Por qué os comportáis así? Todos esos cuentos sobre reinos e islas me parecen una fanfarronada, y ahora esto...»

«Te juro», repuso Don Quijote, «que tienes la mollera podrida de un asno. ¿Es que no sabes que todas las hazañas y aventuras de los caballeros errantes parecen siempre quimeras y locuras, y que en la realidad no lo son, sino que sólo son apariencias creadas por encantadores maliciosos y envidiosos?»

Mientras hablaban llegaron a una roca, alrededor de la que crecía una gran profusión de árboles, plantas y flores salvajes. El Caballero de la Triste Figura decidió llevar a cabo en ella su penitencia amorosa. Tirándose al suelo, se sumió en su delirio de aflicción. «No te vayas todavía», le gritó a Sancho, «quiero que seas testigo de lo que hago por amor a mi dama, para que se lo cuentes luego.»

«Dios nos guarde», dijo Sancho, «¿qué más puedo ver que no haya visto ya?»

«No has visto nada todavía», exclamó Don Quijote, «ya que me verás tirar la armadura, desgarrarme las ropas, golpear mi cabeza contra las rocas y otras muchas cosas que te dejarán atónito.»

«Guardaos, señor», repuso Sancho, «si no tenéis más remedio que golpearos la mollera, hacedlo con cuidado, os lo ruego.»

El ejército de ovejas

De todas las aventuras de Don Quijote la que más risa provoca es aquella en la que confunde a un rebaño de ovejas con un ejército. El caballero y su escudero cabalgaban al trote por una amplia llanura, cuando a lo lejos divisaron una nube de polvo.

«Ha llegado el día», gritó el caballero, «el feliz día que la fortuna me ha reservado, en el que el poder de mi brazo quedará plasmado en una proeza tal que lo recordará la posteridad. ¿Ves esa nube de polvo? Tienes que saber que es un prodigioso ejército, compuesto por infinidad de naciones.»

El trastornado cerebro de Don Quijote pensaba que se enfrentaba a una de esas estupendas batallas contra miles de paganos, tal y como había leído frecuentemente en los viejos romances. Cuando Sancho le comentó que parecía que había dos ejércitos enemigos aproximándose por dos flancos diferentes, exclamó entusiasmado: «Ataquemos por el flanco más débil. Sabe Sancho que el ejército al que vamos a combatir está encabezado por el gran Alifanfarón, emperador de la isla de Taprobana. El otro que avanza a nuestras espaldas es su eterno enemigo, Pentapolín, rey de Garamantan.»

«¿Y cuál es el motivo de la pugna de esos dos grandes hombres?», preguntó Sancho.

«Es muy simple», respondió Don Quijote, «el pagano Alifanfarón ha osado pedir la mano de la hija de Pentapolín, que se la ha negado a no ser que abjure de su falsa religión.»

«Si se inicia la batalla», comentó Sancho nervioso, «¿dónde he de colocar mi asno?, ya que me temo que no va a resultar de gran ayuda a la hora del combate.»

«Tienes razón», respondió Don Quijote, «pronto te proporcionaremos un caballo de alguno de los caballeros que empiecen a caer de sus sillas. Pero vamos a revisar qué rango tienen esos caballeros. Ese que lleva armas doradas, y que porta en el escudo un león acostado a los pies de una dama, es el valiente Luarcalco, señor del puente de Plata. Aquél es el formidable Micocolembo, gran duque de Quiracia, que lleva una armadura cuajada de flores de oro. Esa gigantesca figura a la derecha es el impávido Brandabarbarán, soberano de las Tres Arabias, cuya armadura está confeccionada con piel de serpiente y que lleva en el escudo la puerta del templo que derrumbó Sansón al morir. Pero nuestros aliados también avanzan. Allí marcha Timonel de Carcaxona, príncipe de Nueva Vizcaya, que lleva en el escudo un gato en campo de gules, con el lema "Miau". A su lado cabalga Espartafilardo de los Bosques, cuyo escudo, color azul, está cubierto de plantas de espárrago. Pero los paganos avanzan. A la derecha están los que beben las plácidas aguas del Xanthus, los rudos montañeros de Massilia, detrás de ellos los traicioneros númidas, los que recogen oro de las arenas del desierto, los arqueros de Persia, los medos y los partos, que luchan volando, y nómadas árabes, y los negros etíopes.»

«Por mi alma», gritó Sancho, «seguro que los magos han vuelto a hacer algún encantamiento, porque no puedo ver ni uno solo de los caballeros y gigantes que decís.»

«Zopenco», exclamó Don Quijote, «escucha el relincho de los caballos, el sonido de las fanfarrias y el tronar de los tambores.»

«Seguro que es brujería», repitió Sancho, «porque no oigo más que el balar de las ovejas.»

«Retírate si temes el combate», replicó Don Quijote con arrogancia, «yo sólo me basto para ofrecer la victoria al bando al que apoyo.» Y con un potente grito de guerra cogió su lanza, espoleó a «Rocinante» y cabalgó, como un tornado, hacia la llanura, gritando: «¡Coraje, bravos caballeros! Acabemos con el infiel Alifanfarón de Taprobana.»

Al poco tiempo estaba rodeado de un rebaño de ovejas, cargando contra ellas a diestro y siniestro, atravesándolas una a una con cada uno de los golpes de su lanza. Los pastores, consternados, tomaron sus hondas y empezaron a arrojarle piedras, grandes como puños. Pero el caballero, desdeñando las andanadas de semejante artillería, siguió lanzando gritos contra Alifanfarón, cuando, de pronto, una piedra de buen tamaño le golpeó con fuerza las costillas. Creyéndose gravemente herido, extrajo la botella que contenía el bálsamo mágico, pero cuando estaba a punto de llevárselo a los labios, una de las piedras de los pastores le golpeó con enorme fuerza y le derribó de la silla. Los pastores, temiendo haberle matado, recogieron sus ovejas muertas y se marcharon, dejándole más muerto que vivo.

El yelmo de Mambrino

No menos notable es la aventura de Cervantes en la que Don Quijote logra obtener el yelmo de Mambrino. El caballero divisó en la distancia a un hombre que llevaba un casco brillante como el oro. Dirigiéndose a Sancho, le dijo:«Mira, allí viene el que lleva el yelmo de Mambrino, que he jurado hacer mío.»

«La verdadera historia», afirma Cervantes, «fue la siguiente: en esa zona del país había dos pueblos, uno de ellos era tan pequeño que sólo tenía una tienda, ni siquiera había un barbero, de modo que el barbero del pueblo más grande atendía las necesidades de los habitantes del pueblo pequeño. Cuando alguien necesitaba una sangría o que le afeitaran, el barbero se dirigía allí con una palangana de latón, que se ataba a la cabeza para evitar que la lluvia estropeara su sombrero; como acababa de limpiar la palangana, relucía a gran distancia. El barbero cabalgaba sobre un asno, que Don Quijote tomó por un corcel gris, confundiendo al barbero con un caballero, y su palangana de latón con un yelmo de oro. Su perturbada mente identificaba cualquier objeto con sus ideales románticos. Por eso, cuando vio que el pretendido caballero se acercaba, empuñó su lanza, y sin que mediase conversación con el descuidado adversario, galopó hacia él con todas las fuerzas con las que era capaz "Rocinante", gritando a mitad de su carrera: "Defiéndete, malvado, o ríndete de inmediato."

El barbero al ver cómo esa horrible aparición se abalanzaba sobre él, y temiendo que Don Quijote le atravesase con su lanza, se tiró al suelo, levantándose luego a toda prisa, y corrió con todas sus fuerzas, dejando el asno y la palangana tras de sí.

"El bellaco que ha abandonado su yelmo", dijo Don Quijote, "demuestra tener la prudencia del castor, que al sentirse acorralado por los cazadores corta, para salvar la vida, con sus propios dientes aquello que su instinto le dice qué es lo que buscan sus perseguidores."

"Es una buena palangana", exclamó Sancho, "debe valer por lo menos una pieza de ocho."

Don Quijote se la colocó en la cabeza pero, al no encontrar la visera, dijo: "Seguro que el pagano que mandó construir este famoso yelmo tenía una cabeza de prodigiosas proporciones, pero por desgracia falta una parte del yelmo."

Sancho se rió.

"Pienso", dijo Don Quijote, "que este yelmo encantado cayó por accidente en manos de alguno que quiso lucrarse y, al ver que era de oro puro, derritió la mitad y se construyó con la otra mitad este casco que se asemeja a una palangana."»

La aventura de los molinos de viento

La más famosa, aunque no la más divertida de las aventuras de Don Quijote, es la de los molinos de viento. De hecho «luchar contra molinos de viento» se ha convertido en un proverbio. Don Quijote y su escudero llegaron a una llanura en la que había treinta o cuarenta molinos de viento. Cuando el caballero los vio, gritó: «La fortuna nos favorece más de lo que hubiera cabido esperar. Mira, Sancho, allí hay por lo menos treinta enormes gigantes, con cuyo botín nos enriqueceremos.»

«¿Qué gigantes?», preguntó Sancho.

«Esos que ves allí», contestó Don Quijote, «con sus largos brazos extendidos.»

«Pero, señor», repuso Sancho Panza, «esos no son gigantes, sino molinos de viento.»

«Desgraciadamente Sancho», le dijo Don Quijote, «no estás muy familiarizado con aventuras. Te digo que son gigantes, y si tienes miedo, aléjate y reza, ya que voy a enfrentarme yo solo contra todos ellos.» En ese momento se levantó una ráfaga de viento y los molinos comenzaron a mover sus aspas, ante lo que Don Quijote exclamó: «Quedaos en tierra, innobles criaturas, y no huyáis volando ante un solo hombre que osa combatir con todos vosotros.» Después, recomendándose devotamente a su dama, clavó su lanza con furia contra las aspas, traspasando una de ellas. Sin embargo, el aspa continuó girando, levantando a caballo y caballero, hasta que, finalmente, la lanza se partió y Don Quijote y «Rocinante» cayeron a tierra desde una gran altura.

Sancho corrió a ayudarle y le dijo: «¿No os he dicho que eran molinos y que nadie que no tenga molinos en la cabeza puede pensar la contrario?»

«Estoy seguro de que el malvado nigromante Freston», dijo Don Quijote, «sigue persiguiéndome y ha transformado los gigantes en molinos de viento. Pero recuerda que todas sus perversas estratagemas acabaran por no tener efecto contra mi espada.»

La historia del cautivo

Uno de los cuentos más interesantes de la historia de Don Quijote es el del cautivo que el héroe se encuentra en una posada, que, si no está basado en la experiencia personal de Cervantes como cautivo de los piratas moros, al menos extrae de sus experiencias el colorido. El 26 de septiembre de 1575 la galera española «Sol», en la que Cervantes servía como soldado, fue separada del resto de la flota española en las cercanías de Marsella, cayendo en manos de los moros, tras una resistencia desesperada. Cervantes fue vendido como esclavo a un tal Dali Mami, un griego renegado, que encontró unas cartas de don Juan de Austria y el duque de Sessa que ensalzaban al prisionero. Esas credenciales le hicieron suponer que Cervantes era un hombre de alto rango y que podría conseguir un buen rescate por él. Pero mientras que los grandes están con frecuencia dispuestos a grandilocuentes testimonios, que no les cuestan más que papel y lápiz, no están en absoluto dispuestos a respaldar sus afirmaciones con grandes sumas de dinero, por lo que Cervantes languideció en cautiverio. En 1576 logró escapar con otros prisioneros, pero el guía moro les engañó, y, amenazados por el hambre, decidieron regresar a Argel. Al año siguiente el hermano de Cervantes fue rescatado y logró fletar una nave para salvar a Miguel y a sus amigos. Mientras tanto, el autor de *El Quijote* se ganó las simpatías de un renegado español, un jardinero navarro llamado Juan. Éste cavó una gruta secreta en un jardín junto al mar, donde fue introduciendo, uno a uno, a catorce esclavos cristianos, durante meses, ayudado de otro renegado, llamado El Dorador. El velero, enviado por Rodrigo de Cervantes, estaba en la costa y estaba a punto de embarcar a los hombres ocultos en la cueva, cuando pasó un bote pesquero moro y los rescatadores, asustados, se adentraron de nuevo en el mar. Entre tanto, El Dorador reveló los planes a Hassán Pasha, gobernador de Argel, y la segunda vez que la tripulación del barco se acercó a la costa para rescatar a los prisioneros las tropas del gobernador rodearon el jardín e hicieron prisioneros a todos los cristianos. Cervantes, con la nobleza que le caracterizó toda su vida, asumió enteramente la culpa de la conspiración. Le llevaron ante Hassán, donde se reafirmó en su culpabilidad, y, aunque el desdichado jardinero fue colgado, el gobernador decidió mantener a Cervantes con vida y se lo compró a Dali Mami por quinientas coronas. Quizá el tirano esperase un buen rescate por un hombre cuya nobleza tanto le había impresionado. Fuese como fuese, Cervantes empezó a desarrollar un tercer plan para escapar. Le escribió una carta al gobernador español de Orán, pidiéndole ayuda, pero ésta fue interceptada y el poeta fue castigado a recibir dos mil azotes, que sin embargo nunca llegaron a infligirle. Cervantes empezó a concebir la idea de inducir a la población cristiana de Argel a levantarse y tomar la ciudad. Algunos comerciantes valencianos le ayudaron en este proyecto, pero un monje dominico le informó a Hassán del plan, y los valencianos, enterados de la traición, le rogaron a Cervantes que se escapara en una nave que estaba a punto de zarpar para España. Pero Cervantes se negó a abandonar a sus compañeros, y cuando fue llevado con una cuerda alrededor del cuello una vez más ante Hassán, éste le amenazó con matarlo si no revelaba el nombre de sus cómplices, pero Cervantes se negó obstinadamente.

Mientras tanto su familia estaba haciendo todo lo posible para procurarle la libertad y su madre, que intentaba recopilar la suma del rescate, se hizo pasar por viuda para provocar más compasión, aunque su anciano marido estaba aún vivo. Después de muchos esfuerzos logró recopilar doscientos cincuenta ducados, que entregó a un monje que iba a Argel con frecuencia, pero Hassán se negó a aceptarlo, pidiendo por un distinguido prisionero, llamado Palafox, la suma de mil ducados. Parece ser que el monje actuaba como intermediario oficial en el rescate de españoles y, cuando le dijo a Hassán que no pagaría más de quinientos ducados por Palafox, el gobernador le ofreció entregarle a Cervantes por dicha cantidad. De este modo, después de cinco años de esclavitud, el autor de *El Quijote* fue puesto en libertad y regresó a su país natal. Pero el monje dominico que le había contado a Hassán el intento de fuga, temiendo posiblemente que Cervantes le acusase de traición, en cuanto se enteró de que éste había llegado a suelo español, divulgó falsos informes referentes a su conducta. Sin embargo, Cervantes pudo refutar dichos informes fácilmente y el resto de los cautivos apoyó al héroe. La historia del cautivo, en la que Cervantes ha tenido el privilegio de plasmar tanto colorido local, se la cuenta a Don Quijote un esclavo escapado, acompañado por su amante mora, en la posada en la que el caballero está pasando la noche. Yo debería ceñirme al modo en que la cuenta Cervantes, en primera persona, pero esto ocuparía demasiado espacio, y por ello tengo que condensarla.

«Mi familia es originaria de las montañas de León, y, aunque mi padre poseía una considerable fortuna, no tuvo prudencia a la hora de administrarla, por lo que a una temprana edad mis hermanos y yo nos vimos obligados a labrarnos nuestra propia vida. Uno de mis hermanos marchó a las Indias, el otro ingresó en una orden y yo, por mi parte, decidí ser soldado. Viajé a Alicante con mil ducados en el bolsillo y allí tomé un buque para Génova. Desde allí me dirigí a Milán, donde me uní a las fuerzas del gran duque de Alba y serví más tarde en Flandes. Poco después de llegar a dicho país, nos llegaron noticias de que el Papa Pío V había formado una alianza con los españoles para combatir a los moros, que le habían robado la isla de Chipre a los venecianos. Al enterarme de que don Juan de Austria estaría al mando de la flota, regresé a Italia y me enrolé en la marina, presenciando la gran batalla de Lepanto, en la que desbaratamos la fábula, largamente mantenida en la cristiandad, de que el turco era invencible. Pero en vez de participar de la victoria tuve la desgracia de ser hecho prisionero. Vehali, el pirata rey de Argelia, abordó la nave *Capitana* de Malta, la embarcación de Andrea Doria, en la que yo me encontraba. Salté a bordo de la nave enemiga y pronto me vi rodeado de piratas que me capturaron y me llevaron a Constantinopla, y trabajé como esclavo en la *Capitana* en Navarino.

Como no quería preocupar a mi padre con el tema del rescate, no permití que se enterase de mi situación. Vehali, mi dueño, murió y caí en manos de un veneciano renegado, llamado Azanaga, que me llevó a Argelia y me encarceló. Como se pensaban que iba a ser rescatado, los moros me destinaron a unos baños, por lo que no tuve que realizar las arduas tareas de aquellos cautivos que no tienen esperanzas de ser redimidos. Las ventanas de la casa de un poderoso moro daban al patio de mi lugar de cautiverio, y una vez que yo estaba debajo de una de esas ventanas apareció colgando una larga caña atada a un trozo de tela. Se movía de arriba abajo, en espera de que uno de nosotros lo agarráramos. Uno de nosotros se colocó rápidamente debajo intentando cogerla. Pero en el momento en que lo iba a conseguir la caña empezó a moverse de un lado a otro, como en señal de negación. Otro de mis camaradas avanzó, con el mismo resultado que su compañero. Al verlo, intenté probar suerte yo también, y cuando me puse debajo de la caña ésta cayó a mis pies. Desaté el pedazo de tela y me encontré con diez monedas de oro, llamadas *zianins*. Cogí el dinero, rompí la caña y miré hacia arriba, pudiendo ver una blanca mano cerca de la ventana. Poco después apareció por la misma ventana una pequeña cruz hecha de caña, por lo que deduje que alguna cristiana era esclava de esa casa. Pero la muñeca, cargada de ricos brazaletes, nos hizo suponer que quizá se tratara de una dama cristiana que se había convertido a la religión musulmana.

Durante quince días no recibimos ninguna otra señal de la presencia de la dama, aunque mirábamos atentamente, pero nos enteramos de que la casa pertenecía a un moro de alta cuna, llamado Agimorato. Pasados los quince días la caña volvió a aparecer y, en esta ocasión, la tela contenía cuarenta coronas españolas de oro con un papel escrito en árabe, que llevaba dibujada una gran cruz en su cabecera. Ninguno de nosotros entendía árabe y era bastante difícil encontrar un intérprete. Finalmente decidí confiar en un renegado de Murcia que me había dado varias muestras de aprecio. Accedió a traducírmelo. Su contenido era el siguiente:

"De niña tuve un aya cristiana que me enseñó muchas cosas de vuestra religión, sobre todo de Lela Marien, a quien vosotros llamáis la Virgen. Cuando mi buena esclava murió, se me apareció en un sueño, pidiéndome que visitara tierras cristianas para ver a la Virgen, que me tiene en gran aprecio. He visto muchos cristianos, pero ninguno me ha parecido tan caballero como vos. Soy joven y bella y tengo mucho dinero. Piense en un modo de que escapemos juntos, y, si lo deseáis, seré vuestra esposa en vuestro país. Si no, no importa, ya que la Virgen me proporcionará un marido. No confiéis esta carta a ningún moro, porque son todos muy traicioneros."

El renegado al que había entregado la carta para que me la tradujera, prometió ayudarnos en nuestro plan de huida, y los corazones de todos mis camaradas saltaron de alegría, ya que les dije que las influencias y la riqueza de la dama nos ayudaría a todos a escapar. Le dicté una respuesta al renegado, que la tradujo a la lengua árabe, ofreciéndole a la dama mis servicios y también los de mis compañeros y dándole mi palabra de cristiano de hacerla mi esposa. La caña volvió a descender de la ventana al poco tiempo. Até la nota y la caña subió. Aquella noche todos los prisioneros discutimos la mejor manera de escapar, pero finalmente decidimos esperar la respuesta de Zoraida, seguros de que ella podría aconsejarnos mejor.

Durante algunos días los baños estuvieron llenos de gente, por lo que la caña no apareció, pero en cuanto desaparecieron los extraños, volvió a bajar, esta vez cargada con un bulto que contenía una carta y cien coronas de oro. El renegado nos tradujo inmediatamente la misiva, según la cual, aunque no sabía cuál sería el mejor plan para huir, podía proporcionarnos dinero suficiente para pagar nuestros rescates. Sugirió que el que pagara el rescate debería ir a

España y comprar allí un barco, volviendo luego a recoger a los demás. Concluía diciendo que estaba a punto de marcharse al campo con su padre, ya que pasaría el verano junto al mar, en un lugar que describió con todo detalle.

Cada uno de nosotros se ofreció a ir a España a comprar el barco, pero el renegado, con gran experiencia en esta materia, se opuso firmemente, alegando que había visto naufragar muchas empresas parecidas por confiar en una sola persona. Se ofreció a comprar un barco en Argelia y, disfrazado de mercader, nos sacaría de los baños y del país. Mientras tanto, yo le envié una respuesta a Zoraida, asegurándole que se haría todo según su consejo, y ella, en respuesta, nos hizo llegar dos mil coronas de oro más. Le dimos al renegado quinientas para comprar el barco y, gracias a los buenos oficios de un mercader valenciano de paso por Argel, pagué mi rescate con ochocientas coronas. Pero, aconsejado por el comerciante, no pagué todo el dinero al gobernador de una vez, para no levantar sospechas, informándole de que el resto llegaría pronto de España y permaneciendo mientras tanto en casa del valenciano bajo palabra. Zoraida nos entregó otras mil coronas antes de partir con su padre, explicándonos que tenía las llaves del tesoro de su padre. Así logré rescatar a otros tres compañeros.»

La huida de Argel

«Poco después el renegado compró una embarcación capaz de transportar a treinta personas, con la que simuló realizar diversos viajes en compañía de un moro, para no levantar sospechas. Cada vez que pasaba por la costa anclaba en una bahía cercana a la casa de verano de Zoraida para que las gentes del lugar se acostumbrasen a su presencia. De hecho desembarcó en repetidas ocasiones para pedirle fruta al padre de Zoraida, que siempre le recibió muy bien, ya que era un hombre de espíritu generoso. Pero nunca logró hablar con la dama. Nuestro plan había llegado ya a un punto en que había que fijar el día del esfuerzo final, del que todo dependía. Contraté a doce españoles con fama de buenos marineros. Quedamos en que saldríamos de la ciudad el viernes siguiente por la tarde y nos encontraríamos en un punto cerca de la morada de Agimorato. Pero era necesario prevenir a Zoraida, por lo que entré un día en su jardín con el pretexto de coger unas hierbas. De pronto me encontré a su padre que me preguntó qué estaba haciendo allí. Le dije que era esclavo de Arnaut Mami, un amigo suyo, y que había ido a coger unas hierbas para la ensalada. Mientras hablábamos Zoraida salió al jardín, y como según sus costumbres las mujeres moras podían ser vistas por esclavos cristianos, su padre le dijo que se acercara. Iba ricamente ataviada y llevaba muchas joyas y, tras verla por primera vez, quedé impresionado por su belleza. Su padre le explicó el propósito de mi visita, y ella me preguntó si yo estaba a punto de ser rescatado. Hablando en *lingua franca* le dije que ya había sido rescatado y que iba a embarcar al día siguiente en un barco francés.

El moro tuvo que ira a atender sus asuntos y yo aproveché la ocasión para decirle a Zoraida que iría a recogerla a la mañana siguiente. Ella me echó los brazos al cuello, pero su padre, que volvía en ese momento, nos vio y vino corriendo hacia nosotros alarmado. Zoraida simuló haberse desmayado y le explicó a Agimorato que se sentía indispuesta. Se la entregué a su padre que se la llevó a casa.

Al día siguiente embarcamos por la tarde y anclamos frente a la casa de Zoraida. Al caer la noche entramos sigilosamente en el jardín y, tras encontrar la puerta de la casa, entramos en el patio. Zoraida apareció de inmediato con un baúl lleno de tesoros y nos dijo que su padre estaba durmiendo, pero para nuestro infortunio le despertó algún ligero ruido que hicimos y salió a la ventana gritando: "¡Ladrones, ladrones, cristianos, cristianos!" El renegado corrió escaleras arriba y le cogió, llevándonos al padre y a la hija a bordo. También hicimos prisioneros a algunos moros que utilizamos de remeros y nos lanzamos a la mar.

Nuestra primera intención era llegar a Mallorca, pero un fuerte viento nos lo impidió. Temíamos encontrarnos alguna de las embarcaciones moras que sabíamos navegaban por los alrededores. Hice todo lo posible para convencer a Agimorato que le liberaríamos en cuanto tuviésemos ocasión, diciéndole que su hija se había hecho cristiana y quería permanecer en tierras cristianas. Al oírlo, el moro entró en un estado tal de frenesí que se tiró al mar y nos costó mucho rescatarle. Poco después llegamos a una pequeña bahía donde le dejamos. Nunca olvidaré sus insultos e imprecaciones contra su hija, pero cuando nos íbamos le rogó que volviera. Ella, sin embargo, ocultó la cara entre sus manos y se encomendó a la Virgen.

Nos habíamos alejado ya bastante de la costa, cuando la luz de la Luna se oscureció al instante. De pronto colisionamos con una gran embarcación, cuya tripulación nos saludó en francés. Al darnos cuenta de que eran piratas franceses no respondimos, pero ellos lanzaron un bote al agua, nos abordaron y le quitaron a Zoraida todas sus joyas, encerrándonos en la bodega. Al día siguiente, cerca ya de las costas españolas, nos echaron en un bote con dos barriles de agua y unas galletas. El capitán, conmovido, le entregó a Zoraida cuarenta coronas de oro. Empezamos a remar al amanecer y, pasadas unas horas, desembarcamos. Nos adentramos unas millas hacia el interior y nos encontramos a un pastor, que al ver nuestras ropas moras corrió a dar la alarma. Pronto nos encontramos a un grupo de caballeros, uno de los cuales, por fortuna, era pariente de uno de los nuestros. Nos subieron a sus caballos y nos llevaron hasta la ciudad de Vélez-Málaga. Lo primero que hicimos fue ir a la iglesia a dar gracias a Dios por su ayuda y allí fue donde, por primera vez, Zoraida vio un cuadro de la Virgen. Con algo del dinero que el pirata le había dado a Zoraida compré un asno y decidí descubrir si mi padre y mis hermanos seguían vivos. Éste, caballeros, es en resumen nuestra aventura.»

Acababa de finalizar su historia el cristiano, cuando un lujoso carruaje se detuvo a la entrada de la posada, del que descendieron un caballero y una dama, ricamente ataviados, que entraron en la posada y fueron cortésmente saludados por Don Quijote. El cristiano reconoció en el caballero a su hermano, ahora juez de la corte de Méjico, que le saludó cariñosamente y le presentó a su hija.

El cristiano y su novia mora decidieron acompañarles a Sevilla, donde informarían a su padre de los extraños sucesos y para que asistiese al bautismo y a la boda de Zoraida. El prócer les dio a ambos una fuerte suma de dinero.

La plenitud de Cervantes

En un cuento como el que acabamos de relatar es donde nos percatamos de que el estilo de Cervantes alcanza su plenitud, siendo más adaptable y flexible que el de sus obras anteriores. Es evidente que hace esfuerzos para desembarazarse de las trabas literarias de su época con éxito. Ya no necesita imitar a autores como Antonio de Guevara. Abandona el eufemismo de sus primeras obras y se hace más humano y familiar. Su diálogos, llenos de vida, se ajustan a su carácter. Pero aunque en dichas páginas vemos que evoluciona hacia el realismo, Cervantes no termina de librarse de una capa de elocuencia académica, aunque sea una elocuencia cuidadosamente reprimida que se aleja mucho de la afectación.

El gran éxito de *Don Quijote* radicó, principalmente, en su gran sentido del humor y en el fino retrato de los distintos tipos de español de la época. En yuxtaposición con figuras que a todos resultan familiares, incluye el extraordinario personaje del Rey del Semblante Arrepentido, perteneciente a otra época, y que, a pesar de su tinte burlesco, no carece de la dignidad y de las grandes cualidades de los tiempos que el autor pretende imitar. En pleno siglo XVII España sigue los pasos del anticuado Don Quijote, que descabala su rutina diaria y arremete contra sus convencionalismos, mediante la proyección de los fantasmas de una vida caballeresca. Pero si las incongruencias de Don Quijote hicieron estallar al sobrio y grave español en carcajadas, su carácter y el de Sancho Panza son todavía reconocidos como un triunfo de la ficción creativa: los representantes de la imaginación, que desemboca en la locura, y del burdo sentido común. La obra rebosa de conocimientos de un hombre de mundo; exhala diversión y cortesía, y tiene el sello de los grandes maestros. No hay cabos sin atar, ni fallos de dicción, ni una construcción desmañada. No me parece que Cervantes tuviese una gran facilidad para escribir y, probablemente, en ello reside su gran valor literario. Pero tampoco parece que le resultase una labor muy penosa. Consigue ese feliz término medio entre la brillante facilidad para escribir y la meticulosidad, que tan frecuentemente empobrece el estilo de los autores modernos. Es firme y preciso. Sea cual sea el secreto de su estilo, consiguió alcanzar una narrativa a la vez uniforme y variada. Su lienzo ha sido pintado hasta el mínimo detalle por un ojo magistral.

La segunda parte de *Don Quijote*

Dado el lapso de tiempo que Cervantes dejó pasar entre las dos partes de su romance, comprobamos que el autor tuvo buen cuidado de no arriesgar su gran reputación mediante una segunda parte desafortunada. El escritor de nuestros días, apresurado por un público ansioso de sensaciones y animado por el éxito inmediato, debería aprender de él. Aunque es cierto, tal y como se alega actualmente, que las circunstancias de la literatura moderna no le conceden al escritor el tiempo necesario para sumirse en el placer de escribir, imprescindible para alcanzar una técnica depurada y un buen estilo. El autor de éxito de nuestros días apenas puede dejar que pasen diez meses entre una obra y otra. A este enfebrecido estado de cosas le debemos, sin duda, las defraudantes secuelas de grandes novelas. Nuestro tiempo no es, desde luego, un tiempo de grandes conocedores. Leemos todo lo que cae en nuestras manos, y aunque nos quejemos un poco de la calidad, sentimos que nuestras quejas no van a modificar el orden de cosas que ha favorecido aquello que condenamos. La España de Cervantes era mucho más crítica. No se toleraba una obra mala o apresurada. Pero incluso en aquella época había elementos que apresuraban la publicación de una segunda parte, y el elemento principal era la piratería literaria. Parece ser que Cervantes tuvo que publicar la segunda parte de *Don Quijote*, cuando Alonso Fernández de Avellaneda escribió una segunda parte de su obra en 1614, cuyo prefacio rebosa de referencias personales de lo más insultante. Este acto de piratería le llevó a dejar a un lado todas sus otras obras, para centrarse en la finalización de *Don Quijote.*

Se vio obligado a escribir con premura los últimos capítulos de *Don Quijote,* dado que su rival le había robado el proyecto. A pesar de todo, la segunda parte de su obra tiene una relevante grandeza épica. Aunque Don Quijote sea menos divertido, provoca la reflexión y Sancho Panza ve aumentar su sentido común y su clarividencia. También los personajes restantes están definidos con más agudeza. La segunda parte es un espejo en el que se refleja la España de los días de Cervantes con genio de taumaturgo. El gran éxito de su obra tuvo que ser la mejor compensación para el novelista moribundo y tuvo que consolarle en gran medida de su exilio y su pobreza.

El Lazarillo de Tormes

El mejor romance humorístico que se escribió en España antes de *Don Quijote* fue el *Lazarillo de Tormes,* de Diego Hurtado de Mendoza, hombre polifacético que llegó a ser embajador de España en Inglaterra. Era de noble cuna por parte de padre y de madre y nació en Granada en 1503. Como era el hijo menor, se le destinó al sacerdocio. Estudió en la Universidad de Salamanca, donde escribió su primera novela, que le hizo famoso. Sus descripciones gráficas, la penetrante descripción de los personajes, su viveza y su humor le otorgaron un alto puesto en la literatura española. Mendoza cambió pronto la esfera clerical por la política y Carlos V le nombró capitán general de Siena, una pequeña república italiana bajo dominio español. Arrogante e insensible, Mendoza ejerció un poder tiránico sobre su pueblo, que se quejó amargamente de su conducta ante el emperador, sin resultados. Más tarde intentaron asesinarlo. En una ocasión, incluso, su caballo murió a causa de un disparo de mosquete que iba dirigido contra él. Durante su ausencia Siena fue capturada por el ejército francés. Dado que se atribuyó la débil situación de la ciudad al hecho de que Mendoza se hubiera ausentado con cierto número de tropas, fue reclamado en España en 1554.

Pero mientras estaba en Italia ejerciendo sus actividades políticas y militares, Mendoza no abandonó sus quehaceres literarios. Escribió comentarios políticos, una paráfrasis de Aristóteles, un tratado de mecánica y otras obras notables, aunque ninguna de ellas alcanzara la popularidad de su primer libro.

Lázaro, cuyo diminutivo era Lazarillo, era hijo de un molinero que ejercía su profesión a orillas del río Tormes, de donde proviene su nombre. A la edad de diez años murió su padre en una campaña contra los moros, y su madre, incapaz de sustentarlo, le entregó a un ciego que viajaba por todo el país mendigando. Mientras cruzaban el puente de Salamanca el chico vio la figura de un toro grabada en la piedra. Su maestro le dijo que posara su oído sobre la efigie y la oiría bramar. Así lo hizo, cuando de pronto el maestro le asestó tal golpe que casi le deja sin sentido y, riéndose brutalmente, le comentó que el chico que estuviese con él tendría que mantener la inteligencia despierta. «No tengo plata, ni oro que ofrecerte», le dijo, «pero te daré algo mejor, los resultados de mi experiencia, que te ayudarán a sobrevivir.»

El pequeño Lazarillo tuvo muchas dificultades para conseguir la comida suficiente para mantenerse vivo. El mendigo guardaba el pan y la carne en un saco firmemente cerrado. Pero el muchacho abrió una de las costuras del saco y logró quitarle algunos trozos de carne, tocino y salchicha. Su tarea consistía en recibir las limosnas que la gente caritativa le daba al mendigo ciego, guardándose algunas monedas en la boca, hasta que, con la práctica, llegó a esconder en ella un tesoro de monedas de cobre. Un día de calor le fastidió ver cómo el ciego bebía vino mientras él estaba sediento. El vino estaba en un gran jarro y, de cuando en cuando, logró dar algún sorbo, pero el ciego se dio cuenta y se colocó el jarro entre las rodillas. Entonces el Lazarillo hizo un agujero en la parte inferior del jarro y lo tapó con cera. A la hora de la comida, cuando el ciego se sentaba junto al fuego, la cera se derretía y el muchacho apuraba el vino colocando la boca en el agujero. Al mendigo le sorprendió que el vino hubiese desaparecido y lo atribuyó a artes mágicas. Pero en la siguiente ocasión en que el chico intentó la hazaña, el ciego agarró el jarro con ambas manos y le dio tal golpe al muchacho en la cara que le hizo una herida. Desde ese día el Lazarillo decidió vengarse del tirano, llevándole por los caminos peores que pudo encontrar.

Decidido a abandonar a un patrón de quien sólo recibía golpes y ningún penique, el Lazarillo llevó al ciego a Escalona, situada junto a un rápido y caudaloso arroyo. La única manera de cruzarlo era saltar o meterse en el agua hasta el cuello. Cuando se lo explicó al mendigo, éste optó por la primera alternativa. El Lazarillo le comentó que la parte más estrecha estaba frente a un gran pilar de piedra, entonces el mendigo, tomando impulso, saltó con tanta fuerza que se estrelló contra el pilar y cayó inconsciente. El Lazarillo escapó con un grito de triunfo y no volvió a ver al ciego nunca más.

Su siguiente patrón fue un sacerdote, y si su experiencia con el ciego fue mala, no fue nada en comparación con lo que tuvo que soportar con el miserable clérigo, que casi le deja morir de hambre. Tenía el pan encerrado en una caja de madera, pero el Lazarillo consiguió que le hicieran una copia de la llave durante la ausencia del clérigo. De este modo pudo comer algo todos los días hasta que su señor descubrió que faltaba pan. Atribuyéndolo a las ratas remendó los agujeros de la caja con trozos de madera, pero el pan continuó desapareciendo y, como un vecino había asegurado haber visto una serpiente en el domicilio del padre, éste dedujo que el reptil era el causante. El Lazarillo dormía con la llave guardada en la boca para no ser descubierto. Pero una noche, mientras dormía, su respiración hizo tintinear la llave y el cura, pensando que era el silbido de la serpiente, dio un golpe tan fuerte en dirección al ruido que el pobre Lazarillo estuvo inválido una temporada. Cuando se recuperó, el sacerdote le cogió de la mano, le llevó a la calle y le dijo: «Lazarillo, hijo mío, tienes grandes aptitudes naturales y eres demasiado listo para un viejo como yo, no quiero verte nunca más. Adiós.»

Pero el Lazarillo no tardó demasiado en encontrar otro señor, que parecía un caballero por su cuna y su educación. Pero se dio cuenta de que estaba en una situación peor que la de sus anteriores patronos, ya que el caballero no tenía ni un penique y su sustento dependía de lo que el muchacho obtuviese mendigando. Un buen día el posadero le pidió lo que le debía y el caballero, pretextando ir al banco, marchó a toda prisa y nunca más regresó, dejando de nuevo solo al pobre chico.

Después entró al servicio de un hombre que iba de plaza en plaza vendiendo indulgencias y reliquias. Un día llegaron a una posada en la que su patrón trabó amistad con un alguacil. Una noche los dos amigos tuvieron una disputa y a la mañana siguiente, cuando estaba preparándose a la entrada de la iglesia para vender su mercancía, llegó el alguacil y le denunció como impostor. El vendedor de reliquias, haciendo gala de su piedad, gritó que los poderes celestiales darían fe de su inocencia y castigarían al alguacil, que cayó de pronto al suelo, presa de grandes convulsiones. La gente allí congregada le rogó que mitigase el castigo divino y, entonces, el otro colocó la figura de un toro, que dijo haber recibido del Papa, sobre la frente del doliente. El hombre se alzó de inmediato, aparentemente curado, tras lo que vendió toda su mercancía. Pero el perspicaz Lazarillo adivinó que había sido una treta ideada por ambos.

El último señor al que sirvió el Lazarillo fue el arzobispo de El Salvador, a cuyo servicio logró labrarse una posición, casándose con una de sus criadas. Pero en la casa se produjo un escándalo y, tras la muerte de su esposa, se vio tan pobre como antes.

Aquí termina el cuento. Es imposible hacer justicia en tan poco espacio al penetrante conocimiento del corazón humano que demuestra tener el autor de esta novela, la primera de su clase. *El Lazarillo de Tormes* fue la primera de una larga serie de novelas picarescas, que más tarde fueron típicas dentro de la ficción española, entre las que destacan *Guzmán de Alfarache* y *Gil Blas,* de Lesage. Podemos incluso apreciar cierta influencia de este tipo de novela en el autor inglés Laurence Sterne. Su espíritu no ha muerto todavía como podemos comprobar al leer la obra de Maurice Hewlett y Jeffrey Farnol.

Guzmán de Alfarache

Mateo Alemán, autor de este gran romance de la picaresca española, nació en la ciudad de Sevilla. Cruzó el mar para dirigirse a Méjico, donde publicó en 1609 un libro de ortografía española y varios tratados de latín. Pero su renombre se lo debe a su novela *Vida del Pícaro Guzmán de Alfarache,* traducida a todas las lenguas europeas desde el momento de su publicación en 1599. Aunque está escrito en un estilo literario de lo más correcto, es un libro fácil y familiar en cuanto a sus maneras, y no tiene rival a la hora de describir los estamentos inferiores de la sociedad castellana de su época.

«Mis ancestros», dice, «eran originarios de Levante, pero se asentaron en Génova y se dedicaron a la vida mercantil de tal manera que fueron acusados de usura.»

El tronco familiar del que descendía el aventurero era de tal categoría que a una temprana edad le pone en contacto con la truhanería. Pero la ignominiosa conducta comercial de sus parientes estaba camuflada bajo una capa de hipocresía y corrección social. Nunca faltaban a misa y llevaban una vida familiar irreprochable. Antes de que Guzmán naciera, su padre, habiéndose enterado de que uno de sus agentes de Sevilla había caído en bancarrota, se embarcó para dirigirse al lugar de los hechos con el fin de investigarlos personalmente. Durante el viaje fue capturado por un pirata argelino, convirtiéndose luego a la religión musulmana y casándose con una mora. Su agente sevillano, al enterarse de lo que le había ocurrido a su principal acreedor, arregló sus asuntos prescindiendo de él, y estuvo en mejor situación económica que nunca. Pero Alfarache logró escapar y se dirigió a Sevilla, donde ajustó cuentas con su agente, al que sacó una buena cantidad de dinero. Decidió asentarse en Sevilla, donde compró una propiedad que llamó San Juan de Alfarache. Vivió lujosamente y se casó con la viuda de un viejo caballero que poseía una gran fortuna. Poco después nació Guzmán. Pero Alfarache era propenso al esplendor y las distracciones y dilapidó su fortuna, se arruinó y murió poco después.

Su viuda y el pequeño Guzmán lograron sobrevivir a duras penas y cuando el muchacho cumplió los catorce años decidió labrarse su propia fortuna en Génova, con la esperanza de que sus parientes le ayudasen. Paró en una taberna donde le sirvieron una tortilla que él definió como «emplasto de huevos», pero que aún así se comió. Poco después de haberse marchado empezó a sentirse mal y, cuando estaba al borde del colapso, se encontró a un arriero, a quien describió la poco sabrosa comida que acababa de ingerir. El hombre riéndose de su historia le invitó a montar una de sus mulas y siguieron al trote en dirección al Este. Poco después se encontraron a dos frailes y llegaron todos a una posada donde pidieron otra comida, que tanto alabó el posadero que el mozo estuvo a punto de engullirla sin más preámbulos. Pero para su horror descubrió que constaba de carne de mula joven. Al increpar al posadero, éste sacó una espada y el arriero agarró su horca, pudiendo haberse producido un asesinato, si no llega a intervenir la policía local, que separó a ambas partes. El posadero fue encarcelado, pero aunque reconoció que daba carne de mula en vez de ternera, negó haber robado la capa de Guzmán que hubo de marchar con una prenda menos.

Cuando Guzmán y el arriero iban de camino, pasaron a su lado dos hombres montados en mula que les observaron atentamente y de pronto se abalanzaron sobre el infeliz muchacho, asegurando que les había robado unas joyas de valor. El arriero intentó intervenir pero sólo logró recibir un fuerte golpe. Los extraños les ataron a sus respectivas mulas. A estas alturas se les unieron más frailes, que se dedicaron a contarles cuentos que tenían una moraleja sobre la mutabilidad de los asuntos humanos. El grupo llegó a las puertas de Cazalla y el juez, viendo que habían atrapado a Guzmán por error, le dejó en libertad. Se alojó en la mejor hostería de la ciudad y a la mañana siguiente se echó a andar hacia Madrid. En una posada de los alrededores de la capital se encontró a un generoso sacerdote que compartió su comida con él. Al día siguiente el posadero quiso cobrarle un precio abusivo e intentó quedarse con su abrigo en pago de la cuenta. El arriero, que había vuelto a unirse a él, intentó intervenir, comentándole al posadero que, en su opinión, Guzmán se había escapado de su casa. El villano posadero, viendo la posibilidad de enriquecerse, le ofreció al muchacho que entrase a su servicio como mozo de establos para suministrar paja y avena a los arrieros que allí pernoctasen. De este modo se inició el joven Guzmán en las prácticas deshonestas, ya que cuando venía algún caballero de rango, le suministraba la mitad del forraje a su caballo, cobrándole la suma total. El lugar era un pozo de iniquidad y la vida de Guzmán era tan miserable que, cogiendo algo de dinero que había podido ahorrar y vendiendo su abrigo y su chaleco, se unió a un grupo de mendigos que pasaron por allí. Éstos vivían muy holgadamente con las limosnas que recibían y con lo que robaban. Eran grandes jugadores y por las noches Guzmán tuvo la oportunidad de aprender muchos trucos con las cartas. Sin embargo, poco después, encontró un empleo como pinche de un cocinero que trabajaba para un noble.

Guzmán pinche

Éstos fueron buenos tiempos para Guzmán, ya que en casa del caballero no faltaba de nada y, además, el muchacho realizaba su trabajo admirablemente. Pero no consiguió librarse del vicio del juego y cada noche se unía a las partidas de cartas de los pajes y lacayos, pasando con frecuencia toda la noche embebido en el juego. En poco tiempo perdió todo el dinero que recibía en propinas y no tenía fondos suficientes para satisfacer su pasión por las apuestas. Entonces empezó a hurtar cosas pequeñas que encontraba por la casa, diciéndose a sí mismo, para justificarse, que hacía lo mismo que otros. Una noche en que su señor ofrecía un gran almuerzo a sus amigos, Guzmán entró en la sala y comprobó que estaban dormidos tras haber bebido mucho. Vio una copa de plata sobre la mesa y se la llevó. La esposa del cocinero echó la copa en falta y empezó a buscarla. El joven le llevó la copa a un joyero que la limpió de tal manera que parecía nueva. Después se la trajo a la esposa del cocinero, que temía que el señor se enterase de la pérdida, y le dijo que había encontrado una igual en una joyería por cincuenta y seis reales. La mujer, ansiosa por solucionar el problema, le dio el dinero para que la comprase. Guzmán destinó ese dinero, obtenido de modo tan deshonesto, al juego.

Por esas fechas el cocinero tuvo que preparar un formidable banquete para unos nobles extranjeros que acababan de llegar a Madrid. El muchacho tuvo que ir a recoger un gran saco con piezas de caza, pero de regreso a casa se percató de que era muy tarde y se lo llevó a su habitación. En mitad de la noche le despertaron unos gatos que se peleaban por una de las liebres que había traído. Después comprobó que no era lo único que faltaba, ya que los lacayos se habían dedicado a robar las provisiones. Entonces Guzmán se metió una docena de huevos en los bolsillos. Pero el cocinero, que le había estado observando, le dio una buena patada y el chico cayó al suelo, aplastando todos los huevos, para regocijo de los presentes. Guzmán logró al final apropiarse de unas perdices y unas codornices y corrió a vendérselas a otro cocinero, pero su patrón le siguió y, al descubrirlo, le apaleó y le despidió.

Después de esto al muchacho no le quedó más remedio que volver a sus correrías errantes. Se enteró que iban a embarcar tropas hacia Génova y decidió dirigirse allí para alistarse. Un viejo boticario, que siempre había confiado en su honradez, le mandó que le llevase a un mercader cierta cantidad de plata. Guzmán la ocultó en secreto en un agujero junto al río y a la mañana siguiente volvió al lugar para desenterrar la bolsa, que contenía dos mil quinientos reales de plata y treinta monedas de oro. Echándose el saco a la espalda, se dirigió a Toledo, atravesando los campos y evitando los caminos principales.

A dos leguas de Toledo se adentró en un bosque, donde decidió descansar el resto del día, ya que no quería entrar en Toledo hasta la caída de la noche. Su plan era ir hasta Génova y presentarse a sus parientes. Estaba pensando en la mejor manera de llegar hasta

Génova y cómo causarle la mejor impresión a su familia, cuando oyó un ruido y, girando la cabeza, pudo ver a un joven de su edad tendido en el suelo con la cabeza apoyada en el tronco de un árbol. Guzmán compartió su vino con él y el joven le confesó que no tenía ni un penique. Guzmán se ofreció a comprarle las ropas que llevaba en un hatillo y, abriendo una de las bolsas del dinero, le aseguró su intención de pagarle. Consiguió un bello traje por cien reales y, después, despidiéndose del forastero, se fue a la mejor posada de la ciudad. Al día siguiente se procuró todo lo que necesitaba para el viaje, pero su vanidad le llevó a comprarse un espléndido traje que le costó una elevada suma. El domingo fue a la catedral, donde se encontró con una bella dama que le invitó a cenar esa noche en su casa. La dama había preparado un gran festín, pero cuando iban a sentarse a cenar se oyeron unos golpes en la puerta y la dama, atemorizada, le comentó que era su hermano y que debía ocultarse. El único sitio que encontró fue una gran bañera colocada boca abajo. Desde allí pudo ver, mortificado, cómo el caballero se comía su deliciosa cena y se bebía las cuatro botellas de vino que la dama había comprado para él. El caballero se durmió poco después y Guzmán tuvo la oportunidad de escapar.

Al enterarse de que un alguacil había estado haciendo preguntas sobre él, abandonó Toledo a toda prisa y llegó a Almagro, donde se unió a los soldados que se dirigían a Génova. Su capitán, impresionado por su apariencia, le trató como a un hermano de armas y le agasajó como a un igual. En Toledo Guzmán había realizado labores de paje y eso le sirvió para consolidar la idea de que era un caballero de rango. Pero su fortuna estaba ya bastante mermada, aunque le quedaba la mitad de su dinero. En vez de embarcarse nada más llegar tuvieron que permanecer tres meses en Barcelona, donde, finalmente, se quedó sin recursos, con lo cual los oficiales le ignoraron y los soldados le evitaron. Sin embargo, su capitán, compadecido, le ofreció comer en su casa con la servidumbre, asegurándole que era todo lo que podía hacer por él, ya que él mismo tenía que comer fuera de casa cuando venía con algún amigo. Guzmán se lo agradeció y le dijo que algún día podría devolverle el favor. Los soldados se alojaban en las casas de la ciudad y Guzmán ideó la treta amenazar a los habitantes con meter un número mayor de soldados en cada casa del necesario. De este modo los angustiados ciudadanos pagaron encantados ciertas sumas de dinero por librarse de tal carga.

De este modo restableció las finanzas del capitán y los aterrados habitantes les fueron regalando provisiones, con lo que tanto el pícaro como el capitán vivieron bastante bien. Pero Guzmán se volvió más audaz y eligió media docena de hombres desesperados de su compañía, que empezaron a robar a la gente por la calle. En cuanto se enteró el capitán, puso fin a tan peligrosa práctica.

Un día Guzmán detectó, entre la joyas que le quedaban a su capitán, un bello relicario de oro con diamantes y le pidió a su superior que se la prestase unos días. El audaz pillo se la llevó a un joyero y se la ofreció por doscientas coronas. El joyero le hizo una contraoferta de ciento veinte coronas y Guzmán la rechazó. El joyero le renovó la oferta al día siguiente y el muchacho aceptó, entregándole la bolsa con la joya, recibiendo las ciento veinte coronas a cambio. Pero apenas se había dado la vuelta el hombre, el joven aventurero empezó a gritar: «¡Al ladrón, al ladrón!» Algunos soldados arrestaron al joyero de inmediato y Guzmán le acusó de haberle robado el relicario del capitán. El joyero les aseguró a los arcabuceros que había pagado el precio del artículo, pero Guzmán lo negó. El pobre hombre fue llevado ante el magistrado, el cual, dada su reputación de usurero, le obligó a devolver la joya. Aunque el capitán estaba encantado con el dinero que había recibido de modo tan ruin, temió que la compañía de un pícaro como Alfarache le trajera la ruina. A los pocos días embarcaron hacia Génova y, al llegar a la ciudad, el capitán le dijo a su compinche que se marchara, entregándole unas monedas.

Atormentado por los demonios

El joven aventurero empezó a hacer averiguaciones sobre su familia y le informaron que eran los más ricos y poderosos de la república. Preguntó cuál era el camino hacia la casa, donde no fue bien recibido por su aspecto miserable. Pero como el muchacho se había encargado de hacer público su parentesco no pudieron repudiarle. Una noche se encontró a un anciano de aspecto venerable, que le dijo que había conocido a su padre y que estaba indignado por el modo en que le habían tratado sus parientes, ofreciéndole asilo en su propia casa. Le mandó a la cama sin cenar. Antes de irse a dormir el anciano le dijo que la habitación que ocupaba tenía fama de estar poseída por malos espíritus. Guzmán, hambriento e inquieto, permaneció despierto hasta que vio, con horror, cómo cuatro demonios entraban en la habitación y le arrastraban fuera de la cama. Le tiraron sobre una manta y se dedicaron a lanzarle por los aires con tal violencia que se golpeó con el techo una y otra vez. Cuando se quedaron exhaustos con tanto ejercicio, le devolvieron a la cama y se marcharon. A la mañana siguiente Guzmán se fue de la casa rígido, dolorido y abatido, prometiéndose a sí mismo no olvidar nunca el modo en que le había tratado su pariente y decidiendo vengarse a la primera oportunidad.

Guzmán se une a los mendigos de Roma

Abandonó Génova en un estado lamentable, comparándose a sí mismo con los que escaparon de la batalla de Roncesvalles, y decidió encaminarse a Roma. Italia, pensó, es el país más caritativo del mundo y cualquiera que pueda mendigar puede viajar sin preocuparse por su próxima comida. En pocas semanas llegó a la capital con dinero suficiente para comprarse trajes nuevos, pero resistió la tentación de hacerlo y caminó por las calles de la ciudad pidiendo limosna. Pronto se encontró a un compañero de desdichas que le instruyó sobre las costumbres de los mendigos de Roma y, sus consejos fueron tan acertados, que poco después Guzmán tenía más dinero del que podía gastar. Al poco tiempo el pillo era un maestro en el arte de pordiosear. Dos semanas después coincidió con uno de los grandes maestros que le enseñó las leyes de la mendicidad, cosa que Guzmán se aprendió de memoria. Los dos pordioseros vivieron juntos y se dedicaron a practicar e inventar por las noches nuevas exclamaciones para suscitar la compasión ajena. Por las mañanas se peleaban entre ellos por ver quién conseguía colocarse más cerca de la pila del agua bendita a la entrada de la iglesia, ya que era el lugar donde se cosechaban limosnas más abundantes. Por las noches, por lo general, hacían una ronda por los alrededores de Roma, de donde venían cargados de provisiones. Casi todos los mendigos eran propensos a simular todo tipo de malformaciones o repugnantes enfermedades. En una ocasión, estando en la ciudad de Gaeta, Guzmán fingió padecer una terrible enfermedad en la cabeza y el gobernador, que pasaba por allí, le dio una limosna. Al día siguiente se sentó en el porche de la iglesia afectado por una grave enfermedad en la pierna, cuando, desgraciadamente, el gobernador volvió a pasar y le reconoció, diciéndole que le daría algunas ropas usadas si le acompañaba a su casa. Al llegar allí el gobernador le preguntó cómo se había curado de su anterior enfermedad en tan sólo un día y, sin esperar respuesta, mandó llamar a un cirujano que le examinó la pierna y aseguró que estaba perfectamente sana. El gobernador entregó a Guzmán a sus lacayos, que lo apalearon y lo expulsaron de la ciudad.

Se había situado nuestro héroe una mañana frente a la puerta de un cardenal, famoso por su compasiva disposición, cuando pasó frente a él y, al oír sus quejas, les dijo a sus sirvientes que le destinasen una habitación para el doliente y atendiesen sus necesidades. Guzmán había fingido de nuevo tener una enfermedad en la pierna y el cardenal, al verla, mandó llamar a dos famosos médicos de Roma. Le revisaron tan concienzudamente que Guzmán temió que se la fuesen a amputar, de modo que cuando los doctores se retiraron a la habitación contigua a discutir sobre el diagnóstico, el pícaro les escuchó a través de la puerta. Uno de ellos era de la opinión de que todo era una farsa, pero el otro pensaba que la enfermedad era real. Finalmente, decidieron comunicarle al cardenal sus impresiones, pero Guzmán entró apresuradamente en el cuarto y, admitiendo que todo era un fraude, les propuso un plan para engañar al cardenal. Los cirujanos aceptaron y, cuando llegó el cardenal, le ofrecieron un informe de lo más alarmante. El ingenuo cardenal les dijo que tomasen todas las medidas necesarias para sanarlo, y éstos, ansiosos por cobrar unos buenos honorarios, le hicieron guardar cama al pícaro durante tres meses, que a Guzmán le parecieron tres años, tal era su deseo de volver al juego. Al final le presentaron la factura al cardenal, diciéndole que el enfermo estaba totalmente curado y el prelado, impresionado por tan portentosa sanación, contrató al joven charlatán como paje.

Pero Guzmán no estaba muy satisfecho con su nueva vida, que consisitía en gran medida en esperar en la antecámara y en servir la mesa. Además, la disciplina era rigurosa y no pudo robar más que algunos cirios. Un día descubrió un cesto en el que se guardaba gran cantidad de finas frutas y se aplicó a la tarea de robarlas. El cardenal notó la falta pero desconocía el motivo. La segunda vez que Guzmán atacó la cesta, entró de golpe el cardenal, y le pilló con las manos en la masa. Recibió un buen castigo de manos del mayordomo que puso fin a sus bellaquerías durante un tiempo considerable.

Guzmán tima a un banquero

Pero Guzmán le hizo tantas trampas al cardenal que éste acabó por echarlo. Entonces entró al servicio del embajador de España, amigo del cardenal y que conocía todas las habilidades del truhán. Guzmán pasó bastante tiempo a su servicio, decidiendo más tarde dejar Roma para hacer una gira por Italia. Poco antes de su partida conoció a un español, llamado Saavedra, del que se hizo muy amigo. Guzmán se dispuso a iniciar su viaje con trescientas *pistoles* en el bolsillo y unas cuantas joyas que le había robado al embajador, pero Saavedra había hecho un molde en cera de la llave de su equipaje y le había robado todo; si no hubiera sido por la generosidad del embajador, Guzmán no podría haber abandonado Roma. En Siena se volvió a encontrar a Saavedra, que le pidió perdón por su perfidia y se ofreció a ser su sirviente. Guzmán, compadecido por su mísera situación, aceptó y ambos partieron para Florencia, iniciando un plan de medidas urgentes para mejorar sus respectivas posiciones. Guzmán había corrido la voz de que era sobrino del embajador de España y tuvo, incluso, la osadía de presentarse en la corte, donde fue recibido por el gran duque. Allí conoció a una encantadora y adinerada viuda de la que se enamoró apasionadamente. Pero los parientes de la dama hicieron averiguaciones sobre su condición, y se enteraron de que había estado mendigando por Roma y que se había visto forzado a abandonar la ciudad. En Bolonia ganó una buena suma en el juego y al llegar a Milán decidió alojarse allí, pidiéndole a Saavedra que se enterase del mejor modo de rentabilizar sus fondos. Pronto se hicieron amigos del empleado de un banco y acordaron un plan para liberar al banquero de sus excedentes de dinero. Guzmán preguntó por el banquero y le dijo que quería depositar unos doce mil francos de oro. Fue muy bien recibido y registraron su nombre y sus datos en el diario. De camino a casa compró un cofrecito dorado, lo llenó de plomo y se lo dio a Saavedra, junto con una bolsa que contenía dinero auténtico, ordenándole que fuese a la posada donde se alojaban y le comentase al propietario que iba al banco a ingresar el dinero. El empleado del banco había hecho una copia de la llave del cofre de su jefe, y un domingo, cuando éste estaba en misa, depositaron el cofrecillo dorado, que esta vez contenía treinta coronas romanas, y una nota escrita de su contenido. Después, falsificando la escritura del banquero, registraron en el diario un ingreso hecho por Guzmán, que no sólo reflejaba el contenido del cofrecillo sino el de todo el cofre.

El lunes Guzmán se presentó en el banco reclamando educadamente que le devolviesen la cantidad que había depositado días antes. El banquero, naturalmente, negó haber recibido dicha suma, ante lo que Guzmán dio tal alarido que se congregó allí una gran multitud. Cuando la pelea empezó a tornarse seria entró en escena un policía, acompañado por el propietario de la posada en la que Guzmán se alojaba. El pícaro aseguró que en el libro estaba anotada la suma depositada. El sorprendido banquero admitió que la letra era la suya y esto bastó para incendiar los ánimos de la multitud, entre la que el banquero gozaba de fama de usurero. Guzmán describió también con todo detalle el contenido del cofrecillo dorado, mencionando incluso la nota escrita. El posadero corroboró sus afirmaciones y, ante la evidencia, el magistrado local le adjudicó todo el dinero, que luego dividió con sus compañeros.

Guzmán decidió volver a Génova con el propósito de vengarse de sus parientes, que tan mal le habían tratado en su primera visita a la ciudad. Se alojó en la mejor hostería del lugar, disfrazado de abad, y sus familiares, informados de su llegada y del boato que le rodeaba, corrieron a presentarle sus respetos. No pudieron identificarlo con el desastrado muchacho que les había pedido ayuda años atrás, y Guzmán se ganó completamente su confianza. Éste les pidió prestada una colección de joyas que un amigo deseaba lucir el día de su boda, y ellos se las confiaron sin reservas, dado que hacía gala de sobrarle el dinero. Saavedra y Guzmán huyeron con ellas a España, pero durante el camino Saavedra padeció unas fiebres y se lanzó al mar desde la cubierta del barco, ahogándose.

Una vez en su país natal y tras varias aventuras, Guzmán llegó a Madrid, donde vendió sus joyas a un rico mercader que, creyéndole un hombre importante, le concedió la mano de su hija. El mercader contaba con la supuesta riqueza de Guzmán para proseguir sus operaciones financieras. Guzmán, por su parte, confiaba en la fortuna de su suegro con igual objeto, y la dama confiaba en ambos, con lo cual sufrieron una total bancarrota. La noticia fue tan fuerte para la dama que murió, pero el padre consiguió salvar algunos restos del naufragio y empezar de nuevo.

En cuanto a Guzmán, ya estaba cansado del mundo de las finanzas y decidió destinar el resto de su patrimonio a estudiar para sacerdote. Con ese fin se dirigió a la ciudad de Alcalá de Henares, donde obtuvo una licenciatura en artes. Tras pasarse allí cuatro años, leyendo exclusivamente libros religiosos para poder graduarse como sacerdote, el perverso destino se interpuso en su camino. Conoció a una dama que tenía varias hijas, se enamoró de una de ellas y después contrajo matrimonio. La pareja se dirigió a Madrid, donde se embarcó en un sinfín de aventuras. Unos años después su esposa desapareció, llevándose consigo todos los objetos de valor. Guzmán decidió entonces ir a ver a su madre, que lejos de disuadirle de sus perversas correrías, le ayudó en sus planes. Guzmán fue de mal en peor y, finalmente, se vio obligado a remar en una galera real. Como ayudó al capitán del barco a descubrir un motín, fue recompensado con la libertad.

En este punto nos despedimos de este consumado truhán. Aunque Guzmán de Alfarache es uno de los más despreciables bellacos del romance español, es también uno de los más divertidos y originales. Hay que destacar que, en general, no obtuvo grandes beneficios en toda su carrera, y que al final del libro es tan pobre como al principio. Quizá lo más divertido de la obra es el tono, fingidamente decoroso, en que está escrita. Lesage imita descaradamente su estilo en la obra *Gil Blas,* copiando no sólo su ambiente sino, incluso, determinados incidentes.

Conclusión

Hemos rodado por los caminos de las leyendas españolas, tanto sublimes, como heroicas o humorísticas. Posiblemente no hay ningún capítulo en la literatura que despliegue tal riqueza de color y variedad de sentimientos. Su pieza clave será siempre su noble y digna belleza, la distinción caballeresca y la cortesía exquisita, preservadas de la mácula de la vulgaridad y de la sordidez. La copa del romance español contiene la sangre del corazón de una nación augusta, caballeresca e imaginativa, la de un pueblo que ha preferido los ideales a la burda realidad y las cimas de la aristocracia nacional a los desiertos de la falsa democracia. «¡Pobre España!» Cuántas veces pronuncian estas palabras los anglosajones con complaciente autoafirmación. España se puede consolar con el tesoro de su riqueza romántica y poética, mientras espera que vuelvan aquellos días que alababan las liras de los trovadores y cantaban los poetas en sus epopeyas. Nada de ¡Pobre España!, ¡Dorada España!, caverna encantada que resplandece con el oro de la canción, el tesoro de la leyenda y el brillo de las gemas del romance inmortal.

> Sus ciudadanos, espíritus imperiales,
> Gobiernan el presente desde el pasado;
> Los herederos de todo este mundo
> Tienen su destino marcado.